KB172668

톨스토이 인생독본

이상길 옮김

지성문화사

●●●●
책머리에

인생의 진리를 밝히며

"인생의 의의는 무엇인가?"

"나는 왜 태어났고, 또 어떻게 살아야 하는가?"

인간은 스스로 자신의 존재와 인생에 대한 의문을 갖는다. 그 의문에 대한 올바른 답이 바로 진리이다.

인류는 언제나 진리를 찾기 위해 노력해 왔다. 고대로부터 현대에 이르기까지 수많은 철학자·사상가·문필가를 비롯한 무명의 선인(先人)들이 진리에 대한 답을 구했고, 그토록 애써 찾은 진리를 고스란히 우리에게 유산으로 남겨 주었다.

그러나 방대한 저술 속에 담겨진 진리를 전부 섭렵하기에는 너무나 많은 시간과 노력이 필요하다. 그래서 러시아의 대문호 톨스토이는 혼신의 노력으로 이 책을 준비했다.

이 책에는 우리가 의문을 느끼고 해답을 구해야 할 삶의 문제들을 세분화하여 그에 대한 숱한 사상들을 집대성했다. 어느 항목이라도 펼치기만 하면 다양한 목소리의 주옥 같은 글귀들이 의문에 답해 준다.

보다 나은 삶의 뜻을 가지려는 사람들에게 인생의 진리를 밝히는 길잡이가 되리라고 믿어 의심치 않는다.

編輯者 註

톨스토이 인생독본

1월의 장

2월의 장

3월의 장

4월의 장

5월의 장

6월의 장

7월의 장

8월의 장

9월의 장

10월의 장

11월의 장

12월의 장

1월의 장

〈피카소 그림〉

1일 독서(讀書)

지식 섭취에 있어서는, 무엇보다도 훌륭한 것 소량을 선택함이 좋다. 비록 저열(低劣)한 것이 아니고 온량(溫良)한 것일지라도, 그 다량보다는 훌륭한 것 소량을 선택함이 좋다.

그대의 알뜰한 서재 안에 무슨 책들이 있는가를 살펴 보라. 온갖 문명한 나라의 수천년 간의 선택할 수 있는 가장 슬기롭고 인격 높은 인물들과 사귀며, 그들의 연구와 창조의 성과를 정돈된 속에서 섭취할 수 있을 것이다.

그들 자신은 보이지 않는 곳에 있어서, 가까이 할 수 없고, 고독하며, 그 분위기를 깨뜨림을 꺼리며, 예의범절에 있어서도 그대와는 전혀 다를지도 모른다.

그러나 그들이 가장 친한 벗에게도 털어놓지 않았던 사상을, 이제 여기 딴 세기의 낯 모를 우리를 위하여, 정확한 말로써 공개하여 준다. 우리는 고도의 지적 노력에서 산출된 가장 중요한 지혜를 서적에서 얻는 것이다. 〈에머슨〉

우리는 반추동물(半芻動物)이어야 한다. 여러가지 서적을 머리 속에 밀어넣기만 하면 되는 것이 아니다. 여러 가지 이로운 지식을 되풀이하여 외우지 않는다면, 서적은 우리에게 아무런 자양(滋養)도 힘도 되지 못할 것이다, 〈록 크〉

좋은 서적은 만사를 제쳐놓고서라도 우선 읽어라, 그렇지 못하면 끝끝내 영영 읽을 기회를 못가지게 되리라,

〈세네카〉

육체와 두뇌(頭腦)에 대한 해독의 차이는 다음과 같은 것이다.

즉 육체에 대한 해독은 불쾌한 것에 그치지만, 두뇌에 대한 신문·잡지나 기타 악서(惡書)의 해독은, 흔히 매혹적이기도 한 것이어서, 그것은 매혹적일수록 악(惡)을 끼치고 마는 법이다.

2일 신앙(信仰)

가장 어리석은 미신은, 인간에게 신앙 없이도 살 수 있다고 믿는 과학자들의 미신이다.

어느 시대에 있어서나, 인간은 항상 지상에 있는 스스로의 목적을 알고자 한다. 종교는 인간을 인도하여 공통의 대법(大法)을 가르쳐 주는 것이다. 〈마드지니〉

진실한 종교란, 인간 속에 수립되며, 인간을 둘러싼 무궁한 시공(時空)에 대한 관계를 밝혀주는 것이다. 그리고 그 무궁한 시공과 결합시키며, 인간의 행위를 광명을 향하여 이끌어 나가는 것이다. 〈톨스토이〉

종교는 인간교육에 있어서 가장 고귀한 행위자이며 문화의 가장 위대한 힘이다. 그러나 신앙의 표면상의 노출과 같은 정략적이며 이기적 행동은 인간성의 진보에 대하여 중대한 장애가 된다.

종교의 본질은 영원성이며, 신성이며, 언제든지 또 어느 곳에서든지 인간의 마음을 충만하게 하는 것이다. 다만 그 마음이 느끼고 또한 뛰기만 하면 그만인 것이다.

우리는 학구(學究)의 논리적 추론(推論)에서도, 모든 위대한 종교의 기초는 동일하다는 것을, 또 인간생활의 최초부터 오늘까지 발전하여 온 근본적인 가르침이 동일하다는 점을 증명하고 있는 것이다. 〈모리스·프류겔〉

신의 계시에 대한 특수한 연구가 아니라, (왜냐하면 그것은 「종교학」이라 이름 붙일 것이므로) 우리에게 부여한 많은 의무가, 종교를 성립시키는 것이다. 〈칸 트〉

신앙이 없는 인간의 생활은, 짐승이나 다름 없는 것이다.

3일 임무(任務)

우리는 누구나 신의 사명을 지니고 있다. 그 사명이 무엇인지 우리는 분명히 알 수가 없다. 그러나 그 사명에 대하여 우리는 무엇을 함으로써 참가하여야 하는가는 알지 않고서 지낼 수는 없다.

건전한 지혜의 법칙을 아는 자는, 그 법칙을 사랑하는 자와 같지 못하다. 또한 사랑하는 자는 행하는 자만 못하다.
〈공 자〉

나는 괴롭다. 나는 신께 구원을 빌고 싶다. 그러나 나의 임무는 신께 봉사한다는 그것 뿐이나, 나에게는 봉사할 자격이 없다. 걸음을 멈추고 이 점을 생각할 때, 고통은 저절로 사라지고 말 것이다.
〈톨스토이〉

우리들 인간으로서의 노역(勞役)은, 정직하고 훌륭하게, 그 결과로서 천국에 들어갈 수 있느냐 없느냐 하는 관심을 떠나서 수행되지 않으면 아니된다.
〈존·러스킨〉

「그대는 해야 할 일을 해 왔는가?」

이는 매우 중요한 문제이다. 왜냐하면 그대의 인생에 있어서의 유일한 의의는, 오직 그대가 이 주어진 짧은 생애에 있어서, 그대를 지상으로 보내어 주신 신께서, 그대에게 원하신 일을 충실히 수행하고 있는가 하는 그 문제 속에만 있는 것이기 때문이다. 그대는 충실히 수행하고 있는가?
〈탈무드〉

인생의 목적은 행복 탐구에 있는 것이라 생각하라. 그러면 참혹한 인생도 대범한 것으로 생각되리라. 전통과 이지(理知)와 심장이 그대에게 말해 주는 그 의미를 알라.

인생은 그대를 이 지상으로 보내어 주신 신에 대한 봉사임을 알라. 그때에 인생은 경건하고 심오한 즐거움을 갖게 될지니——상태가 아닌 진행이 될 것이다.

4일 협동(協動)

설령 우리가 원치 않는다 할지라도, 주위의 모든 인류세계와 우리 자신이 연결되어 있음을 느끼지 않을 수 없다. 사상·지식의 교환, 그리고 특히 이 세계에 대한 우리의 위치, 관계의 일치가 우리들을 연결시키는 것이다.

선량한 사람들은 서로 의심하는 일이 없이 남을 돕는다. 사악한 사람들은, 한 사람을 다른 사람에게 배반시키기 위하여 고심한다.
〈중국의 옛말〉

우리가 생활하고 있는 이 세상의 조직은, 만 사람이 공동적으로 노력함으로써, 같은 수효의 사람 하나 하나가 제각기 일하는 것보다는, 훨씬 더 많은 것을 생산할 수 있는 것이어야 한다. 그러나 이 말은 9백 99명의 인간이 본질적으로 단 한 사람의 노예가 될 필요가 있다는 말은 결코 아니다.
〈존·러스킨〉

인간은 누구나 무거운 짐과 결점을 지니고 있다. 그러므로 타인의 도움 없이는 살아나갈 수 없다. 우리는 서로 서로 위로와 충고와 협의로써 도와나가지 않으면 아니된다.
〈톨스토이〉

유덕한 사람은 덕이 없는 자의 선생이니. 덕이 없는 자는 무엇보다도 먼저 유덕한 사람에게 배우지 않으면 안된다. 자기의 선생을 존경하지 않고 사람을 사랑하지 않는 자는 비록 영리하다 해도 과실을 범하는 자이다. 〈노 자〉

우리가 알 수 있는 모든 시대의 인류역사는, 대다수의 끊임 없는 합일운동(合一運動)이었다. 이 운동은 여러 가지 수단에 의하여 성취된다. 이를 위해서는 진력하는 사람들 뿐만 아니라, 이에 배반된 일을 하는 사람들까지도 협력하고 있는 셈이다.

5일 설화(舌話)

사람들이 가득 들어찬 선물 안에서, 누가 「불이야!」 하고 외쳤다고 가정 하자. 대번에 혼잡을 일으키고, 그때문에 사상자를 내게 될 것이다.

말 때문에 발생되는 해독은 이처럼 분명한 것이다. 그것은 몸을 망치는 사람을 목격하지 않는 경우라 할지라도, 말로 인한 해독은 언제나 매우 큰 것이다.

총알에 맞은 상처는 고칠 수도 있으리라. 그러나 사람 입에 얻어 맞은 상처는, 끝끝내 고칠 수 없는 것이다.

〈페르시아 속담〉

사람들의 논쟁(論爭)을 보더라도, 그 무리에 껴들지 말라. 아무리 하잘것 없는 문제일지라도, 격정(激情)과 흥분을 삼가라.

격정은 결코 현명한 것이 못된다. 무엇보다도 정의에 대하여 그러하다. 왜냐하면 격정은 사람의 눈을 흐리게 하며 나아가서는 마음을 혼란에 빠뜨리기 때문이다. 〈고골리〉

남의 악담을 들었을 때, 함께 분개해서는 아니된다. 남에게서 아첨의 말을 들었을 때, 그 말을 곧이듣고 기뻐하지 말라. 타인의 좋지 못한 소문을 들었을 때, 그 이야기에 가담하지 말라.

덕이 높은 사람의 말에는 귀를 기울이라. 그 말을 들음으로써 행복을 느끼며, 그를 본받기를 애쓰며 기뻐하라.

〈중국의 성언〉

나는 말하였노라, 「나의 가는 길에 있어서 삼가하라, 말로 인하여 죄를 범하는 일이 없기를. 스스로의 앞에 사악한 나의 입을 조심할지어라.」 〈성 시〉

모든 사람이 협화(協和)의 파괴자 됨을 두려워 하라. 말로 인하여 사람들 사이에, 서로 배반하게 하는 악감정을 조성함을 두려워 하라.

6일 극기(克己)

착한 일을 위하여선 노력하여야 한다. 그러나 나쁜 일을 피하기 위하여 노력함은 한층 더 필요하다. 또한 정욕을 억제하기 위하여 노력함은 가장 필요하다.

언짢은 사건으로 해서 갑작스럽게 노여움이나 혼란을 느끼게 될 때에는, 곧 자기 자신의 감정을 멀리 떠나서, 자제력(自制力)을 잃게 하는 그 사건 속에 몸을 빠뜨리지 않도록 함이 상책이다.

의지력에 의하여 정신의 평온상태로 돌아가기를 거듭 경험할수록, 그 평온상태 유지의 능력은 증가되는 법이다.

〈오레리아스〉

사람들이 그렇듯 매혹 당하고 있는 모든 것, 그리고 그것을 얻기 위하여 그렇듯 흥분하고 골몰하고 있는 모든 것, 그것들은 실은 그들에게 아무런 행복도 가져오는 것이 아니다. 정신없이 골몰하고 있을 때, 사람들은 자기들이 좇아다니는 곳에 행복이 있다고 믿기 일쑤이다.

어제까지 그런 욕망에 도달하기 위해서 허비한 노력의 반이라도 좋으니, 그 욕망을 버리도록 노력해 보라. 그대는 훨씬 많은 평화와 행복을 얻을 수 있음을 깨닫게 될 것이다.

〈에피크테타스〉

덕을 달성하려면 무엇보다도 억제가 긴요하다. 억제는 어릴 때부터 습성으로 되어 있어야 한다. 덕을 갖춘 사람에게 있어서는 억제하지 못하는 일이란 하나도 없을 것이다.

〈노 자〉

사나운 말을 대하건, 순한 말을 대하건, 자기의 노여움을 억제할 줄 아는 자, 이러한 자만을, 나는 신뢰할만한 마부라 부르겠다. 〈불교성전〉

아무리 번번히 정욕에 사로잡히는 경우를 경험하더라도, 낙심하여서는 아니된다. 내부투쟁(內部鬪爭)을 겪을 때마다, 정욕의 힘은 약해가며, 그리하여 극기심(克己心)은 차차로 강해져 가는 것이다.

7일 친절(親切)

대인(對人) 관계에 있어서 선(善)을 지킴은 우리의 의무이다. 만약 타인에 대하여 「선」이 아니라면 그대는 「악」인 것이다. 그러므로써 타인에게까지 「악」에 대하여 눈뜨게 할 것이다.

그 누구도 멸시하여서는 안된다. 이웃사람에게 대한 파렴치한 비난이나 중상은, 마음 속에 싹트자 마자 눌러 버려라. 타인의 말과 행동은, 솔직한 마음으로 해석하라. 항상 진실된 마음으로, 자기보다 먼저 타인을 위하도록 하라.

여러 사람들 틈에서 살고 있는 한, 비록 가장 천하고 가련한, 혹은 비웃을만한 사람일지라도, 그 인격을 멸시해서는 안된다. 모든 사람의 인격 속에 존재하는 모든 것을 알면, 영원한 법칙의 결과로서 존재하는 그 어떤 불멸의 영성(靈性)을 발견하도록 함이 필요하다. 그 본질이 본질 그대로 존재해 있는 개성을 비난하지도 말고, 그저 조용히 견디는 힘을 길러야 한다. 〈쇼펜하우어〉

오늘 할 수 있는 일을 내일로 미루어서는 안된다. 자기가 할 수 있는 일을 타인에게 시켜서는 안된다. 값이 싸다 하여 필요 없는 물건을 마구 사들여서는 안된다.

긍지(矜持)는, 의식주(衣食住)에 필요한 모든 것 보다도 고귀하다. 알맞은 정도에 그침으로써 후회하는 일은 드물다. 〈죠파슨〉

유혹에 넘어간 사람을 보고 가혹하게 대해서는 아니된다. 그를 위로하도록 하라. 그대 자신이 남에게서 위로 받고 싶었을때가 있었듯이. 〈톨스토이〉

친철은 이 세상을 아름답게 한다. 모든 배반을 해결한다. 얽힌 것을 풀어헤쳐 놓고, 어려운 일을 수월하게 하고, 비참을 즐거움으로 바꾸어 놓는다.

8일 기독(基督)

기독교는 나이 어린 사람에게도 그 스스로의 사고에 의하여 이해할 수 있으리만큼 명확한 것이다. 오직 기독교도인양 꾸며대며, 기독교도란 말을 듣기를 원하는 사람들만이, 그것을 이해할 수 없을 따름이다.

「부귀한 까닭으로해서 맹목」이라고 그리스도가 말한 그상태에서 벗어난 사람들, 매일의 적은 빵에 만족하며, 둥우리 지을줄도 낟알 쪼을줄도 모르는 새들에게까지 신께서 주시는 극히 적은 것만을 신께 기원하는 사람들—— 이같은 사람들은, 현세의 욕망과 번뇌에만 골몰하는 다른 사람들보다, 훨씬 더 많이 참된 인생을 살며, 참된 정신생활을 영위하는 것이다.

〈톨스토이〉

스스로를 종교에다 바치는 사람은 어두운 집안에 등불을 들고 들어가는 사람과도 같다. 어둠은 삽시간에 사라지고 환하게 된다.

성현의 도(道)를 구함에 있어서는 집요하여도 좋다. 진리의 계시를 얻기 위하여는 탐욕스러워도 좋다. 그대의 마음속을 광명한 빛이 구석구석까지 비치게 되리라.

〈석 가〉

민중은 이승에다 그리스도의 천국을 기초 잡았다. 그리스도는 민중 속으로 퍼져들어갈 것이다. 민중 속에는 새 시대가 시작될 것이다. 이미 그 종말이 다가왔음을 알고 공포에 사로잡힌 과거의 권력이 압살(壓殺)하려고 하던, 그 신의 어린 싹은 돋아날 것이다.

〈라메에〉

다음 두 가지 위험한 미신을 경계하라. 하나는 신의 본질을 언어로써 표현할 수 있다는 미신, 또 하나는 신의 존재를 과학적 해부에 의하여 해명할 수 있다고 믿는 미신.

〈존·러스킨〉

기독교 정신을 체득하자면, 오직 자기 자신의 사욕을 억제하는 것만으로는 충분치 않다.

9일 사색(思索)

참된 지식은 자립적으로 얻은 것이다.

어떤 사물에 대하여 제자신이 사고(思考)해 보기 전에 그 사물에 대한 서적부터 읽음은 유해(有害)하다. 이같은 습관은 곧 뿌리 박히기가 쉽다. 이 습관이 뿌리 박히기만 하면, 개성적(個性的)인 세계를 발견하기란 참으로 곤난하게 된다. 이것이 학자 제군에게 있어서 현저하게 독창성이 부족한 원인이다.

인간의 두뇌로서는 너무 많이 배우거나, 또 너무 일찌기 배우는 것 보다는, 차라리 전혀 배우지 않는 편이 해독이 덜하다. 〈톨스토이〉

지식이란, 통화(通貨)와 같은 것이다. 만약 사람들이 구슬땀을 흘려 금화를 획득하여 그것을 빛내고자 한다면, 그는 금화를 가짐을 자랑하여도 좋다. 그것이 동전이라 하더라도 정직하게 일하여 얻은 것이라면, 역시 자랑 삼아도 좋을 것이다. 그러나 아무 일도 아니하고, 길 가는 사람이 던져 준 것을 받았다면, 그것을 가졌다는 자랑은 할수 없을 것이다.

〈존 · 러스킨〉

어떤 사물(事物)을 완전히 연구하자면, 나는 전혀 알지 못하는 새로운 사물을 대하듯이 하지 않으면 안된다.

〈토로오〉

우리는 누구나 우리의 내부에 항상 섬광과 같이 번쩍이는 그러한 영광스러운 사상을, 정확하게 간취(看取), 파악하지 않으면 안된다.

누구에게 있어서나 그러한 내적 영광은, 별처럼 많은 시인이나 현인을 추종하는 것보다는, 훨씬 더 큰의의를 가지는 것이다. 〈에머슨〉

읽음이 적고 배움이 적을지라도, 생각만은 많이해라. 교사나 서적에 대해서는 다만, 그대에게 필요하며, 알고 싶은 것만을 배우면 그만이다.

10일 교화(敎化)

종교적 교화는 각종 교육의 기초가 되는 것이다.

현실에 있어서 미래에 적응하는 인간을 교육하자면, 이상적인 완전한 인간의 전형(典型)을 자기 자신 눈앞에 그리면서 교육함이 필요하다. 그러므로써 비교적 교육자는, 자기가 살고 싶어 하는 시대에 알맞은 인간이 될 수 있을 것이다.

〈톨스토이〉

신을 믿고 있는 이들, 사랑스러운 것들을 유혹해가는 자는 그 목에다 큰 돌을 달아 깊은 바다 속에다 던져버림이 좋다. 유혹의 세계는 슬프다. 그러나 유혹을 박차고 나감이 필요하다. 스스로 유혹을 불러들이는 자에게는 오직 슬픔이 있으라.

〈성 서〉

교육과 예술의 기초에는 다음과 같은 원칙이 없으면 안된다. 즉 특히 예기한 계획을 가진 원칙이 필요한 것이다. 아이들은 현대에 대해서보다도 미래에 대해서 적응하도록 교육하여야 한다.

인류의 보다 나은 상태에 대해서 가능함과 동시에 인간성의 관념과 그 충분한 의의에 대해서, 적응하도록 해야하는 것이다.

이 원칙은 대단히 중요하다. 보통 양친들은 자녀들이 부패되었든 어떻든 간에, 다만 현세에 맞도록만 교육하려 하는 것이다.

〈칸 트〉

어린것들을 가르쳐 신의 본질에 대한 자의식을 갖게 함은, 양친과 교육자들의 가장 거룩한 의무일 것인줄로 나는 믿는다.

〈챤 닝〉

현대 기독교의 세계에서는 성실하게 가르쳐지는 듯 보일 따름이다. 아이들은 예리한 투시력(透視力)을 가지고, 가르쳐 지는 것 뿐만 아니라, 가르치는 사람마저 신용하려 하지 않는 것이다.

11일 인격(人格)

겸양(謙讓)은 인격완성을 위하여 불가피한 덕이다. 만약에 내가 그렇게 위대하다면, 그 뒤에 어떻게 완성할 수 있단 말인가?

성현은 자기 자신에 대해서는 어디까지나 엄격하지만, 타인에 대해서는 아무것도 요구하지 않는다.

성현은 스스로의 상태에 만족하는 법이다. 그리고 결코 자기 운명으로 인해서 하늘을 원망하거나 타인을 비난하거나 하지 않는다. 그러므로 불행한 운명에 처해 있을지라도, 그 운명에 대해서 공손한 태도를 가질 따름이다.

단순한 인간들은 지상의 영예를 쫓기 때문에 위험 속에 떨어지게 된다. 사격에서, 과녁에 맞지 않았을 때는 사격한 자신이 나쁜 것이지, 다른 아무 것도 나쁜 것은 아니다. 성현은 이와같이 스스로를 행한다. 〈공 자〉

이제 곧 그대 자신 속에 있는 모든 지배욕(支配慾)을 없애 버려라. 허영(虛榮)을 경계하라. 영예와 칭찬을 얻고자 하지 말라. ——이러한 모든 것은 그대의 정신을 멸망시킬 따름이다.

자기가 타인보다 훌륭하다는 관념을 경계하라. 자기가 갖지도 않은 도의심이 자기를 아름답게 보이고 있다는 관념을 경계하라. 〈톨스토이〉

손에 보습을 잡고 있으면서 뒤를 돌아다 보는 자는 신의 왕국을 위하여 희망되는 자는 아니다. 〈에머슨〉

그대는 자기에게 알맞은 자리보다 조금쯤 낮은 곳을 택하라. 남으로부터 「내려가시오」라는 말을 듣느니 보다는 「올라오시오」라는 말을 듣는 편이 훨씬 나은 것이다. 〈탈무드〉

그대가 행한 비행은 기억하라. 그러함으로써 다시는 비행을 범하지 않게 될 것이다. 그러나 그대의 선행만을 기억한다면, 그것은 앞으로의 선행에 방해가 될 것이다.

12일 법칙(法則)

타인에게 대하여 그들의 신과 세계에 대한 관계를 결정해 주는 권리가 자기에게 있다고 생각하는 인간들이 있다. 또한 그러한 권리를 타인이 갖고 있다고 생각하며, 그들의 하는 말을 맹목적으로 믿는 인간들이 있다. 후자에 속하는 인간들은 엄청나게 많다.

사람이 자기의 도덕적 의무를 거부한 때부터, 또 사람이 내심에서 우러나오는 생각에서가 아니라, 어느 집단 혹은 어느 친구의 이익을 위해서 자기의 의무를 한정하게 된 때부터, 또 자기는 몇 천만이라는 사람들 속의 단 한사람에 불과하다는 이유로써, 자기 일개인의 책임을 생각지 않게 된 때부터, 그는 자기의 도덕심을 상실한 인간이 되고 만다.

그때부터 그는, 오직 신만이 할 수 있는 일을 보통사람에게 기대하지 않으면 안되게 된다. 그때부터 그는, 신의 무궁한 힘에 대해서 사람의 얕은 꾀라는 무례한 무기로써 대항하게끔 되고 마는 것이다. 〈챠 닝〉

모든 종교적 의문은 해명되어야 하며, 모든 종교상의 법칙은 수립되어야 한다는 것을 깨닫기가 무섭게 그 해명과 수립에 노력한 타인의 의견을 그저 무조건하고 받아들이는 사람들이 있다.

이같은 어리석은 만족을 찾는 결과로서, 사람들 사이에 지혜에 대한 헌신적 노력이 부족하게 되는 것이다. 종교상의 독단주의가 낳은 철의 낙인이, 오래도록 우리의 목 위에 남아 있음을 나는 두려워 하는 바이다. 〈밀 톤〉

우리는 옛 성현의 유산을 이용할 수 있다. 그러나 그 유산의 취사 선택은 자기 자신이 하지 않으면 안된다. 우리는 누구나 세계와 신에 대한 자기의 관계를 스스로 세우지 않으면 아니되는 것이다.

13일 평화(平和)
신앙은 정신의 평화를 가져온다.

신께 순종함이 필요하다. 스스로를 대질서 속에 있게 하라. 이 세상의 혼란을 다스릴 길을 신께 맡기라. 〈아미엘〉

벗이여, 어찌하여 존재의 신비에 관하여 마음을 괴롭히는가? 행복속에 살라. 기쁨 속에 날을 보내라 죽음에 임해서는 아무도 그대에게, 어찌하여 이 세상이 이 모양이냐고는 묻지 않을 것이다.

——아침은 어둠의 장막을 거두었다. 무엇을 탄식하는가? 일어나라 아침을 칭송하자. 이미 우리 속에 호흡이 끊어졌을 때에도, 여러 아침은 오히려 줄기차게 숨쉬고 있을 것이다.

〈톨스토이〉

가령 내가 마음 속으로 정확하게 다음과 같이 말할 수 있다고 하자. 「하늘에 있어서와 같이, 신의 의지는 지상에도 참으로 존재한다. 즉 영원한 세계에 있어서와 같이, 이 일시적인 인생에 있어서도 존재한다」고. 그때에 나에게 있어서는 불멸(不滅)에 대한 아무런 확신도 증명도 필요가 없다.

〈에머슨〉

두가지 평화가 있다. 그 하나는 소극적 평화이다. 그것은 사람을 피곤케 하는 시끄러움이 없어졌을 따름이다. 즉 투쟁 후의 평온이 그것이다.

그러나 또 하나의 평화는 더욱 완전한 정신의 평온이다. 이는 모든 것을 이해한 신의 평온이며, 진실로 「신의 나라는 나에게 있노라」고 이름할만한 평화이다. 이러한 평화 속에 인간의 행복은 깃들어 있는 것이다. 〈챤 닝〉

종교는 선인(善人)을 만든다는 것보다도 더욱 큰 목적을 가지고 있다. 종교의 중요한 목적은 본질적으로 성선(性善)인 인간을 한층 더 높은 이해의 단계로 끌어올리려는 그것이다.

〈렛 싱〉

신앙 없이는 정신의 평화를 찾을 길이 없다.

14일 교제(交際)

육체적인 자아를 사랑함은, 신에 대한 믿음을 사악하게 만든다. 자기 자신과 모든 사람 속에, 다같이 존재하는 정신을 사랑함은 신을 사랑함을 의미한다.

모든 인간은 제자신이 생각하는 곳에 살고 있는 것이 아니라, 사람들 사이 사랑이 있는 곳에 살고있는 것이다.

인간은 한가지 사랑 속에 살고 있다. 사랑 속에 사는 자는 신속에 사는 자이며, 신도 또한 그의 속에 살아 있다. 왜냐하면 신이야말로 사랑 그것이기 때문이다. 〈쇼펜하우어〉

신은 사랑이다. 그리고 사랑 속에 사는 자이다. 만약 우리가 서로 사랑한다면, 신은 우리 속에 있을 것이며, 신의 사랑은 우리 속에서 이루어질 것이다. 형제들아, 서로 사랑하라. 사랑하는 자는 신에게서 탄생한 자이면, 신을 아는 자이기 때문이다. 〈성 서〉

만약 우리가 동포를 용서할 수 없다면, 우리는 동포를 사랑하지 않는 것이다. 참된 사랑이란 무궁한 것이다. 그리고 참된 사랑에는 용서할 수 없는 그 어떠한 모욕도 있을 수 없다.
〈톨스토이〉

사랑은 인생에 있어서 최초의 것은 아니다. 그것은 최후의 것이다. 사랑은 원인이 아니다. 사랑의 원인이 되는 것은 자기 마음 속에, 신(神)의 의지를 최초로 의식하는 그것이다.
〈칸 트〉

우리의 마음에 드는 것을 사랑함은 신을 사랑함을 의미하는 것도 아니며, 박애를 의미하는 것도 아니다.

진정한 사랑은 노력 속에서 이루어진다. 그대가 사귀고 있는 사람이 그대가 그대 자신을 사랑함과 같이, 자기 자신을 사랑함을 생각하라. 그러면 그에게 어떻게 대할 것인지 그대는 알게 될 것이다

15일 생사(生死)

사(死)와 생(生)은 두 개의 한계점이다. 이 두 한계점을 넘어선 저편에 하나의 그 무엇이 있다.

인간은 고귀하게 또는 비천하게 살아갈 수 있음과 같이, 또한 고귀한 죽음 아니면 비천한 죽음을 하는 것이다. 우리의 정신적 자아는 그 타고난 상태를 극복할 수는 없다.

그럼에도 불구하고 기생적(寄生的)인 것에 패배당하고 타협하지 못할 힘에 복종한 자아는, 이 거룩한 천명인 죽음을 거절하고, 다시 자신이 다스려야 할 이 성지에서 쫓겨나는 것이다. 〈카펜터〉

비현실적인 것의 의의에 대한 고찰을 필요로한 사람은 극소수였다. 사후의 비현실 밑에 있어서, 나는 내가 나기 전 상태와 같은 것을 생각한다.

거기서 존재하고 기다리고, 그리고 자기의 지혜에 따라서 행동한다는 그것이 우리의 의무이다. 왜냐하면 우리는 모든 것을 전체적으로 파악할 수는 없는 인간이기 때문이다.

〈리프텐벨그〉

마음에 흡족한 일을 할 때, 우리의 흥미는 불사(不死)의 문제 같은 것에는 끌리지 않는 법이다. 그럴 때에는 우리 앞에 몇 백만년 또는 몇 천 세기라는 세월이 있다고 믿는 것보다도, 더욱 많은 평화를 우리는 얻을 수 있는 것이다.

〈톨스토이〉

불멸의 문제를 생각할 때, 우리는 다만 미래에 대한 사색에만 골몰할 수는 없다. 과거의 비밀에 대한 사색이 불가피하게 있어야 할 것이다. 〈칸 트〉

영생불사(永生不死)라는 것을 생각하면, 다만 미래에 대한 사색만을 거듭할 수는 없다. 과거의 비밀에 대한 상념이 필연적으로 생겨날 것이다.

16일 지혜(智慧)

인생을 조잡하게 만드는 중요한 원인은, 허위의 신앙이다.

우리는 깊은 주의를 가지고 사회적 환경에 관여 하여야 한다. 자기 개인의 의견에 사로잡혀서는 안된다. 낡은 관념을 버리고 새로운 의견을 받아들이도록 노력하여야 한다. 자유스러운 두뇌로써 판단하도록 해야 한다. 바람의 방향을 똑똑히 아는 뱃사공이 되어야 한다. 〈헨리・죠지〉

인간의 생활은, 그 인생에 있어서의 지혜롭지 못한 것을 지혜롭도록 하는데 있다. 그렇게 하려면 다음의 두가지에 주의하여야 한다.

그 하나는, 생활의 모든 면에서 인생의 지혜롭지 못한 점을 똑똑히 인식하고, 그것을 바로잡도록 항상 노력하여야 한다. 또 하나는 실천적 인생에 있어서의 지혜로운 것을, 그 모든 순수성에 있어서 안다는 그것이다. 〈톨스토이〉

우리가 살고 있는 세계의 기만(欺瞞)된 점을 똑똑히 알기 위해서는, 정직하고 단순하게 그리스도의 가르침에 순종하면 되는 것이다. 〈죤・러스킨〉

만약 그대가 역사를 읽는다면, 다음과 같은 것을 알 것이다. 즉 인간의 끊임 없는 불행에 대한 중요한 원인의 하나는, 사람들이 이미 자기들이 서로 도울 수 없음을 알고, 또한 이미 자기들의 도움을 필요로 하지 않는 그것에 봉사하고, 혹은 그 오만과 사악 때문에 너무나 눈이 어두워짐으로서 자기들이 필요로 하지 않는 것에 봉사하였다는 사실을 알게 될 것이다. 〈헨리・죠지〉

우리가 살아 있는 동안은, 우리의 마음은 죽어 있는 것이며 우리의 육체 속에 묻혀 있는 것이다. 그러나 우리가 죽을 때 마음은 되살아 난다. 〈헤라클레스〉

부정(不正)한 신념에 복종함은, 인간의 불행의 중요한 원인이다.

17일 봉사(奉仕)

자기에게 맡겨진 천명을 행하며, 정신이 사관하는 바 신의 법칙을 행함으로써, 인간은 부지중에 사회를 향상시키기에 봉사하는 것이다.

어찌하여 그대들은 그같은 가엾은 상태 속에서 자기 자신을 괴롭히고 있는가? 그대들은 선(善)을 욕망하나, 어떻게 하면 달성할 수 있는지를 알지 못한다. 인생을 풍부하게 할 수 있는 것만이 「선」임을 알라. 그대들은 신(神)에 의하지 않고서는 아무것도 달성할 수 없을 것이다.

그대들의 주인은 오직 신 한분이시며, 또한 그밖의 주인은 그대들이 원치 않을 것이다. 신만이 오직 그대들을 자유롭게 할 것이다. 〈메라에〉

우리는 꼭 아이들과 같다. 아이들은 선생님이 강의하는 교실로 들어온다. 그들은 처음부터 정신을 차리고 잘 듣는 것도 아니며, 또 그 강의가 끝나기도 전에 다 나가 버리기도 한다.

그 동안 아이들은 선생님이 가르친 그 무엇인가를 듣기는 하지만, 그러나 그것을 다 이해하지는 못한다.

신의 위대한 가르침도 우리가 그것을 배우기 시작하기 보다 몇 세기 전부터 시작된 것이며, 또 우리가 한 줌 흙으로 변해 버린 후에도 계속될 것이다.

따라서 우리는 그 일부분만을 듣는 셈이 된다. 그것도 대부분은 이해하지 못하고 마는 것이다.

그러나 아주 적고 막연하기는 하지만, 우리는 어떤 위대한 승리적이며 영감적인 신성한 그 무엇인가를 수용능력에 응해서 이해하는 것이다. 〈라위드·토마스〉

신의 의지를 이루어 나가면서 인생에 있어서의 스스로 일을 수행하라. 그러함으로써만이 가장 풍성한 형태에 있어서, 사회생활을 향상하는 일에 이바지할 수 있음을 믿으라.

18일 천명(天命)

인생에 있어서 스스로의 천명을 알고, 힘이 미치는 데까지 그것을 달성하기에 노력하는 사람이야 말로, 덕이 있는 사람이라 할 것이다.

학문의 명제는 무한히 많다. 인간의 목적과 행복이 무엇에 의하여 성립되는가 하는 지식이 없다면, 이 무한한 명제 속에서 무엇을 선택해야 좋을지도 모르게 될 것이다.

그러므로 이러한 명제에서 등한(等閑)히 모든 학문과 예술은 유한적(有閑的)인 것이며 해로운 오락이 되고 마는 것이다. 이러한 현상은 우리의 목전에서 흔히 볼 수 있는 것이다.

〈톨스토이〉

현대인을 이끌고 나가고 있는 이같은 어리석은 생활이 시작된 원인은, 누구에게나 필요한 단 한가지 진리를 연구하지 않는다는 사실에 기인한다. 그것은 바로 인생의 의의이다. 옛 현인(賢人)들이 이 점에 대해서 어떻게 생각하였으며 어떻게 말했는가를 연구하지 않는데 바로 그 원인이 있는 것이다.

〈존·러스킨〉

자기는 지식이 있고 예의가 있으며, 게다가 덕까지 갖추었다고 생각하는 사람들이, 가장 어리석고 악취를 퍼뜨리는 무지(無知) 속에서 헤매고 있다는 것, 즉 자기 인생의 의의(意義)를 모를 뿐만 아니라, 도리어 그 모르는 것을 자랑거리로 삼고 있다는 것은, 지금 우리가 가장 흔히 볼 수 있는 사실이다.

그러한 어찌할 수 없는 무식을 절대적인 것으로 생각하고 있는 사람들을 참으로 딱하게 여길 따름이다. 〈헨리·죠지〉

학문이 있는 사람이란, 책을 읽어 많은 것을 잘 아는 사람이다. 교양이 있는 사람이란, 그 시대에 가장 넓게 퍼져있는 지식이나 양식을 모두 터득한 사람이다.

19일 선악(善惡)

학문은 다만 다음과 같은 점에 있어서만 필요하다. 즉 무엇이 진정한 선이냐 하는 것을 알기 위해서만 필요한 것이다. 이것은 누구나 알 수 있는 일이다.

하늘과 땅은 영원하다. 그 원인은 하늘과 땅이 각각 자기 자신을 위하여 존재하는 것이 아니라는데 있다.

성현(聖賢)은 항상 자기로부터 떨어져 있다. 그러므로써 구원을 받는 것이다. 자기를 위하여는 아무것도 요구하지 않음이 그 때문에 필요하다. 그렇게 함으로써 자기에게 필요한 모든 것을 달성할 수 있는 것이다. 〈칸 트〉

이 지상(地上)에서 일찌기 발생했던 가장 큰 선(善)과 악(惡)의 투쟁이 시작되는 징조를 기다리고 있을 때, 또한 모든 사람들이 자기들 속에서 두 가지의 군대, 즉 신의 군대와 악마의 군대가 충돌할 때가 가까와졌다는 것, 그리고 인류 미래의 운명이 자유로운 것이 되는지 또는 노예가 되는지는 이 충돌의 결과에 따른 것임을 깨달았을 때, 이러한 위급한 때에 있어서는 무엇보다도 먼저 다음과 같은 것을 확실히 알아야 한다.

즉 머리를 억압 당하는 아무것도 가리지 않는 자, 멸망할 자로서 파묻어 버릴 수 있는 자, 이러한 자들만이 응할 수 있다는 것이다. 〈라메에〉

한마리의 제비가 봄을 날아오는 것이 아니라는 속담이 있다. 제비가 이미 봄을 느끼고 기다리기만 하면, 그 봄은 오지 않을 것이다.

마찬가지로 신의 왕국을 세움에 있어서도 기다리기만 하면 이루어진다는 법은 없다. 〈톨스토이〉

인간의 역사에 있어서 중요한 것은, 그가 무엇을 목적으로 하는가 하는 그것이다. 〈헨리 · 죠지〉

희생함이 없이 인생을 향상시키려는 모든 시도는 허사이다.

20일 인간(人間)

기독교는 인간과 신(神)과의 직접적인 교섭을 마련하는 것이다.

어느 민족 어느 개인에게 있어서나 다 그러한 것이지만, 편견에서 벗어남이 곧 수덕상(修德上)의 장애를 덜게 하는 것은 아니다. 그것은 모두 그 장애물을 보다 더 큰 장애물로 바꾸어 놓을 따름이다. 수많은 가련한 영혼들은 이에 있어서 스스로의 지지를 상실하는 것이다.

지금까지의 습관적인 미신(迷信)을 빼앗길 것 같으면, 인간은 처음에는 자기의 길을 잃은 것처럼 고독을 느끼게 된다. 그러나 이렇게 되면 그는 자기의 내면으로 쫓겨 들어가고, 나중에는 자기 자신을 확실하게 파악하고 있음을 느끼게 된다. 그는 자기가 위대한 신의 눈 앞에 있음을 깨닫게 되는 것이다.

〈톨스토이〉

그대가 구세주「그리스도」의 성격 속에서 무엇이 가장 본질적이냐 묻는다면, 그것은 「인간의 영혼은 위대한 것이라는 그의 신념」이라고 나는 대답하리라.

가장 밑 구렁텅이로 타락한 자, 가장 부패한 자에게서도 그리스도는 이 세상의 천사가 될 수 있다는 본질을 보았던 것이다.

〈챤 닝〉

신(神)에 대한 인간의 인식은 학리적(學理的)이다. 이같은 인식은 박약한 것이어서 위험한 과오를 범하기가 쉽다.

또 어떤 사람의 신에 대한 인식은, 신앙에서 흘러나오는 덕성적인 것이므로, 높은 도덕성을 부여하는 신의 본질만을 생각하게 된다. 이러한 신앙은 진실된 것이며, 또한 진실 이상의 것이기도 하다. 〈칸 트〉

그대와 신 사이에 있는 모든 것을 두려워 하라. 그대 심중에 파고든 온갖 환영과 심상(心像)을 두려워 하라.

21일 생활(生活)

인간의 정신적 완성은 얼마나 의지가 강하고 욕정이 평온한가 하는데 따라서 이루어진다. 이 완성을 위하여 스스로 의식하고 노력하며 그리하여 그것이 잘 이루어질 때 인간은 행복하다.

어떤 종류의 행위는 그 보수로서 사회 일반의 박수 갈채를 받는다. 그러한 행위를 눈앞에 볼 때, 우리는 눈부신 무지개를 보는듯 황홀해진다. 그것은 젊은 사람들에게는 더욱 매력적인 것이다. 그러나 그 무지개는 행위에 종결과 함께 사라지는 것이면, 동시에 노력하려는 의욕도 사라지고 마는 법이다.

오직 기독교도의 앞에는 영원한 무지개가 빛나며, 영원한 행위가 있을 따름이다. 다른 모든 것들이 퇴화일로(退化一路)를 걷고 있을 때, 어찌하여 기독교만이 진화의 길을 걸어나가고 있으며, 더욱 지혜의 보배를 얻고 있는가 하는 이유가 바로 여기에 있다. 〈고골리〉

과오나 실수 때문에 전후사(前後事)를 몰각하는 일이 없도록 하라. 자기의 과오를 아는 것만큼 교훈적인 것은 없다. 그것은 자기교양(自己敎養)의 가장 중요한 방법의 하나이다.

〈카말라인〉

우리의 생활은 도덕에 대한 봉사로서 성립되어 있다. 그것은 마치 인류의 생활이 종족에 대한 봉사로서 성립되어 있음과 같다. 우리들 사이에 완전하고 위대한 행위가 행하여 짐을 볼 때면, 우리의 인생은 영원히 고귀한 것이라고 생각할 수 있는 이유를 본것 같이 느끼게 된다. 〈죠지·엘리어트〉

자기가 성장하여 가는 정신적 방면의 생활을 의식하지 않고, 그저 동물적 방면의 생활만을 알고 있는 인간의 상태는 한없이 어리석은 것이다. 그 인간이 오래 살면 살수록, 진실한 생활은 시들고 사라지며, 그것에 대신할 아무것도 없는 것이다.

22일 전쟁(戰爭)

도덕상의 악(惡) 중에서 전쟁을 일으키는 악 만큼 큰 악은 없다.

그리스도는 어디에 있느냐? 그의 가르침은 어디로 가면 찾을 수 있느냐? 기독교도의 국민들이 있는 곳에서 그리스도를 찾아볼 수 있느냐? 대체 어디서 찾아볼 수 있단 말이냐 제도 속에서란 말이냐? 제도 속에서는 그리스도를 찾아볼 수는 없다.

〈라메에〉

총소리가 난다. 그는 피를 흘리고 쓰러진다. 우군(友軍)은 그를 짓밟고 전진한다. 그는 숨이 넘어가고 만다. 그의 죽음은 「불멸의 죽음」이라는 고마운 칭호를 받게 된다.

친구나 친척들은 그를 잊어버리고 만다. 그리고 그가 자기의 행복과 고뇌와 모든 인생을 바친 그 대상자는, 그에게 대하여 아는 것이 전혀 없다.

2, 3년 지난 후 누가 그의 백골을 찾아내게 되면, 그것은 구두솔로 만들어지기도 하고, 그리하여 장군의 구두가 그 솔로써 닦이게 되는 일이 마련 되기도 한다.

〈아·카일〉

전쟁은 사람이 인간이기를 그만두고, 병사(兵士)가 되도록만 교육한다. 병사의 가장 중요한 임무는 상관에게 대한 복종이다. 병사의 가장 중요한 만족은 폭풍과 같은 모험 및 위험이다. 그들은 평화로운 노동 같은 것과는 아주 등지고 있다. 몇천명 인간을 살해하는 것은, 이 국민들 사이에 있어서는 고뇌를 일으키는 대신, 승리의 피에 미친 환희를 일으킨다.

〈챤 닝〉

그리스도의 가르침은, 바야흐로 준비중에 있는 깊은 인간의 본성에 대한 임무 속에 있다. 그것은 밝고 올바른 심령의 갈망 속에 있다. 모든 사람의 양심은 동포애의 부정이나 사악한 유산이나 신을 거부하는 것을 반대하고 있는 것이다.

23일 사악(邪惡)

악에는 일정한 형태가 없다. 그리하여 사람들 사이에서 망설이며 부딪치게 하고 있다.

분노하여 자기 자식을 때리고, 아내에게 행패를 부리거나, 말이나 개를 상대로 화풀이를 할때에도 마찬가지다. 심하게 때리면 몸이 붓는다. 약한 마음은 도리어 강한 분노를 더하게 할 따름이다. 여자나 병자가 노하기 쉬운 원인은 여기에 있다

〈세네카〉

인색한 사람은 타인의 소유물까지 자기것으로 만들고자 한다. 자기만 부유하게 되면 그만인 것이다. 그래서 자기 이익을 위해서는 타인에게 피해를 주는 것도 사양치 않는다.

그는 타인에게 악을 행할 뿐만 아니라, 동시에 자기 자신에 대해서도 악을 행하게 되는 셈이다. 이야말로 도리어 자기 집과 몸, 정신까지도 멸망 시키는 가장 무서운 행위라 하겠다.

〈소크라테스〉

노여움은 타인에게 대하여 참으로 불쾌한 것이지만, 그 자신도 참으로 괴로운 것이다.

노여움으로써 시작된 일은, 부끄러움으로써 끝나는 법이다. 노여움은 그것을 일으킨 모욕보다도 더욱 해로운 것이다.

악에 아주 젖어버린 인간은, 가장 못된 원수가 기다리고 있는 곳으로 스스로 끌려들기가 쉽다.

악은 곧 열매를 맺는 것이 아니다. 그러나 재 속의 불씨처럼 차츰차츰 타오르면서 악에 미친 사람을 괴롭히는 것이다.

〈석 가〉

분노의 발작(發作)에 끌려들어가서는 안된다. 친절과 상냥스러운 마음을 가진 사람이 사나이다운 사람이다.

〈오레리아스〉

사람들이 싸우고 있는 광경을 본 아이들은 곧 바른 평가를 내린다. 누가 옳지 못하냐 하는 점에는 상관없이, 공포와 혐오로써 그들을 멸시한다.

24일 진리(眞理)

인류는 어디로 가는 것인가? 이 문제를 우리는 해명할 수가 없다. 가장 높은 지혜는, 그대가 어디로 갈 것인가를 깨닫는 그 속에서 찾을 수 있다. 그것은 즉 신을 향하여 높은 완성을 향하여 걸어나갈 것을 깨닫는 일이다.

참된 생활로 인도하는 길이 좋다. 소수의 사람만이 그 길을 발견한다. 왜냐하면 그 길은 그들 자신 속에 있기 때문이다. 그런데 자기의 길을 찾고 있는 자도 그리 많지 못하다. 대개는 딴 길을 찾아들 뿐으로, 진정한 자기의 길을 찾지 못하는 것이다. 〈루시·말로리〉

사람에게는 세가지 구별이 있을 따름이다. 하나는 신을 찾고 그 신께 봉사하는 사람, 다른 하나는 신을 찾을 수도 없으며 또 찾으려고도 하지 않는 사람, 이러한 사람들에게는 지혜도 없으며 또한 행복도 있을 수 없다.

세째는 신을 찾아낼 능력이 없는 사람들, 그러나 신을 찾으려고 애쓰는 사람이다. 이 사람들은 지혜는 있을지 모르지만 행복하지는 못하다. 〈파스칼〉

진리에 대한 탐구가 시작되는 곳에서, 인생은 시작되는 것이다. 진리에 대한 탐구가 중철(中絕)되기만 하면, 인생도 거기서 중철되고 마는 것이다. 〈존·러스킨〉

지혜를 탐구하는 사람을, 지적(智的)이라고 할 수 있다. 그러다 만약 그가 지혜를 발견하였다고 생각한다면, 이미 그는 지혜를 갖지 못한 사람이다. 〈페르시아 성전〉

세속적(世俗的)인 목적이 그대의 행위를 한정해서는 아니된다. 그대의 인생에 주어진 행위를 한정해야 한다.

〈호르므스〉

우리가 자리잡고 있는 이 위치가 끔찍한 것은 아니다. 우리가 움직이고 있는 그 방향이 때에 따라서는 끔찍한 것이다.

25일 지식(知識)

모든 사람에게 필요한 지식이 있다. 사람이 이 지식을 자기의 소유로 하지 않는 이상, 다른 모든 지식은 그에게 있어서 유해한 것이다.

「소크라테스」는 기하학(幾何學)에 대하여 이렇게 말하였다. 「실지로 토지의 매매를 하게 될 때, 토지의 면적을 정확하게 측량할 수 있어야 하며, 또 유산분배를 하거다 노동자들에게 밀의 분배을 할 때에, 정확한 처리를 할 수 있도록 가르치는 학문」이라고. 〈파스칼〉

그 자체의 연구 때문에만 골몰하고, 철학적 의지를 망각하였을 때, 실험과학(實驗科學)은 마치 눈 없는 얼굴과도 같다. 그같은 일에다 특출한 재능을 갖지 않고 그저 절름발이 지식을 가진 사람들이 종사하고 있는 법이다. 그리고 그러한 능력은 이 같은 정밀한 연구에는 도리어 방해가 될 따름이다.

〈쇼펜하우어〉

두뇌만 써서는 배가부를 수 없다.

어떤 집 정원으로 두 사나이가 찾아왔다. 학문이 있는 사나이는 곧 나무의 가격을 계산하기 시작하였다. 신을 믿고 사는 사나이는 곧 집주인과 친해지고, 나무 그늘로 가서 과일을 그득히 따서 배부르도록 먹었다. 과일은 선용하도록 하라.

〈바라몬의 말〉

지식을 주워모으려고 돌아다니는 학자는 불쌍한 인간이다. 자족(自足)하고 있는 철학자나, 인생을 재물 모으기에만 바치는 수전노(守錢奴)처럼 탐욕스러운 연구가도 역시 불쌍한 인간이다.

무지를 두려워 하라. 그러나 그보다도 더욱 그릇된 지식을 두려워 하라. 〈석 가〉

일반적인 지식에 있어서나 특수한 지식에 있어서나 마찬가지로 불필요한 것은 곧 유쾌한 것이다.

26일 박애(博愛)

살아 있는 동안 항상 이웃사람에게 박해(迫害)를 가하는 자──모든 부유한 자와 같이──는 결고 자비심을 보여 줄 수가 없다.

우리가 호화로운 식탁을 둘러싸고 앉아서 담소와 포식을 즐기고 있을 때, 길거리를 헤매고 다니는 사람들이 울부짖고 슬퍼하는 소리를 들으면서도, 그 울음소리에 귀를 기울이지 않을 뿐더러, 도리어 그들을 꾸짖고 거짓말 말라고 한다면, 그 이상 더 부당한 처사가 있을까?

사람들이여, 어떠한가? 단 한조각 빵 때문에 거짓말을 하게 되는 경우가 우리에게는 없을 것인가? 그대들은 어떻게 생각하는가? 그러한 경우에는, 그 사람을 동정해 주는 것도 필요한 일이거니와, 그보다도 그 사람을 그 결핍 상태에서 구원해 줌이 필요하다. 〈조로아스터의 교훈〉

성현의 길에 있어서의 첫째 법칙은, 아무리 곤란할지라도 자기 자신을 우선 발견한다는 그것이다. 마찬가지로 박애의 첫째 법칙은 아무리 곤란하다 할지라도 스스로 만족할줄 아는 사람, 겸허한 태도를 가질줄 아는 사람만이, 가장 강하고 확실한 행동을 하는 것이다. 〈러스킨〉

높은 지위에 있다 할지라도 동포들의 곤란을 보고 마음을 닫아 버리는 사람, 그러한 사람들 위에 어찌 신의 사랑이 머물 수 있으랴? 사람들이여, 말과 입끝으로만 사랑하는 척 하지 말라. 실지 행동으로써 타인을 사랑한다. 〈성 서〉

돈 가진 사람이 자애롭게 되자면, 무엇보다도 먼저 그리스도가 돈 있는 젊은이에게 한 말을 실천하지 않으면 안된다. 악마에게 봉사하면서 동시에 자기나 타인이 모두 신께 봉사한다고 믿을 수는 없다.

27일 행복(幸福)

타인을 사랑함은 진실하고도 움직일 수 없는 정신의 행복을 가져온다. 그 까닭은 사랑이란 인간으로 하여금 타인과 신에 결합하도록 하는 것이기 때문이다.

후회하였다는 말을 나에게 하지 말라. 슬퍼한들 무슨 소용이 있느냐? 허위는 말한다, 후회하라고. 그러나 진실은 말한다, 다만 사랑하라고.

지나간 일에 대하여 말하지 말라. 사랑의 나무 그늘 밑에서 살라. 그리고 모든 미련을 다 가게하라. 〈페르시아 성언〉

사랑하라, 그대에게 고통을 준 자를 사랑하라. 그대가 욕을 하고 미워하던 자를 사랑하라. 자기의 마음 속을 숨기고 보여주지 않는 자를 사랑하라. 모든 사람을 사랑하라. 그때에 비로소, 그대는 맑은 물속을 들여다 보듯, 그 사람들의 내부에 존재하는 성스러운 사랑의 본성을 볼 수 있을 것이다.

〈세네카〉

가끔 가다가 이 세계를 변혁할만한 힘을 갖고 있음을 나는 의식한다. 그 힘은 내어밀거나 충동질 하거나 하지는 않으나, 그것이 서서히 저항할 수 없는 형세로서 나를 이끌고 감을 느낀다. 그 무엇인가가 나를 이끌고 감을 느낀다.

우리들 모두가 자기의 임무와 힘을 의식하는 정도가 커지면 커질수록, 더욱더 명백하게 새세계는 형성되어 오는 것이다. 우리들은 신께서 그것을 직접 받으면서 신의 입법자가 되는 것이다. 인간이 만든 법칙은 우리 앞에서 시들어지고 마는 것이다. 〈크로스비〉

사랑이 주는바 용기, 평화, 환희는, 참으로 위대하다. 사랑에 의하여 얻을 수 있는 외면적인 행복은, 사랑의 내면적인 행복을 알고 있는 사람으로서는 깨닫지 못하는 것이다.

28일 자유(自由)

인간이 좋아야 하며, 그것이 인간에게 주는 바 자유의 법칙을 알기 위해서는, 육체적 생활에서부터 정신적 생활로 향상함이 필요하다.

「그리스도」는 참다운 예언자였다. 그는 인간의 영혼 속에서 비밀을 본 것이었다. 그는 인간의 위대함을 본 것이었다. 그는 그대나 나 속에도 존재하는 것을 믿었던 것이다. 그는 인간의 모습을 한 신을 보았던 것이다.」 〈에머슨〉

신과 나는 동일체——라고 스승은 말하였다. 그러나 만약 나의 유체가 신의 형상이라고 생각한다면 그것은 잘못이다. 다른 존재에 비하여 그 어떤 특별한 정신적인 나의 본질을 신이라 생각함도 잘못이다. 그야말로 틀림 없이 신과 동일체인, 진실한 나의 자아에 침투할 수 있을 때에만, 그대는 비로소 정당한 것이다. 〈표돌·스트라호프〉

인간의 정신적 본질은 기독교적이다. 기독교적 정신은 항상 인간에 의하여 오랫동안 망각되거나 또는 갑자기 상기되거나 그렇게 취급되고 있다.

기독교 정신은 인간을 높은 곳으로 올라가게 하는 것이다. 그리하여 지혜로운 법칙을 따랐다는 기쁨의 세계가 인간 앞에 열리어 오는 것이다. 〈톨스토이〉

나를 이 지상(地上)으로 보내어준 것은 「진실」 그것이다. 나는 「그」에게서 들은 것을 이 지상에 전하려 하는 자이다. 「그」가 하늘에 계신 아버지에게 말한 것을 사람들은 이해하지 못했다. 「그리스도」는 말하기를 「하늘에 계신 아버지의 교훈을 말할 때 사람들은 진정한 칭찬을 받을 것이다」 하였다.

〈에머슨〉

인간이 만든 법칙을 따르려는 의식은 노예의 의식이다. 신의 법칙을 따르려는 의식만이 인간을 자유롭게 한다.

29일 경험(經驗)

예지(叡智)가 그 형태를 나타낼 수 없을만큼 방해를 주는 조건은 아무것도 존재할 수 없다.

세가지 방법에 의하여 우리는 예지에 도달할 수 있다. 그 하나는, 사색(思索)에 의하는 길인데, 이것은 가장 높은 길이다.

둘째는 모방에 의한 것인데, 이것은 가장 쉬운 길이다. 그리고 세째는 경험에 의한 것이며, 이것은 가장 고통스러운 길이다. 〈공 자〉

자기 자신을 알고 싶거든, 남과 남이 하는 일에 주의하라. 남을 알고 싶거든, 자기의 마음 속을 들여다 보라. 〈쉴 러〉

「신은 초인종을 누르지 않고 들어오신다」라는 말이 있다. 그 뜻은 우리들과 영원 사이에는 장벽이 없다는 것, 인간(결과)과 신(원인) 사이에는 벽이 없음을 의미하는 것이다.

벽은 헐리고 우리들은 신의 본성이 모든 깊은 행위속으로 알몸뚱이가 되어 스며들어간다.」 〈에머슨〉

정신은 그 자체에 있어서 스스로의 검사가 되며 판사가 된다. 이것 저것 무엇이든지 다 잘 알고 있는 그대의 정신에 상처를 입혀서는 아니된다. 높은 내심의 판단을 가로 막아서는 아니된다. 〈마누우〉

바른 사람은 약속을 함이 적고, 실천함이 많다. 〈탈무드〉

우리는 자기 자신을 아주 작은 것으로 또는 아주 큰 것으로 느낀다. 그리고 우리는 제자신의 존재를 어떤 천체로서도 볼 수 있으며, 동시에 또한 유럽을 진동시키고 있는 선풍(旋風)도 아주 작은 것으로도 보는 것이다. 〈아미엘〉

인생은 학교, 실패는 성공의 스승.

30일 토지(土地)

대지는 어떤 특별한 인간의 소유일 수는 없다.

가령 토지에 대한 권리가 없는 인간이 하나라도 있다면, 나의 토지건 그대의 토지건, 우리의 권리는 부정(不正)한 것이다.

토지를 사유함은 노예를 사유함과 같은 일이다. 그리고 본질적으로는 노동에 의하여 생산된 물품을 사유하는 것과는 다르다.

인간이나 민족에게서 돈이나 재물·가축을 빼앗더라도, 그 약탈은 그대가 없어짐과 동시에 끝나거나, 시간의 흐름이 그대의 죄악을 선한 것으로 전환시키지는 않으나, 결국 죄악의 결과는 소멸시키고 만다. 비록 그 죄악은 곧 벗어지는 것은 아닐 지라도, 그것은 죄악에 참가한 사람들과 함께 먼 과거 속으로 사라지고 마는 것이다. 〈헨리·죠지〉

우리가 자기 힘으로 노동하면서 어떤 섬에서 생활하고 있을 때 난파한 어떤 뱃사공이 표착(漂着)하였다고 하자. 그러면 그 뱃사공에게는 어떠한 권리가 있을까? 그는 이러한 말을 할 수 있을까?

——「나도 인간이다. 나도 토지를 경작(耕作)할 권리를 가지고 있다. 나도 그대들과 같이 내손으로 노동하며 살아가기 위하여, 이 토지의 일부를 차지할 수 있는 것이다」라고.

〈라우에레〉

대지는 우리들 만물의 어머니이다. 대지는 우리를 길러 주고 살 곳을 마련해 주며, 우리들을 즐겁고 따스하게 품어 준다. 우리가 태어난 순간부터 어머니 같은 대지의 가슴은 영원한 꿈을 좇아 평안을 얻지 못하는 우리를 끊임없이 자비롭게 포옹하고 애무하여 준다. 〈카알라일〉

소크라테스는 그가 어떤 가문의 출생인가를 질문받았을 때 나는 모든 세계의 시민이라고 대답했다. 〈시세로〉

31일 폭압(暴壓)

전체주의, 부정, 그리고 폭압의 가장 심한 단체는, 모든 사람들 속에 한결 같이 타인의 판단을 듣는 일 없이 추종(追從)으로서만 그것을 받아들이지 않으면 안된다는 법률을 세우는 그것이다. 무엇때문에 이러한 것이 사람들 사이에 필요하다고 하는 것인가.

만약 진실된 일이라면, 모든 사람들에게——가난한 사람이건 부유한 사람이건 남녀 노소 할것 없이, 모든 사람들에게 그 진실을 믿게 하라.

만약 진실되지 못한 일이라면, 가난한 사람이건 부유한 사람이건 군중이건 누구 한사람이라도 그것을 믿지 못하게 하라.

우리는 또 하나의 충동력, 즉 진실을 추구하는 것만을 알고 있다. 그 길이 설령 우리를 어디로 이끌어갈지라도, 우리들은 진실을 알고 있다. 〈클리포드〉

학자라 자칭하는 인간을 조심하라. 그들은 긴 옷을 입고 다니기를 좋아하고, 집회 석상에서 연설하기를 좋아하며, 교회에서는 윗자리 차지하기를 좋아한다.

상가(喪家)에 가면 누구보다도 앞서서 음식을 탐하고, 장시간동안 마음에 없는 기도를 드리는 인간을 경계하라. 그들은 무엇보다도 자기에게 대한 비난을 못들은척 하기가 일쑤다. 〈톨스토이〉

너희는 너희 자신을 스승이라 부를 수는 없다. 너희에게는 단 한사람의 스승—— 그리스도가 계시기 때문이다. 너희는 모두가 형제이다. 그리고 지상에 있어서는 누구라도 아버지라 불러서는 아니된다. 너희의 단 한사람의 아버지는 하늘에 계시기 때문이다. 〈성 서〉

그대의 마음과 신(神) 사이에 중개인(仲介人)을 끼워서는 아니된다. 아무도 그대 이상으로 신 가까이에 있을 수는 없다.

2월의 장

〈듀피 그림〉

1일 정신(精神)

어떠한 이유를 붙일지라도, 정신적인 것을 물질적인 것으로 전환시켜 놓을 수는 없다. 또한 정신적인 것이 물질적인 것에서 생겨나온다는 설명도 붙일 수는 없다.

당신들은 말할 것이다.「정신적인 것과 육체적인 것과 두 가지 본체(本體)가 있을 까닭이 없다」고. 나는 나의 사고와 수목(樹木)사이에는 아무런 공통된 것이 없다고 말하겠다.

그리고 무엇보다도 우스운 일은, 학자들이 서로 제멋대로의 괴변을 내세우고, 인간 속의 정신을 인식하기 이전에, 돌속에 그것을 인정하고자 한다는 것이다. 〈룻 소〉

형이상학(形而上學)은 현실적으로 존재하고 있다. 과학처럼은 아닐지라도, 자연적 형태로써 존재하고 있는 것이다. 왜냐하면 인간의 지능이란 것은, 억제할 수 없는 기세로서 전진하여 나가는 것이며, 다만 부질없이 많은 것을 알고자 하는 허영적 희망만은 버려야 할 것임을 깨닫고, 어떤 특별한 것에 대한 요구를 느끼게 되는 것이다.

그리하여 급기야는 어떠한 경험을 가진 능력도 또는 지능의 원칙으로서도 해결할 수 없는, 지능의 본원에서 벗어난 문제에 도달하게 된다. 지능의 힘이 사상에 까지 확대된 모든 사람에게는 항상 형이상학이었던 것이다. 〈칸 트〉

정신의 존재를 믿으며, 지혜의 빛 속에 사는 사람은 신의 나라에 사는 자이며, 영원한 인생을 사는 자이다. 〈브 카〉

정신적인 것과 물리적인 것과의 구별은 단순한 어린애의 지혜로도, 또한 가장 높은 성현의 지혜로도 한가지 명백히 알 수 있는 것이다.

정신적인 것과 물질적인 것에 대하여 논쟁함은 아무 소용이 없는 일이다. 그러한 논쟁에 의하여서는 아무것도 밝혀지지 않는다. 그것은 의심할 바 없는 사실을 도리어 흐리멍텅하게 만들 뿐이다.

2일 사관(死觀)

죽음에 관한 문제를 완전히 잊어버리고 있는 생활상태와 시시각각으로 죽음이 가까와지고 있음을 걱정하는 생활상태와는 전혀 판이한 것이다.

지상적이며 일시적인 것을 영원한 것으로 전환시키려 하는 것이 인생의 길이다. 인생은 이 길을 걸어야 한다. 그러나 그 길을 어떻게 하여 걸어 갈 것인가?——그것은 우리들 누구나 다 마음 속에 알고 있는 일이다. 〈파스칼〉

그대가 일순간마다 자기의 외면적인 탈을 벗어 버릴 때가 가까와졌음을 확신하고 또 그것을 이해할 때 정의를 알아 바르게 행동하며, 그리하여 자기의 운명을 따르기가 쉽게 된다.

그때 그대는 타인의 말이나 소문 또는 행동을 냉정하게 바라볼 수 있게 된다. 도리어 그런 것에 대해서는 무관심하게 된다. 남들이 모두 쓸데 없는 일에 머리를 쓰고 있을 때, 그대가 오늘 할 일을 틀림없이 해놓을 수 있게 될 것이다.

〈오레리아스〉

가끔씩 죽음에 대하여 생각해 보라. 그리고 그대도 미구에 죽을 것이라 생각하라.

어떠한 행동을 할 것인가 하여 그대가 아무리 번민할 때라도, 밤이면 죽을지도 모른다는 생각을 한다면, 그 번민은 곧 해결될 것이다.

그리하여 의무란 무엇인가, 인간의 소원이란 무엇인가 하는 문제가 곧 명백해질 것이다. 〈톨스토이〉

그대가 원망하고 복수하려는 상대방이 내일이면 죽을지도 모른다고 생각할 때, 그를 용서하지 않을 수 있겠는가?

〈세네카〉

부질없이 죽음을 회상함은, 죽음에 대한 진실한 사색없이 생활함을 의미하다. 죽음을 회상할 필요는 없다. 다만 죽음이 쉴새 없이 다가옴을 자각하면서, 평화롭고 즐겁게 살아감이 필요하다.

3일 선행(善行)

선의식(善意識)과 정신의 관계는, 건강과 육체의 관계와 흡사하다. 그것을 지니고 있을 때는 눈에 띄지 않는다. 그러나 그것은 모든 일에 성공을 가져오게 한다.

식물의 행복은 햇빛 속에 있다. 아무 것에도 덮이지 않은 식물은 자기가 대체 어느 방향으로 뻗어 가는지를 알지 못한다. 지금 있는 이 광경보다 더 나은 빛이 어디에 없을 것인가 하는 것도 생각해 보지 않는다. 그는 이 세계에 있는 단 하나의 햇빛을 섭취하고, 그 햇빛을 향하여 손을 뻗친다.

물론 이것이 사랑인 줄을 우리는 안다. 오직 이같은 사랑 속에서만 우리는 누구나 행복과 사랑의 보수를 발견할 수 있다. 사람들 사이에 이같은 사랑이 존재함으로써, 이 세계는 존재할만한 가치가 있다. 〈톨스토이〉

덕이 높은 사람은 스스로 덕이 높다고는 생각지 않는다. 그러므로 더욱 그는 덕이 있는 것이다. 덕이 없는 사람들은 항상 덕을 잊지 않도록 하여야 한다. 그러므로써 덕을 얻을 수 있는 것이다.

덕이 높은 사람은 값은 자신을 갖는 일이 없으며, 또 자기를 과대하게 보이려 들지도 않는다. 덕이 얕은 사람은 항상 자신만만하여 자기를 과대 선전하고자 한다. 〈노 자〉

인간의 마음 속의 덕성은 보석과 같은 성질을 가지고 있다. 어떤 일이 생기든 그것은 천연의 미를 변함없이 보전한다.
〈오레리아스〉

사람은 행복하면 그 행복을 차츰 더 크게 느끼게 되며 나중에는 타인에게도 나누어 주고 싶게 되는 법이다. 〈벤 탐〉

선행(善行)을 기르는 것만큼 인생을 아름답게 하는 것은 없다.

4일 이지(理知)

지(智)의 세계에는 한계가 없다. 인간은 진리 속에 있을 때에만 자유로운 것이다. 그리고 진리는 「지」 속에서 이루어진다.

신은 우리의 마음을 양친에게도, 또는 재물이나, 육체나, 죽음에도 굴복 시키지 않았다.

신은 높은 자비심에 의하여 우리의 마음을 예지에 복종시켰던 것이다. 〈에피크테타스〉

길거리에 호두와 과자를 뿌려 놓는다면, 곧 아이들이 덤벼들어 주우려고 서로 싸움질을 시작할 것이다. 어른들은 그런 것을 가지고는 다투지를 않는다. 그러나 빈 껍데기만이라면 아이들도 덤벼들지 않을 것이다.

나에게 있어서 금전·지위·명성, 영예 등은 모두가 아이들이 좋아하는 호두나 과자와 같은 것이다.

물론 내 손바닥에 우연하게 호두 같은 것이 굴러 떨어진다면, 그것을 먹지 않는다는 것은 아니다. 그러나 그것을 줍기 위해서 허리를 굽히거나, 남과 싸우며 발길질 하거나 하지는 않는다는 말이다. 〈에피크타테스〉

지적인 동물의 특질은 자기 운명에 대해서 자유롭게 따르는 점에 있는 것이며, 동물에게 특유한 운명과 비굴한 투쟁에 있는 것이 아님을 기억하라. 〈오레리아스〉

오직 예지의 보고(寶庫)만이 실질적이다. 그것은 아무리 나눌지라도 없어지지 않는 것이다. 〈데모필〉

우리는 자유롭지 못하다. 자기 자신의 정욕 또한 타인에게 속박되어 있다. 그것은 우리가 이지(理知)의 욕구에서 떨어져 있을수록 더욱 심한 것이다.

진정한 자유는 오직 과오를 깨닫게 하여 주는 「이지」의 힘에 의해서만 얻어질 수 있다.

5일 사상(思想)

물질적 세계에 있어서 완성되는 모든 것은, 그 근원을 사상적 세계에 두고 있는 것이다. 그리고 그러므로써 하나의 사실에 대한 설명은 사실에 선행하는 사실 속에서가 아니라 사실에 선행하는 사상 속에서 구할 수 있는 것이다.

우리의 관습적인 사상은, 특별한 지능적 장식을 꾸미고 사람들과 접촉하게 한다. 이같은 사상은 허위이다. 그것은 자연 속의 높은 진리를 변조하고 마는 것이다.

우리의 관습적인 사상에 의하여, 우리들 주위에 조성되는분위기는, 누구에게 있어서나 들어살고 있는 가옥보다도 견고한 그 무엇을 형성하고 만다. 마치 어디로나 짊어지고 다니는 달팽이의 깍지처럼 생각되는 것이다. 〈루시·말로리〉

우리들의 생활은 우리들 사상의 결과이다. 우리의 생활은 가슴 속에서 생겨 나오며, 사상 속에서 생겨 나온다.

만약 사람이 악한 사상을 가지고 행동한다면——마치 마차 바퀴가 말꽁무니에 붙어다니듯, 그의 등뒤를 따라다닐 것이다. 그러나 사람이 착한 사상을 가지고 말하고 행동한다면——기쁨은 결코 그를 버리지 않을 것이며, 그림자와 같이 항상 그의 뒤를 따라다닐 것이다. 〈석 가〉

사람은 생활상태에 따라서 변하는 것은 아니다. 민족은 자기들에게 대한 큰 물질적 만족이나 보수로 인하여 강하게 되는 것이 아니다.

육체는 마음이 만들어내는 것이다. 오직 사상만이 자기에게 가치 있는 생활을 창조하여 주는 것이다. 〈마드지니〉

자기 내부나 타인의 내부에서 이루어진 생활의 기조(基調)를 변환시키기 위해서는 무슨 사건을 계기로 할 것이 아니라, 그 사건을 일으킨 사상과 싸우지 않으면 안된다.

6일 욕망(慾望)

우리를 가장 강렬하게 사로잡는 욕망은 음란을 탐하는 욕망이다. 이 욕망은 절대로 만족되는 일이 없다. 또 만족하면 만족할수록 더욱 증대하는 것이다.

노예는 「깨달음」의 길에 들지 못했던 것이다. 그는 부자가 되려는 생각 밑에서 모든 고난을 견디어 왔다. 그러나 얻으려던 것을 얻고난 다음에는, 다시 그는 불쾌한 걱정 속에서 헤매인다고 느끼지 않을 수 없었다.

그에게는 예지가 부족하였던 것이다. 그는 만약 자기가 위대한 장군(將軍)이 된다면, 모든 불행은 끝날 것이며, 자기는 세계의 총아(寵兒)가 될 것이라고 믿었다. 그리하여 그는 행진하기 시작한다. 그는 온갖 손해를 참아가며 고역인(苦役人)처럼 고생하고, 몇번이고 행진의 대열에 참가시켜 주기를 원한다.

그가 진실로 모든 불행에서 자유롭게 되기를 원한다면, 자성하는 바가 있어야 할 것이다. 무엇이 인간의 참다운 행복인가를 생각해 보아야 할 것이다. 〈에픽크테타스〉

사람들이 탐욕에 빠지고, 소요(騷搖)와 고뇌로서 하는 일은 모두가 악이다. 선한 일은 평화로운 환경에서만 이루어지는 법이다. 〈톨스토이〉

욕망이 강함을 자랑하는 사람은 많으나, 욕망을 극복함에 강함을 자랑하는 사람은 거의 없다. 〈에머슨〉

예전에는 매우 심한 욕망을 느끼던 것에 대하여, 지금은 반감까지는 몰라도 경멸을 느끼게 되었음을 생각한다.

지금 그대가 갈망하고 있는 모든 것이 역시 미래에 있어서는 그와 같게 될 것이다. 욕망을 만족시키려고 애쓰면서도 얼마나 많은 것을 상실하였는가를 생각한다.

미래도 현재와 같은 것이다. 욕망을 누르고 진정 시켜라.

7일 자타(自他)

자기완성은 인간의 내면적인 일이지만, 또한 외면적인 일이기도 하다. 인간은 타인과의 교섭 없이는 완성될 수가 없다. 타인에게 미치는 영향을 생각하지 않고서는 아무도 자기완성을 이룰 수는 없다.

사람들은 자기를 해방해 주는 바 그 진리를 알고자 하지 않는다. 자기들의 몸 속에 배어있는 국가적 종교적 착오로 인하여, 이제는 참으로 혐오할 존재가 되었기 때문이다. 협동하여야 할 각종 집단이 무엇 때문에 오늘날과 같이 지리멸렬하게 분열되고 있는가? 그것은 단순히 조직이나 사상의 과오가 아니라, 인간들 자체의 과오에 기인하는 것이다.

〈루시・말로리〉

완성의 목적은 완성상태에 도달하는데만 있는 것이 아니다. 거기에 도달하려는 것은 불가능한 일이다. 완성은 단순한 이상(理想)에 지나지 않으며 하나의 도표(道標)에 불과한 것이었다.

완성을 위한 노력의 목적은 자기의 정신 상태를 악에서부터 선으로 변화시켜 가려는 데 있다. 그러므로 완성을 위한 노력은 모든 인간에게 공통된 사명인 것이다. 그것은 언제 어디서 누구에게나 가능한 일이다. 〈세네카〉

절대적으로 완전한 것은 하늘의 법칙 그것이다. 그러므로 완성을——즉 하늘의 법칙을 깨닫기 위하여는 스스로의 모든 노력을 기울여야 한다는 것이 인간의 법칙이다.

항상 쉴새 없이 자기완성을 위하여 노력하는 사람은——성인이다. 성인은 선과 악을 구별할줄 안다. 그는 선을 찾아내어 그 선을 잃지 않으려고 노력한다. 〈공 자〉

동물적인 생활을 더욱 발전시키려 함은 자기와 타인에게 그 이상 없는 폐해를 끼친다. 반면 정신적 생활을 향상시키려 하는 것만큼, 자기나 타인에게 이로움을 주는 것은 없다.

8일 비방(誹謗)

사람들은 타인의 욕설을 하기를 매우 좋아한다. 자기들끼리의 교제를 재미있게 하기 위하여 타인의 욕설을 하지 않고 지내기란 매우 어려운 일이다.

남을 심판하면 나도 심판 받게 되기 때문이다. 남을 측량한 척도로서 자기도 측량받게 되기 때문이다. 〈성 서〉

타인의 욕을 하고 싶을 때면, 그것이 자신에게 미치는 폐해를 생각하여 보라. 그리고 그것이 신(神)께 배반되는 일임을 생각하라. 그러면 그대의 마음은 안정을 얻게 될 것이다.

〈톨스토이〉

타인의 잘못을 찾아 내기는 쉬우나, 자기 잘못을 깨닫기는 매우 어렵다. 타인의 과오에 대해서는 말하기를 좋아하나, 자기 과오는 기를 쓰고 감춘다.

사람은 누구나 남의 흉 보기를 좋아한다. 타인의 잘못을 찾기에 열중되어 있을 때에, 그 분노는 더욱 더 커져갈 따름이며, 그 자신은 더욱 더 나쁜 상태로 떨어져 가는 것이다.

〈석 가〉

타인을 욕함으로써 그대의 입을 더럽히지 말라. 남을 해치려 한 말은 반드시 다시 그대 앞으로 돌아오는 것이다. 그 돌아오는 폐해가 크면 클수록 그대는 그대대로 더욱 심한 욕설을 생각해 내게 되는 것이다.

자기 자신을 억제할 수 없다면, 입에다 자물쇠를 잠그라. 욕설은 타인을 해친다고 하나, 도리어 욕한 사람 자신을 해치는 것이다. 〈유태 성언〉

타인의 욕설을 하지 말라. 그리하여 주정뱅이가 술을 끊었을 때, 또는 담배 중독자가 담배를 끊었을 때의 그러한 감정을 경험하라. 그것은 이루 형언할 수 없을 정도로 깨끗한 감정이다. 그때에 비로소 거기에 따르는 여러가지 악습으로 다시 끌려들어가는 일은 없을 것이다.

9일 죄악(罪惡)

전쟁으로 인한 물질적 손해가 아무리 큰 것일지라도, 전쟁에 대한 아무런 깊은 고려(考慮)가 없는 사람들의 흉중에 품고 있는 선과 악에 대한 그릇된 해석에 의한 손해에 비한다면, 참으로 아무것도 아닌 것이다.

전쟁으로 인하여 눈뜨게 되는 탐욕, 각 국민 간에 생기는 증오, 전승(戰勝)에 대한 도취, 승리 또는 복수에 대한 갈망 등은 인간의 양심을 뭉개어 버리고, 높은 협동적 정신을 말살하여 맹목적 이기주의(利己主義)로 떨어뜨리고 만다.

〈헨리 · 죠지〉

어린애가 웃는 모습을 보면 진실로 선량한 기쁨을 나타내고 있다. 부패하지 않은 인간은 누구나 다 그와 같다. 그러나 어떤 국민들은 타국인을 볼 때 덮어놓고 그들을 꺼리며, 그들에게 고통과 공포를 주고자 한다. 국민과 국민 사이에 이러한 감정을 조정하는 인간은 참으로 가증(可憎)할 범죄자라고 할 것이다.

〈톨스토이〉

가장 훌륭한 무기는 가장 흉악한 죄악을 행한다. 지혜 깊은 인간은 무기를 사용하지 않는다. 그는 평화를 소중히 여긴다. 승리할지라도 그는 기뻐하지 않는다.

전쟁의 승리를 기뻐함은 곧 살인을 기뻐하는 것이나 다름없다. 살인을 기뻐하는 자는 인생의 목적에 도달할 수가 없다.

〈노 자〉

「분배하라, 그리고 지배하라」이 말은 모든 국민의 폭압자에게만 있을 수 있는 금언이다.

다만 운명적인 적의, 국민 간의 증오, 그리고 지방적인 편견에서 눈뜨게 하여 국민 간에 서로 반목하게 하는 그러한 폭압자들은, 귀족주의와 전제주의를 조직하고 지지(支持)하게 할 따름이다.

〈세네카〉

전쟁이란, 가장 저열(低劣)하고 부패한 인간들이, 힘과 영광을 얻으려고 하는 현상이다.

10일 겸손(謙遜)

겸손은 인간을 확고한 기반(基盛)위에 세워 놓는다. 그러한 기반 위에 서서 그는 자기에게 운명지워질 임무를 수행할 수 있게 된다. 인간이 교만하면 교만할수록 그의 기반은 약해지고 만다.

겸손은 자기 자신을 죄 많은 인간이라고 생각하며, 자기의 선행을 자랑삼지 않는데서부터 시작된다. 〈톨스토이〉

사람은 자기의 내면을 깊이 파고들수록, 자기는 아무 가치 없는 인간이라는 생각을 가지게 된다.

성현이 맨처음으로 가르친 것은 겸손이었다. 겸손에 대하여 그리스도와 그 사도들은 많은 교훈을 가르쳤지만 사람들은 그 중의 일부만을 알 따름이다. 〈찬 닝〉

참으로 선량하고 현명한 사람의 가장 큰 특징은 다음과 같은 점에 있다. 그는 언제나 자기는 아는 것이 극히 적으며, 자기 이상으로 아는 사람이 많이 있다는 것을 의식하고 있다. 그래서 그는 항상 더 많이 알고 더 많이 배우려 하며, 결코 남을 가르치려 하지는 않는 법이다.

남을 가르치고, 남을 바로잡아 주고자 하는 사람은, 결코 잘 가르치지도, 바로 잡아 주지도 못하는 사람이다.

〈존 · 러스킨〉

물 같이 행동함이 필요하다. 방해물이 있어도 물은 거침없이 흐른다. 뚝이 있으면 물은 머문다. 뚝을 헤치면 물은 다시 흘러 내려 간다.

물은둥근 그릇에나 모진 그릇에나 모두 한결 같이 따른다. 이러한 성질이 있기 때문에, 물은 다른 무엇보다도 융통 자재로운 것이며, 가장 힘이 센 것이다. 〈노 자〉

자기 힘을 알도록 노력하라. 힘을 알고 그것을 과소평가 하기를 두려워 말라. 과장하여 생각하기를 두려워 하라.

11일 본질(本質)

신의 법칙을 성취하는 것이 인생의 본질적 사명이다.

의무의 관념은 인생의 향락과는 아무런 관련도 없다. 의무에는 그 자체의 법칙, 그 자체의 판단이 있다. 그리고 만약에 우리가 자기의 고통을 고쳐줄 것이라는 생각에서, 의무와 향락을 혼동해 버리려 하더라도, 이 두 관념은 곧 분리되고 말 것이다.

만약 분리되지 않는다면, 의무의 관념은 결코 행동으로 나타나지 않을 것이다. 그리고 육체적인 생활이 향락을 향하여 힘을 얻게 된다면 도덕적인 생활은 사라져 버리고, 다시 회복될 수는 없을 것이다. 〈칸 트〉

동물적인 지경에 떨어졌을 때에만 인간은 죽음과 고통을 맛보게 된다. 죽음과 고통은 허수아비처럼 모든 방면으로부터 그를 위협하며 그의 앞에 튀어진 단 하나의 길로 그를 몰아 넣을 것이다. 그 길이란 지혜의 법칙에 따라 사랑 속에 나타나는 바 인간의 생활 그것을 말한다. 〈톨스토이〉

사람들은 참다운 자신과 아무런 상관없이 외면적인 일에 종사할 때에만 괴로와하며, 불안해하며 초조해한다. 그럴 때 그는 고민하면서 자문한다. 「나는 무엇을 하면 좋을까? 나는 어떻게 될 것인가? 무슨 일이 일어날 것인가? 무서운 일이 일어나지나 않을까?」

자기 문제도 아닌 일에 항상 마음을 괴롭히는 사람은 언제나 이 모양이다. 〈에머슨〉

신의 법칙은 온갖 종파의 가르침이나. 정욕과 허위의 사상에 의하여 흐리워지지만 않는다면, 자기 자신의 인식에 의하여 알 수가 있다. 이 법칙을 인생에 적용하려는 시도에 의하여 알 수가 있다.

우리에게 아무도 깨뜨릴 수 없는 행복을 주는 법칙이 명하는 모든 것은, 진정한 법칙이 요구하는 바 그것이다.

12일 영생(永生)

우리들 모두를 기다리고 있는 「죽음」만큼 확실한 것은 없다 그럼에도 불구하고 우리는 누구나 다 마치 「죽음」 같은 것은 존재치 않는 듯이 생활하고 있다.

인간의 육체적 생활만을 이해하려 하더라도, 우리의 지식은 부족한 것이다. 그것을 알자면, 얼마나 더 알아야 하는가를 생각하여 보라.

그 육체의 생활에 필요한 모든 것을 알지 않으면 아니된다. 그러나 우주는 무한하다. 우주를 다 안다는 것은 인간에게는 불가능한 일이다. 그러므로 우리는 우리 육체의 생활에 대해서도 다 알 수 없는 것이다. 〈파스칼〉

우리가 영원한 인생을 믿는가 믿지 않는가, 그리고 우리의 행위가 지적인 것인지 맹목적인 것인지를 생각하라. 무릇 지혜로운 행위는, 참된 인생이 불멸한 것임을 믿는데 그 기초를 두고 있다.

그러므로 우리가 무엇보다도 마음을 괴롭혀야 할 일은, 인생에는 분명히 불멸한 그 무엇이 있다는 점을 확실히 알아야 하겠다는 그것이다. 〈파스칼〉

우리는 가끔 죽음을 상상해 보고자 하지만, 그것은 신의 모습을 상상할 수 없음과 같이, 전혀 불가능한 일이다. 가능한 일은 다만, 죽음도 역시 신께서 내려 주시는 모든 것과 마찬가지로 선임을 믿는다는 그것이다. 〈시세로〉

다른 사람들은 불멸에 대하여 의심을 품으면서도 그 때문에 괴로움과 불행을 느끼게 된다. 그들은 오직 진리를 깨닫기 위해서는 아무것도 아끼지 않는다. 그리고 짜증 내는 일없이, 끊임없이 그 진리를 탐구하며, 그렇게 하는 것을 자기 인생의 중요한 임무로 생각한다. 〈파스칼〉

「죽음」에 대하여 뼈아프게 생각해본 일이 없는 인간만이 영생불사를 믿지 않는 것이다.

13일 종교(宗敎)

종교는 모든 사람의 이해를 받을 수 있는 철학이며, 철학은 또한 종교의 증명이 된다.

유혹적인 것에 대한 가장 낡은 의견은 언제나 믿어도 좋다. 건강한 인간의 지식은 그 문제에 직면하기 때문이다.

〈렛 싱〉

또 너희들 중에 누가 크냐 하는 다툼이 있거늘 그리스도께서 이르시되, 「이방 사람의 임금이 저희를 주관하매, 너희는 권세를 잡은 자가 은혜를 베푸는 자라하나, 오직 너희는 그렇지 않을 것이니, 다만 너희들 중에 큰 자는 소년과 같고, 두목(頭目)은 섬기는 자와 같을지니, 음식 먹는 자가 크냐? 섬기는 자가 크냐. 너희는 음식 먹는 자가 크다 하리라. 그러나 나는 너희 중에 있어서, 섬기는 자와 같으니라.」하시었다.

〈성 서〉

어떤 행위에 있어서나 그것이 신의 가르침의 하나이므로 우리는 반드시 그것을 지켜야 하겠다는 생각을 버려야 한다. 그러나 그것이 진심으로 하지 않으면 안되는 것이라고 느낄 때에 그 행위는 신의 가르침의 하나라고 생각하여도 좋다.

〈칸 트〉

미래에 일어나는 일을 알지 못할 때에만 우리는 진정한 생활을 시작할 수가 있다. 그때에만 인생을 창조하며, 신의 가르침을 행할 수가 있다. 신이 알고 계시다――라는 그러한 생활만이 신의 법칙에 대한 신앙을 증명하여 준다. 그때에만 자유가 있으며 생활이 있다. 〈톨스토이〉

종교는 내면적인 예지(叡知)이며, 예지는 이론적인 종교이다. 〈세네카〉

종교는 철학적인 사색에 광명을 줄 수 있다. 철학적인 사색은 종교적인 진리를 확고하게 할 수 있다. 그러므로 살아 있든 죽어있든 간에, 진실로 종교적인 사람과 진실로 철학적인 사람들과 교제를 갖도록 하라.

14일 영혼(靈魂)

인간의 내부에 신의 마음은 깃들어 있다.

날 때부터 성스러운 자 아니면, 신의 왕국을 볼 수 없으리라.

인간의 영혼은 그 내부로부터 비교할 수 없는 독특한 빛을 발하는 투명한 구체(球體)와도 같은 것이다. 이 빛은 영혼 자체에 있어서는 광휘(影像)와 진리의 원천일 뿐만 아니라, 그 빛에 의하여 외부의 모든 것이 비쳐진다. 그러한 상태에 있을 때 인간의 마음은 자유로우며 또한 행복하다. 그러나 만일 그 빛이 외부의 사물에 비뚤어진 영상을 줄 때, 그 평온한 표면은 물결이 일고 차츰 어두워져 가며, 이윽고 그 빛은 굴절하여, 엷어지고 마는 것이다. 〈오레리아스〉

덕성의 완성에서 발생하는 예지(叡知)의 광채는 선천적인 도덕이라고 불리운다. 예지의 광채에서 발생하는 덕성의 완성은 후천적인 신성(神性)이라 불리운다. 덕성의 완성에는 예지의 광채(光彩)가 필요하다. 예지의 광채에는 덕성의 완성이 필요하다. 〈공 자〉

사랑과 예지는 두 개의 측면이다. 이 두 개의 측면에 의하여 신을 생각할 수 있는 것이다. 〈톨스토이〉

그대가 인간의 마음을 보지 못했음과 같이, 신도 보지 못했을 것이다. 그러나 신의 모든 창조물을 통하여 그 속에 신을 보았을 것이다. 그리고 자기 마음 속에 신을 보았을 것이다. 그리고 자기 마음 속에 깃들어 있는 신의 힘을 무시하지 못할 것이다. 그 힘은 기억의 능력과 완성을 향하여 전진하는 능력 속에 나타난다. 〈세네카〉

인간의 내부에 신이 깃들어 있다는 사실을 명심함은, 무엇보다도 확실하게 인간을 악으로부터 멀리 하며 선을 행하게 하는데 도움이 된다.

15일 단순(單純)

자연 그대로의 단순성과 예지에서 오는 단순성과의 두 가지가 있다. 하나는 사랑을 불러오며, 다른 하나는 존경을 불러 온다.

인생 문제의 대부분은 대수(代數)의 방정식과 같이 풀 수 있다. 그 대답은 극히 단순한 형태로서 나타난다. 〈시세로〉

진정한 덕(德)은 어떤 행위에 있는가. 이것을 분명히 이해할 때에 다른 모든 것도 명백히 이해할 수 있게 된다.
〈공 자〉

단순하다는 것은 항상 사람을 매혹하는 힘을 가지고 있다. 어린아이와 동물이 갖고 있는 매력은 그 단순함 속에 있는 것이다. 〈파스칼〉

자연은 인간들이 이 사회에 만들어 놓은 타기(唾棄)해야할 차별제도를 알지 못한다. 신분이 높다든지 부유하다든지 하는 것에는 상관없이, 자연은 진실된 마음과의 관계 속에 있다. 그리고 참으로 선량한 감정은 항상 단순한 사례들 속에서만 찾아볼 수 있는 것이다. 〈렛 싱〉

교묘하게 꾸미어 말하며, 빈틈 없는 대도로 응수하는 사람이, 높은 사랑과 덕을 가지고 있는 일은 드물다. 〈노 자〉

진리를 표현하는 말에는 항상 꾸밈이 없다. 동시에 매우 단순하다. 〈마르셀린〉

단순한 말은 좋은 말이며, 모든 사람에게 이해된다. 그것은 가장 깊은 사상을 지니고 있다. 〈동양 성언〉

가장 위대한 진리는 가장 단순한 것이다. 가장 깊은 지식은 가장 단순한 표현을 한다. 〈파스칼〉

모든 기교적인 것, 괴이한 것, 남의 주의를 끄는 것을 피하라. 단순만큼 사람으로 하여금 친근감을 갖게 하는 것은 없다.

16일 노력(努力)

좋은 생활은 오직 긴장된 정신과 끊임없는 노력에 의해서만 이루어질 수 있다.

그대에게 위대하고 훌륭한 것이 있다 하더라도 그것은 결코 한두번 불러서 오는 것이 아니다. 그것은 곤란이 없는 용이한 것이 아니며, 제 스스로 나타나는 것도 아니다. 신의 길은 가시덤불이 엉킨 험준한 길이다. 〈에머슨〉

끊임없이 작은 의무를 성취해 나가려면, 영웅에 못지 않은 힘이 필요하다. 〈룻 소〉

무엇보다도 도덕에 벗어나지 않는 생활을 하라. 그것은 매우 곤란할지 모르나, 가장 큰 기쁨을 줄것이다.〈헨리·죠지〉

완전이란 것은 도달할 수 없는 「유토피아」라는 논거(論據)에 서서, 우리가 선행을 하려는 것을 단념시키려고 하는 사람이 있다면, 그들을 경계하여야 한다.

우리들의 마음에 고귀한 감정을 각성시킬 수 있는 영향만 준다면, 아무리 사소한 일이라 할지라도 행하기를 무익한 일이라고 생각해서는 결코 아니된다. 〈죤·러스킨〉

험한 길을 걸어갈 때, 이 길을 끝까지 걸어갈 수 있을까 하고 의심하는 사람은, 도덕이란 무엇인지를 알면서도 의심하는 것이나 다름없다.

이 세상에 살고 있는 동안에는 여러가지로 의심이 생길 것이다. 그러나 우리는 낭떠러지에 부딪치더라도 어떻게든지 길을 찾아내 듯이 도덕은 지켜야 한다. 〈석 가〉

행복을 얻고자 원한다면, 신의 법칙을 다하라. 신의 법칙을 다함은 오로지 노력에 의해야만 한다. 이 노력은 살아가는 즐거움이 되며, 자기에게 돌아올 뿐만 아니라, 노력 자체가 신의 사업에 참가하고 있다는 의식을 가지게 하는 것이다.

17일 평등(等平)

평등이란——이 세상 모든 사람들이 유일한 행복을 더하기에 공통된 권리를 가지고, 모든 개인을 존중하기에 공통된 권리를 가지고 있음을 이해하는 그것이다.

평등이란 불가능한 것이라고들 말한다. 왜냐하면 사람은 서로가 반드시 같은 것이 아니며, 누구는 다른 사람보다 힘이 세고, 또 누구는 지혜가 많기 때문이라고.

「리프텐벨그」는 말하였다. —어떤 사람이 다른 사람보다 힘이 세다든지 지혜가 깊다든지 한 까닭으로, 사람들 사이에 도리어 권리의 평등이 필요한 것이라고.

만약 힘과 지혜의 평등이 없는데다가, 권리의 평등마저 없다면, 약한 사람이 강한 사람들 사이에서 생존해 나갈 길은 전혀 막히고 말 것이다. 〈톨스토이〉

평등은 기대할 수 없는 것이며, 다만 먼 미래에 있어서만 바랄 수 있는 것이란 말들을 하는데, 이 말을 믿어서는 아니된다. 평등(平等)은 이제라도 곧 바랄 수 있다. 그것은 시설이나 법률(법률은 항상 부속적인 것이다)을 통하여서가 아니라, 그대의 생활, 그대가 교섭을 가진 모든 사람들과의 관계에 의하여 바랄 수 있는 것이다. 〈존·러스킨〉

이 세상에서 아이들처럼 참된 평등을 실현하고 있는 사람은 없다. 그런데 어른들은 아이들이 지니고 있는 이 신성한 감정을 깨뜨려 버리기도 하고 또 부숴 버리기도 한다.

자기를 위대하고 고귀한 존재라고 생각하는 사람에게 굴종을 보이는 일 없이, 또한 자기를 미미하고 천한 존재라고 생각하는 사람에게 대해서는 모든 사람에게와 같은 존경을 보임으로써, 평등은 얻을 수 있는 것이다.

18일 자아(自我)

인간이 자기부정의 관념을 가짐이 크면 클수록, 더욱 큰 영향을 타인에게 미칠 수 있다. 자아는 신을 가로막고 있는 장막이다.

오로지 신만을 사랑하며, 자아만을 미워할 필요가 있다.

〈파스칼〉

나는 다시 받아들이기 위하여 나의 생명을 아낌없이 내어던진다. 그러므로 신은 나를 사랑해 주신다. 아무도 나의 생명을 빼앗을 수는 없다. 그러나 자신만은 나의 생명을 내어던질 수가 있다.

나는 그렇게 할 힘을 가지고 있다. 뿐만 아니라, 생명을 다시 받아들일 수 있는 힘도 가지고 있다. 이 가르침은 하나님이신 나의 아버지로 부터 받은 것이다. 〈성 서〉

만약 자아의 의욕만 부정할 수 있다면, 모든 일은 쉽고 잘되어 나갈 것이다. 〈톨스토이〉

절대적인 자기부정의 생활을 한 그 결과에 대한 평가의 기초나, 또 그 이상으로 그 결과에 대한 판단의 권리도 인간에게는 없다. 그 자신이 그러한 생활을 단 한시간이라도 해보겠다는 용기를 갖기 전에는 그렇다는 말이다. 〈존·러스킨〉

현세적(現世的)인 것, 명예 또는 육체적인 것 속에 자기를 두려워 하지 않는 사람은, 참된 인생을 창조하는 사람이다.

〈석 가〉

이야기 도중에서 제자신을 생각하고 그 이야기를 중단하고 보면 결국 사상의 실마리를 잃고 만다. 자기를 잃고 자아에서 벗어났을 때에만, 우리는 타인과 충실한 교제를 할 수가 있으며, 또 타인에게 대한 봉사를 충실하게 할 수가 있다. 그때에 그의 언행은 큰 영향을 끼칠 수 있게 된다.

19일 노동(勞動)

노동에서 자기를 해방함은 죄악이다.

자기 스스로 하는 노동에 의하여 빵을 얻지 않는 계급의 사람들 속에, 참된 종교상의 지식을 계시(啓示)하며 순수한 덕성을 실현하기란, 거의 생리적으로 불가능한 일이다.

〈존·러스킨〉

가장 편안하고 순수한 기쁨의 하나는 노동을 하고 난 뒤에 얻는 휴식이다. 〈칸 트〉

부유한 사람이건 가난한 사람이건, 또는 강한 사람이건 약한 사람이건, 일하지 않는 자는 배척되어야 한다. 모든 사람은 참된 기술을—즉 제각기 할 수 있는 노동을 배우지 않으면 안된다. 〈룻 소〉

모든 정의로운 행위는 씨앗과 같다. 그것은 오래도록 땅 속에 가만히 묻혀 있다. 그러나 한번 온도와 습기(濕氣)를 얻기만 하면, 자체 속에 새롭고 건전한 즙액(汁液)을 양성하고, 신선한 힘을 얻어서 성장하기 시작한다. 그런 다음에 이윽고 꽃을 피우고 열매를 맺는다. 그러나 폭력과 부정에 의하여 뿌려진 씨앗은, 썩고 시들어 자취도 없이 사라지고 만다.

〈톨스토이〉

어느 시대에 있어서나, 그 시대의 위대한 사람들을 존경하여야 한다. 그리고 절대로 「그들 이전의 선구자들은 더욱 위대하였다」는 말을 하여서는 아니된다. 〈유태 성전〉

그대가 베풀어 주는 것보다 더 많은 것을 타인에게 요구하지 않음이 정의로운 일이다. 자기의 노동이건 타인의 노동이건 그것은 측량할 수가 없다.

그대는 시시각각으로 일할 힘을 상실하고 있는지도 모르며, 그러므로 부정의(不正義)를 범하지 않기 위해서 얻기보다도 많은 것을 베풀어 주도록 하라.

20일 진화(進化)

진정한 진화는 종교적인 것이다.

종교는 어느 시대 어느 사회를 막론하고 선량하고 선구적(先驅的)인 사람들에게 높은 인생의 해석을 보여주는 것이다.

〈에머슨〉

인생은 사람을 통하여 나타나는 것이다. 인생은 언제 어디에나 존재하고 있다. 우리에게서 참다운 인생을 가로막아 버리는 것을 인생인줄 아는 것에 우리의 과오가 있다.

〈톨스토이〉

우리는 종교상의 진화의 이 단계(『루터』의 종교개혁을 말함)에 머물러 있지 않을 수 없다고 생각하는 사람은, 진실에서 멀리 떨어져 있음을 말하는 것이다.

우리에게 주어진 광명은, 다만 그것을 막연히 바라보게 하기 위해서 있는 것이 아니라, 그 광명에 의하여 아직도 보이지 않는 먼 앞에 있는 것을 밝히 보게 하기 위한 것이다.

〈미 론〉

모든 진화는 종교적인 진화에 그 기초를 두고 있다. 종교적인 진화란 새로운 종교적 진리가 발견되는 것, 세계와 그 창조주(創造主)에 대한 인간의 새로운 관계를 발견하는데서 이루어지는 것은 아니다. 새로운 것은 종교를 이해하기 위해서 필요하게 여겨온 모든 무용지물을 내어버리는데서 성립되는 것이다.

〈톨스토이〉

진정한 진화――종교적인 것과 기술적 과학적 혹은 예술적인 것과를 혼동하지 말라. 기술적 과학적 혹은 예술적인 진화는 종교적인 진화를 동반할 때에 매우 위대한 결과를 가져올 수 있다. 그것은 우리 미래에 있어서 보는 바와 같다.

이 반대 현상도 진실이다. 신께 봉사하려면, 무엇보다도 먼저 종교적 진화――종교상의 인식을 뚜렷하게 하는 경우에 있어서, 반드시 충돌하게 되는 미신과의 치열한 투쟁을 겪지 아니하면 아니된다.

21일 육식(肉食)

가장 야만적인 미개인(未開人)은, 육식(肉食) 밖에 모른다. 야채를 먹게 되는 것은 최초의 그리고 자연적인 교화(敎化)의 결과이다.

도살장으로 끌려가는 짐승의 그 힘 없는 모습을 볼 때, 우리는 왜 일종의 괴로움을 느끼게 되는가? 그것은 반항할 수 없으며, 아무 죄 없는 동물을 죽인다는 것이 얼마나 잔인하고 옳지 못한 일인가를 알기 때문이다.

그대의 마음에 느끼는 그대로를 실현에 옮겨라. 육식을 피하라. 죄없는 생물을 죽이고 즐기는 그 마음을 버려라.

〈스트루웨〉

저주 받아야 할 세 가지 습관이 있다. 육식과 담배와 술이 그것이다. 이 세 가지 습관은 사음(邪淫)의 육정(肉情)과 함께 인생을 행복의 가능성에서 멀리 하며, 신의 아들들을 동물과 마찬가지로 만든다. 그리고 우리가 사는 거리를 지옥의 문으로 만들고 마는 것이다. 〈아놀드 · 힐스〉

「끔직스런 일」이라고 채식주의자는 문명인의 식탁에 놓인 돼지나 양의 고기를 보고 말할 것이다. 「이 고기에 소금을 발라 먹으면 더욱 맛난다」고 그 문명인들은 대답할 것이다.

그들 문명인들은 식인종(食人種)과 얼마나 다를 것인가? 그들은 죽은 동물의 고통은 생각해 보지도 않는다.

〈루시 · 말로리〉

육식을 끊기 위해서는, 주위 사람들의 비난 · 공격 · 조소를 독살할만한 용기를 가져야 한다.

가령 육식이 아무렇지도 않은 일이라면, 육식주의자들이 채식주의자를 공격할 까닭은 없는 것이다. 육식주의자들은 초조해 하고 있다. 이미 오늘날에 있어서는 그들은 육식의 죄악을 깨닫고는 있으나, 그 죄악에서 자기 자신의 힘으로 벗어날 수 없음을 알고 있기 때문이다.

22일 신의(神意)

우리는 신(神)을 알지 못한다. 그러나 우리가 이 세계에 대하여 가지가지 사실을 알고 있는 것은 신을 알고 있기 때문이다.

지금 하늘과 땅에 있는 모든 것, 그리고 예전에 있었던 모든 것을, 우리의 마음 속에 아울러 가지고 있는 것이 있으니, 그것은 평화이다.

평화란 구체적인 어떤 물체가 아니다. 우리는 그 성질을 예지라고 부른다. 만약 그것에 명백한 명칭을 붙일 필요가 있다면, 나는 그것을 위해·요원(遼遠)·불멸이라고 부르겠다.

〈노 자〉

신은 무한한 존재이다. 그것은 우리들 자신 속에서 찾아볼 수 있는 것이며, 우리에게 정의를 요구하는 존재이다.

〈M·아놀드〉

신은 어디에 있느냐고 항상 찾아 다니는 사람은 어리석은 사람이다. 신은 만물 속에 살아 있다.

신앙에는 여러가지가 있으나, 신은 단 하나 뿐이다. 자기 자신을 알지 못하는 사람은 결코 신을 알 수가 없다.

〈인도 성언〉

참으로 신을 아는 것은 다음 두 종류의 사람들 뿐이다. 겸손한 마음으로 가난한 사람들을 동정하는 사람은, 그의 교양의 고저를 막론하고 다같이 신을 아는 사람이다.

또한 어떠한 장애물이 있을지라도 그 장애물에 구애됨이 없이, 진리를 탐구하려는 충분한 지혜를 가진 사람들도 신을 알고 있는 사람이라 하겠다. 〈파스칼〉

신은 우리의 반신(半身)이다. 우리는 그것을 모르나. 신은 그것을 알고 있다. 〈에머슨〉

신의 법칙을 얼마나 행하느냐 하는데 따라서, 신에 대한 그의 인식을 측량할 수가 있다. 그러므로 신께 가까와지면 가까와질수록 신에 대한 그의 인식은 끊임없이 변화하는 것이다.

23일 현세(現世)

현재 이 세상에 있는 조직은 사회적 양심에 배반되는 것이다. 사회적 이지(理知)에 조차 배반되고 있는 것이다.

사무적인 사람들의 대부분은, 이 세상의 가장 실리적인 제도는 단순히 다음과 같은 것이라고 생각한다.

즉 그 때문에 질서 없는 대중이 결속하지 못하며, 어린아이나 늙은이가 흙탕 속에 빠지게 되며, 무조직한 노동자의 힘을 이용하여 여러가지 불필요한 물건을 만들어내는 그러한 제도인 줄로 알고 있다. 〈존 · 러스킨〉

사람들이 싸우기 위하여 지혜를 짜내어 서로 함정을 마련하고, 속이고 배반하기 위하여 골머리를 썩히고 있는 모양을 보면, 어찌 슬퍼하지 않을 수 있으랴? 〈페코니스〉

사람들은 서로 미워하고 있다. 그들은 될 수 있는 데까지 욕정(慾情)을 이용한다. 마치 욕정이 사회적 행복에 봉사할 수 있는 듯이.

그러나 그것은 오직 가면일 따름이다. 그것은 허위의 사랑을 제시하는 것이다. 본질에 있어서 그것은 다만 염오를 느끼게 하는 것이기 때문이다. 〈톨스토이〉

우리의 문명은 아무리 견고하게 보일지라도, 그것을 파괴하는 힘이 또 한편에서 자라나고 있음을 알아야 한다. 인적이 끊어진 숲 속에서가 아니라, 사람왕래가 빈번한 길거리 위에서 야만인들이 교육 받고있는 것이나 다름이 없다.

〈헨리 · 죠지〉

인간은 지적(知的)인 동물이다. 그럼에도 불구하고 그들은 왜 사회생활을 지적으로 운영하지 못하고, 폭압에 의하여 끌고 나가는 것일까?

24일 진실(眞實)
참(眞)과 선(善)은 분리할 수 없는 것이다.

진실을 전하기 위해서는 두 사람이 필요하다. 하나는 그것을 말하는 사람이요, 또 하나는 그것을 듣는 사람이다.

진실을 전하는 유일한 방법은, 사랑을 가지고 그것을 말하는 일이다. 사랑이 담겨져 있는 말만이 그것을 듣는 사람의 귀를 기울이게 한다. 따져가면서 하는 말은 부자연하게 들릴 따름이다.

〈토 로〉

진실을 말함은 글씨를 잘 쓰는 것과 같다. 그것은 어느 것이나 다 기술적인 문제라 할 수 있다. 또 그것은 어느것이나 다 의지의 문제보다 습관의 문제이다. 그리고 이같은 습관을 양성하는데 도움이 되는 모든 기회는 다 유익한 것이라 하겠다.

〈오레리아스〉

우리들은 남의 앞에서 너무나 가면(假面)을 쓰는 습관(習慣)이 붙어버린 결과, 자기 자신 앞에서도 가면을 쓴다.

〈로슈프코〉

오직 자기 자신의 기본적 사상만이, 진리와 인생을 본질적으로 지킬 수 있다. 왜냐하면 자기의 기복적 사상만을 그대는 진정한 의미에 있어서 이해할 수 있기 때문이다.

타인의 서적에서 얻은 사상은 남의 식탁에서 남은 음식과 같은 것이며, 또는 남이 입고 있던 의복과도 같은 것이다.

〈쇼펜하우어〉

진리를 위하여 자기를 사랑하는 예지는, 진리를 독차지하기 위하여 마음을 괴롭히는 일이 없다. 그는 어디에 있어서나 감사의 마음으로 진리를 받아들인다. 그리고 진리 위에다 아무의 이름도 붙이지 않는 것이다.

〈에머슨〉

진리는 인간을 악인으로 만들지도 않거니와 자만가(自漫家)로도 만들지 않는다. 진리의 방향은 언제나 간명하며 겸허하며 또한 단순하다.

25일 자성(自省)

기도(祈禱)가 습관으로 되는 것은, 사람이 습관적으로 기도함으로써 신께 대한 얼마간의 공적을 이룰 수 있다고 생각한 그 때에만 유해하다.

기도에 들어가기 전에, 정신을 집중할 수 있는가 어떤가를 살펴라. 그것이 안 된다면 기도하기를 그만두라.

기도에 들어갈 때, 비애의 감정이나 태만·홍소(哄笑) 잡담 등의 영향이 남아 있어서는 아니된다. 오직 신성하고 긴장된 마음으로 있을 때에만 기도에 들어갈 것이다.

만약 마음의 상태가 좋지 않을 때에는 기도는 삼가함이 좋다. 습관화된 사람의 기도는 진실하지 못하다. 〈탈무드〉

매일 같이 먹고 자고 하여도 사람들은 심심함을 느끼지 않는다. 그것은 기아(飢餓)와 꿈이 잇따라 꼬리를 물고 나타나기 때문이다. 그러나 이것이 없다면, 먹는 것, 자는 것이 다 귀찮아질 것이다.

즉 정신상의 향연에 만족할 수 없다면, 사람들은 틀림없이 심심함을 느낄 것이다. 우리는 저 갈망적인 진실—— 산상수훈(山上垂訓)을 기억하자. 〈파스칼〉

어찌하여 우리의 약함을 보호해 주는 수단인 기도를 스스로 회피하는가? 우리를 신께 가까이 가게하여 주는 정신적인 일체의 노력은, 이기(利己)의 욕정에서 우리를 해방시켜 주는 것이다. 신께 구원을 바라기만 한다면, 우리들은 구원을 얻을 수 있을 것이다. 〈룻 소〉

기도——즉 신께 대한 자기 하소연의 말은 자주 새로이 바꾸는 것이 좋다. 인간은 끊임없이 성장하여, 변화하는 것이기 때문이다. 신에 대한 관계도 변화하는 것이다. 그러므로 그 점을 명백히 해야 한다. 기도의 내용도 또한 바뀌어져야 하는 것이다.

26일 침묵(沈默)

누구와 함께 장시간 이야기한 후면 무슨 이야기를 하였는지를 다시 생각하여 보라. 서로 주고 받은 모든 화제가 얼마나 싱거운 것이었으며, 또 번번히 옳지 못한 것이기도 하였는가를 깨닫게 되어 놀랄 것이다.

참된 말은 조심성 있게 삼가하며 발언된다. 그것은 깊은 주의와 깊은 생각 후에 발언되는 것이기 때문이다. 그대가 무슨 말을 할 때면, 그 말은 침묵보다 가치가 있는 것이어야 한다.

〈아라비아 이언〉

무지한 사람은 차라리 잠자코 있음이 좋다. 그러나 그가 이 점을 안다면, 그는 이미 무지한 사람이 아니다.

〈프리스탄 사디〉

한번 입 벌리지 않았음을 유감으로 생각한다면, 잠자코 있지 않았음을 백번 뉘우치지 않으면 아니된다.

주의 깊게 듣고, 총명하게 질문하고, 조용하게 대답하고, 그리고 말할 필요가 없을 때 입을 열지 않는 사람은, 인생의 가장 중요한 의의를 아는 사람이다. 〈라하테일〉

진실된 말은 유쾌한 것이 아니다. 유쾌한 말은 진실된 것이 아니다. 선한 사람은 싸움을 좋아하지 않는다. 싸움을 좋아하는 사람은 선한 사람이 아니다.

진실된 지혜는 덕을 행하는 것이지 악을 행하는 것이 아니다. 성자의 지혜는 그것을 행하도록 한다. 그러나 남과 싸우게는 하지 않는다. 〈노 자〉

부질없는 이야기에 참견하지 않는 사람은 그가 하는 잔 일에서도 큰 이익을 얻는다. 〈톨스토이〉

어떤 이야기를 하든 그 전에 먼저 생각할 여유를 가지고 하라, 그것이 말할만한 가치가 있는가 없는가, 또는 말할 필요가 있는가 없는가, 누구의 중상(中傷)이 될 말은 아닌가를 생각하고 하라.

27일 자선(慈善)

자비심(慈悲心)은 오직 그것이 희생정신에서 나온 것일 때에만 진정한 것이다.

돈 속에, 돈 자체 속에, 그리고 돈을 소유하는 그일 속에, 죄악의 싹은 깃들어 있다.

동정심이 깊은 사람은 부유하게 될 수 없다. 더욱 확실한 일은 부유한 자는 동정심이 깊지 않다는 사실이다.

〈몽고 속담〉

금은은 녹이 쓴다. 이 녹이 그대를 배반하는 것이며, 불 같은 위세로 그대의 육체를 파 먹고 만다는 증거가 될 것이다. 그대는 재보(財寶)를 모으는 동시에, 최후의 날이 가까와지고 있음을 알아야 한다. 〈톨스토이〉

재보를 가진 사람이 신의 나라로 들어가기란 참으로 어렵다. 부유한 자가 신의 나라로 들어가기란, 낙타가 바늘구멍으로 들어가기보다 어렵다. 〈성 서〉

돈 가진 자선자(慈善者)들은 다음과 같은 일을 깨닫지 못한다.

즉 자기들이 가난한 사람들에게 자선을 베풀고 있다고 생각하는 것은, 그 이상으로 더욱 더 많은 것을, 그 사람들 속에서 자기들이 약탈하는 결과가 된다는 사실을 깨닫지 못하는 것이다. 〈존·러스킨〉

부유한 사람은 가난한 사람들에게 자선을 베푸는 일에 만족하고 있다. 그때문에 발생하는 해독은 생각지 않는다.

물질적으로 풍부함이 귀한 것이며, 그것만이 인생의 행복인 양 생각하게 하는 것은 해독이 아닐 수 없다. 〈챤 닝〉

부유한 사람은 선을 행하기가 어렵다. 그가 선을 행하자면 무엇보다도 우선 부(富)에서 해방되지 않으면 안 되기 때문이다.

28일 예술(藝術)

예술은 사람들을 합치시키는 수단의 하나이다.

우리의 예술——부유한 계급의 오락을 위하여 이루어진 예술은 매춘부의 웃음이나 다름 없는 것이다.

예술은 알맞은 환경에 놓였을 때에만 이익을 가져오는 것이다. 예술의 목적은 교훈(敎訓)이다. 그것은 사랑을 내포한 교훈이다.

예술이 다만 사람들의 오락물로서 존재하고, 진리를 계발(啓發)하는 힘을 갖지 못할 때에, 그것은 참다운 예술도 아니며 고상한 예술도 못된다. 〈죤·러스킨〉

예술상의 지혜와 과학상의 지혜는 모든 사람을 위하여 공평한 봉사를 하는데 있다. 〈죤·러스킨〉

돈 가진 자의 노예가 되며, 가난한 자를 조롱하는 그러한 예술은, 사멸(死滅) 할지언정 번성하지는 못할 것이다.
〈모리스〉

매우 세련된 예술도, 그것이 다소라도 도덕적 이상과 결부됨이 없고 다만 예술 자체의 만족만을 추구한다면, 그러한 예술은 다만 일락(逸樂)의 도구가 될 따름이다.

사람들이 일락에 골몰하고 싶으면 싶을수록, 더욱 이러한 예술에 열중하게 된다. 그것은 자기를 내부에 느끼고 있는 마음의 불만을 없애기 위해서다. 그러나 그렇게 함으로써 끊임없기 자기 자신을 무능하고 불만스런 존재로 만들고 마는 것이다. 〈칸 트〉

예술에 관한 논쟁은 가장 공허한 논쟁이다. 예술을 아는 사람은, 예술이 각각 특별한 언어적 표현을 갖고 있으며, 그리고 예술에 관해서 여러가지로 논쟁함은 부질없는 일임을 알고 있다. 그러므로 예술에 관해서 시끄럽게 떠드는 사람은 실은 예술을 이해하지 못하는 사람이며 예술을 감독하지도 못한 사람이다.

29일 이상(理想)

이상은——안내인이다. 그것이 없으면 확실한 방향을 찾을 수 없다. 방향이 없으면 행동할 수도 없고 생활할 수도 없다.

이상은 그대 자신 속에 있다. 이상을 달성하기에 방해가 되는 조건 또한 그대 자신 속에 있다. 그대의 지금 환경은 그대의 이상을 실현하기에 가장 좋은 조건이다. 〈톨스토이〉

이상의 실현이 단순한 관념이나 사상 속에 있어서만 가능할 때, 그것은 다만 무한한 미래에 있어서만 도달할 수 있는 것으로 생각되며, 따라서 이상에 도달함이 멀다고 생각될 때 그 때에 있어서만 이상은 참다운 것이라 할 수 있다.

〈헨리·죠지〉

반드시 진리가 구체화될 필요는 없다. 진리가 우리의 정신 속에 깃들고, 공감(共感)을 불러 일으키고——그리하여 종소리처럼 힘차고 자비롭게 공기 속에 울리기만 하면 충분한 것이다. 〈괴 테〉

완성은 하늘의 표준이다. 완성된 것을 요망하는 것이 인간의 표준이다. 〈괴 테〉

인생은 시위소찬(尸位素餐)도 아니며, 행복추구만도 아니다. 차라리 「쉴러」의 말을 빌자면 투쟁이며 행진이다. 선과 악의 투쟁, 정의와 불의의 투쟁, 자유와 폭압, 협동과 이기주의의 투쟁이다.

인생은 우리 자아의 이상 실현을 위하여 전진시키는 것이다. 〈마드지니〉

우리가 알고 있는 선이 우리의 내부와 이 세상에 존재하기를 희망하고 있음은, 그것을 실현하기 위한 가장 중요한 조건이다.

그것을 믿지 않고 우리가 언제나 이제까지와 같은 못된 인간이며, 타인은 이전과 조금도 다름이 없는 악한 존재라고만 생각한다면, 선의 실현은 가망이 없다.

3월의 장

〈사자랜드 그림〉

1일 공포(恐怖)

죽음을 두려워함은 부자연스러운 일이다. 죽음에 대한 공포는 죄악적 의식이다.

죽음이란 개인주의에 사로잡혔던 상태에서 벗어나는 순간이다. 개인주의란, 인간의 근본적인 본질이 아니라, 인간의 본질을 불구로 만드는 것이라 생각해야 한다.

그리하여 이 인간의 본질적인 상태의 완전한 부활이라 할만한 순간에, 참다운 제일의적(第一義的)인 새로운 자유가 찾아오는 것이다.

죽은 사람의 대개가 평화스러운 표정을 하고 있는 원인은 분명히 여기에 있다. 모든 착한 사람의 죽음은 편안하고 고통이 없는 것이다.

그러나 생활을 위하여 노력할 의지가 없으며, 그 의지를 거부하는 사람은, 침착한 희열의 심경으로써 죽을 수 있는 특권은 갖지 못한다.

그것은 자살하는 자는 다만 현실에 죽는 것만을 바랄 따름이며, 자아가 먼 미래에까지 존속해 나가기를 원하지 않기 때문이다. 〈쇼펜하우어〉

죽음에 대한 공포는, 인생은 하나의 작은 부분적인 유기체(有機體)에 지나지 않는다는 그릇된 관념을 가지는데서 발생하는 것이다. 〈존·러스킨〉

인생에 대하여 그릇된 관념을 가지고 있는 사람들이, 냉정히 판단할 수 있고, 그들의 사고방식을 올바르게 가질 수만 있다면, 다음과 같은 결론에 도달하지 않을 수 없으리라.

즉 죽음이란, 모든 생물에게 끊임없이 일어나고 있는 생리적 현상이므로 조금도 무서운 것이 못된다는 결론이다.

〈세네카〉

죽음에 대한 준비는 단 한가지 밖에 없다. 훌륭한 인생을 산다는 그것이다. 그렇게 하면 죽음은 하나의 무의미한 현상으로 밖에 느껴지지 않으며, 죽음에 대한 공포는 가신 듯이 사라지고 말 것이다.

2일 천의(天意)

인간이 자기의 의지와 신의 의지를 일치시키는 정도에 따라서, 스스로 나아갈 길에 대하여, 또한 타인에게 대하여, 그 의지가 얼마나 확고하게 되는가를 알 수 있다.

아무것도 바라지 않는 것만큼 강한 힘은 없다. 그러나 그것은 필요하지 않다. 필요한 것은 신께서 원하는 바를 나도 원한다는 그것이다. 자기부정(自己否定)에서 자기희생으로 옮겨가는 그것이다. 〈아미엘〉

영원한 운명이여, 눈에 띄지 않는 걸음으로 걸으라, 너의 보이지 않는 발자국에만, 나는 의심을 품지 않는다. 너의 걸음이 뒷걸음 치듯 할 때에도 의심치 않는다. 〈렛 싱〉

어느 길에 강도가 나온다면, 그 길로 길손은 지나다니지 않을 것이다. 누구나 경계하는 사람이 오기를 기다리며, 그 사람과 같이 위험을 피하여 갈 것이다.

이 인생에 있어서, 지혜 깊은 사람은 이 길손과 같이 행동할 것이다. 그는 혼잣말로 중얼거릴 것이다. 「인생에는 도처에 재난이 수두룩하다. 이 많은 재난을 피하자면, 어디에 보호를 구할 것인가? 위험 없이 여행하자면, 어떤 동행인이 오기를 기다려야 할 것인가? 누구의 뒤를 따라가면 좋을까? 누구도 믿을만한 보호자는 없다. 왜냐하면 그들은 누구나 서로 빼앗고 죽이고, 서로 탄식하고 불행을 느끼고 있기 때문이다. 그들은 나를 약탈하고 공격할지도 모른다. 그러면 나를 공격하지도 않고, 보호해줄 만한 신뢰할 수 있는 힘찬 동행인은, 나는 얻을 수 없을 것인가? 나는 누구의 뒤를 따라가면 좋을까」하고.

신의 뜻은 좋은 길과도 같다. 하늘의 달을 보듯 신의 뜻은 쉽게 알 수 있다. 그 길을 곧 잃어버리는 까닭은, 우리가 무지와 악의 함정에 빠지기 쉽기 때문이다.

3일 영원(永遠)

사람이 나이가 젊고 생각도 젊으면, 물질적인 현실을 믿는 힘도 크다. 그러나 나이 들고 지혜가 깊어지면, 이 세상의 기초를 정신적인 것에 두게 된다.

하늘을 우러르고 땅을 굽어보고, 그리고 생각하라. 모든 것이 지나가면, 산천도 다 지나가는 것이다.

인생의 가지가지 형상도 자연의 산물도 모두 지나가고 마는 것이다. 그대가 이러한 심경에 도달할 때, 비로소 광명은 비치기 시작할 것이다. 〈석 가〉

그대 속에 깃들고 있는 정신이 움직이고 느끼고 기억하고 예견(豫見)하고 지배하고, 그리하여 육체를 이끌어나가고 있음을 알라.

정신은 신께서 이 세계를 소람(昭覽)하고 계시듯, 육체 위에서 육체를 통할(統轄)하고 있는 것이다. 영원한 신께서 이 세계를 이끌어 나가듯 불멸한 정신이 그대의 연약한 육체를 이끌어 나가는 것이다. 〈시세로〉

다음과 같은 것을 항상 생각해 보도록 하라. 즉 우리의 진실한 생활은 우리의 눈에 비치는 이 지상(地上)의 외면적인 물질적인 것은 아니며, 우리 정신의 내면적인 것이라는 점을 말한다.

삼림(森林)의 존재의의는 건물을 건축할 가능성을 주는 것이라는 점, 마찬가지로 인간은 동물적인 생활에서 벗어나, 정신적인 인생을 영위하는데에만, 그 유일한 의의를 가진다는 점을 생각해 보아야 한다. 〈톨스토이〉

이 세상에서 가장 생명 있는 것은, 보이지 않는 것, 들리지 않는 것이다. 〈노 자〉

육체의 세계를 참으로 실재하는 중요한 것이라 인정하는 감정의 기만에서 해방되지 않는 한, 인간은 스스로의 참된 사명을 깨달으며, 그것을 달성할 수는 없다.

4일 식욕(食慾)

식사(食事)에 있어서의 방종——폭식은 가장 보편적인 죄악이다. 우리는 그 죄악을 예사로 생각하는데, 그것은 거의 모든 사람이 범하고 있는 죄악이기 때문이다.

육체가 지적인 일을 함으로써 괴로움을 받음은 선이다. 그러나 우리의 정신이 육체적인 욕정으로 인하여 괴로움을 받을 때에 그것은 악이다. 〈탈무드〉

고뇌가 이 세상의 가장 큰 악이라고 생각하는 사람은 용감하지 못하다. 「만족」이란 것 속에 가장 높은 행복을 느끼는 사람이 절제할 수 없음과 같이. 〈시세로〉

소크라테스는 모든 사치품을 쉽게 물리칠 수가 있었다. 보통사람에게는 매우 어려운 일이다.

그를 본받을줄 모르는 자들, 식욕을 당기는 음식들을 보고 견디지 못하는 자들을 보고 소크라테스는 역설하였다. 즉 육체, 두뇌, 정신에 대하여 과식한 음식물만큼 해로운 것은 없다고—— 〈톨스토이〉

식욕만 없다면 한마리의 새도 그물에 걸리지 않을 것이며, 어부도 그물을 치지 않을 것이다.

식욕은 우리의 손을 묶는 쇠고랑, 발을 붙들어매는 쇠사슬이다. 식욕의 노예가 되는 자는 신을 믿음이 없는 자이다. 〈사아디〉

신은 우리에게 음식물을 보내어준다. 악마는 요리사를 보내어준다. 〈톨스토이〉

음식에 대한 부절제(不節制)를 죄악으로 생각지 않는다는 것은 괴이한 일이다. 그것은 타인에게 해를 끼치지 않을 뿐이지, 인간의 존엄에는 크게 배반되는 일이다. 그러므로 음식에 대한 부절제는 죄악의 하나임을 알아야 한다.

5일 현실(現實)

우리는 바로 이 세계의 여기에 있어서, 인생을 인식하고 있다. 그러므로 인생에 의의가 있다면, 그것은 바로 이 세계의 여기에 있는 것이다.

사는 것이 귀찮다 해서 죽음을 택해도 좋다는 이유는 없다. 모든 도덕적인 사람들이 어깨에 짊어진 무거운 임무가, 그들에게 스스로의 사명을 완수하도록 강요하는 것이다. 이 임무에서 벗어나는 유일한 길은, 자기의 사명을 완수한다는 그것밖에 없다. 그대에게 지워진 임무를 완수하였을 때에만, 그 무거운 회의는 사라질 것이다. 〈에머슨〉

사람들 틈에 끼어 시달리면서 현세적인 목적을 위하여 살고 있는 자에게는 편안함이 없다. 또 혼자서 고독하게 정신적 목적만을 위하여 사는 자에게도 편안함은 있을 수 없다.

사람들 틈에서 시달리며, 신께 봉사하기 위하여 사는 사람들만이 편안함을 얻을 수 있는 것이다. 〈톨스토이〉

어떠한 환경에서 살지라도, 의무나 이상(理想)이 없는 생활이란 있을 수 없다. 그대가 지금 처하고 있는 그 불행하고 저주 받을 현실 속에 그대의 이상(理想)은 있는 것이다.

〈톨스토이〉

나는 주어진 사명을 다하기 위하여, 이 세상에 태어난 것이라고 생각할 때에, 비로소 그는 교양 있는 사람이라고 볼 수 있다. 〈공 자〉

인생은 고뇌도 환희도 아니다.

인생은 완수하지 않으면 안되는 의무적 과업이다. 정직하게 끝까지 꾸준히 해나가야 할 과업이다. 〈카알라일〉

이 자리가, 바로 이 세계가 우리들 봉사의 장소인 것이다. 이 세상에 살면서 봉사를 다하기 위하여 우리는 전력을 기울이지 않으면 아니된다.

6일 애정(愛情)

신에 대한 사랑은 완성에 대한 사랑이다. 완성에 대한 사랑은 노력이라 불러도 좋다. 완성에 대한 노력은 인생의 본질이다. 그러므로 인간의 생활은 항상 신에 대한 의식적 또는 무의식적인 사랑이다.

모든 불행과 정신상의 고민은 그 원인이 어디에 있는가? 그것은 오직 정신이 물질에 대한 애착과 결부되어 있는 것, 또 불가능한 것을 얻으려고 욕망하는데 그 원인이 있는 것이다. 왜냐 하면 그러한 욕망은 한없이 꼬리를 물고 나타나기 때문이다. 영원하며 무궁한 것에 대한 사랑만이 우리의 정신에 순수한 기쁨을 준다. 누구나 지상의 행복을 향하여 완성되어 가며, 또 그 행복을 깊이 느끼면 느낄수록, 그는 더욱 완전한 것──즉 신을 마음 깊이 사랑하게 된다.

그러므로 우리의 지상의 행복과 그 행복의 기초는, 다만 신의 인식 속에만 있으며, 신에 대한 사랑 속에만 있는 것이다.

〈스피노자〉

신에 대한 사랑 없이 이웃을 사랑한다는 것은, 뿌리 없는 나무와도 같다. 이런 사람은 자기 마음에 드는 사람만을 열정적으로 사랑하게 되며, 또 한편 굴종적인 사랑을 요구하게 된다.

〈톨스토이〉

가령 예술을 사랑하고 과학을 사랑한다는 것이 무엇을 의미하는 것인지 모른다고 하자. 그가 예술이 무엇인지 과학이 무엇인지를 모른다면, 그런 사람에게 어떻게 그것을 설명하면 좋을까?

신이란 무엇인지 알지 못할 뿐만 아니라, 그 알지 못함을 자랑거리로 삼는 사람에게, 어떻게 신에 대한 사랑을 설명할 수 있겠는가?

〈톨스토이〉

사람을 두려워 하지 않고, 죽음을 두려워 하지 않고 악을 두려워 하지 않는 방법은 단 하나 있다. 그것은 신을 두려워 하지 않고 사랑하는 그것이다.

7일 근로(勤勞)

일하는 것——자기 힘을 다해서 일함은 인생의 가장 중요한 조건이다. 인간은 일하도록 외부에서 요구 당하는 점에 대해서는 해방될 수도 있다. 자기에게 필요한 것을 타인에게 강요할 수도 있다. 그러나 일하는데 대한 자기의 육체적 요구에 대해서는 해방될 수가 없다.

만약 필요와 충분한 생각 끝에 일하지 않는다면, 그는 불필요하고도 졸렬한 일을 하게 될 것이다.

근로는 모든 사람에게 필요한 것이다. 그것은 인간에게 혜택을 준다.

아이들에게 아무 일도 가르치지 않으며 또 시키지도 않음은 그 아이들로 하여금 장래에 약탈하는 길 밖에 남겨주지 않음과 다름 없는 것이다. 〈탈무드〉

그대에게 있어서 일함이 중요하고, 보수가 제이의(第二義)로 될 때, 창조주인 신이 그대의 주인이 될 것이다.

이와 반대로 일이 제이의가 되고, 보수가 보다 중요한 것으로 생각될 때, 그대는 보수의 노예가 되고 말 것이다. 그리하여 가장 저열(低劣)하고 추악한 악마의 소굴로 화하고 말 것이다. 〈존·러스킨〉

일하는 것이 인생이다. 일하는 사람의 마음에서는 신과 같은 힘이 솟아나온다. 저 신성한 천상적(天上的)인 생활력이 솟아나온다. 이 힘은 전능의 신 자신이 우리에게 부여해주는 것이다.

사람이 하지 않으면 안될 형편에서 노동에 종사할 때에만, 그에게는 모든 고귀한 힘이 눈을 뜨며 그를 지혜롭게 하는 것이다. 〈카알라일〉

동물은 자기의 근육을 사용함 없이 살아갈 수 없다. 인간도 마찬가지다. 만족과 환희로써 근육을 사용하려면, 유익한 일, 그리고 무엇보다도 남을 위하여 봉사하는 일에 사용하도록 하라. 이것이 가장 훌륭한 사용법이다.

8일 기도(祈禱)

기도는 신께 대한 자기의 관계를 명백히 하고, 그것을 확인하기 위한 것이다.

신앙이란 인생의 이상을 날마다 닦아감을 말한다. 나날이 발생하는 우발적인 사건 때문에 정체(停滯)되는 혼탁하고 초조해진 우리의 내면적 생활을 안정된 상태로 돌려 놓기 위한 것이다.

기도는 정신생활에 뿌려 놓는 향수와 같은 것이다. 그것은 확실한 효능을 보여주는 값 비싼 치료약이다. 그것은 우리에게 평화와 용기를 다시 찾아준다. 그것도 또한 신의 명령과 우리의 의무를 다시 생각하게 한다. 〈톨스토이〉

우리들이 신 앞에 기도하며, 모든 소원 성취를 빌 때, 신의 의지는 우리의 소원대로 변화하는 것이 아니라는 것을 알아야 한다. 그리고 신 앞에 소원성취를 빌면서, 우리는 참으로 다음과 같은 점을 알게 되는 것이다.

즉 신이 이 세계를 창조하시었다는 것, 그러므로 신은 만물을 위하여 마음을 괴롭히시며, 만물을 기르시고 보호하신다는 것, 또한 신은 선악을 불문하고 이 세상의 만물을 소람(昭覽)하고 계시는 것, 이상을 알게 되는 것이다.

신의 영광을 생각하고, 신의 힘을 깨달음으로써, 우리의 마음은 무엇보다도 깨끗하여지며, 또 무엇보다도 높아지는 것이다. 〈탈무드〉

기도를 함으로써 어떤 개성적인 신께 호소하듯 느끼는 것은, 신이 개성적인 것이기 때문이 아니라, 우리 자신이 개성적인 존재이기 때문이다. 〈존·러스킨〉

기도 드리고 싶을 때에 기도 드려라. 일정한 시간에 기도 드리는 습관이 생기거든, 잘 자성(自省)하도록 해야 한다. 기도가 생명 없는 습관이 되는 것을 두려워 하라.

9일 인위(人爲)

전쟁은 불가항력적(不可抗力的)인 현상은 아니다. 그것은 어디까지나 인간이 만들어내는 현상이다.

자기가 하는 일이 자기 의사의 여하에 달린 것이 아니라, 불가항력적이라고 마음에 단정해 버린 사람은, 아무런 공포도 느낌이 없이 맹목적으로 나아간다. 이러한 인간은 병적인 것이므로, 잘 간호하여 치료해줄 필요가 있다.

이와 마찬가지로 전쟁을 불가항력적이라고 말하는 사람들도, 잘 간호하여 치료해 주어야 한다. 〈톨스토이〉

무장(武裝)을 갖춘 평화나 전쟁은 결국 파괴를 당하고 마는데, 그것은 사회의 윗층에 있는 사람들의 힘에 의해서 그렇게 되는 것이 아니다. 전쟁은 그런 사람들에게는 너무나 많은 이익을 주는 것이다. 〈에머슨〉

전쟁을 막아내는 것은 전쟁 때문에 많은 고통을 당하는 아랫층 사람들이다. 그들이 자기의 운명은 다만 자기 자신의 손에 달렸다는 점을 깨닫고, 그리하여 자기들의 자유를 위해서 무저항주의(無抵抗主義)를 발휘할 때에만 그것은 가능한 것이다. 〈톨스토이〉

어떤 사람이건 자기의 동포를 지배할 특권은 없다. 평등과 자유는 인류가 신에게 받은 신성한 권리이다. 권력은 그것이 어떠한 형태의 것일지라도 정당한 것이 못된다. 〈세네카〉

「그리스도」는 전도(傳道)를 끝마쳤을 때, 새로운 사회의 기초를 수립하였다. 그가 출생하기 전에, 사람들은 한사람 또는 여러 주인의 소속물(所屬物)이었다. 마치 가축(家畜)과도 같은 상태였다.

왕이나 권세 있는 자가 자기의 허영과 사욕을 위하여, 사람들에게 견딜 수 없는 무거운 짐을 지웠다. 「그리스도」는 그같은 난마(亂麻) 상태에 종말을 짓게 하였던 것이다.

10일 만물(萬物)

우리에게 인생의 가치를 부여해 주는 것은, 동질적일 뿐만 아니라, 모든 것에 대하여 오직 하나이다.

사람은 오직 이웃에 대한 봉사 속에서만 행복을 찾을 수 있다. 이 때문에 이 세상에 있어서의 생활의 기초와 합치될 수 있는 것이다.

〈톨스토이〉

타인과 나는 하나라는 것을 똑똑히 느끼며 인식한다. 그리고 이와 마찬가지 감정을(약간 미약하기는 하지만) 동물과 나와의 사이에서도 느끼는 것이다.

좀 더 미약하지만 그와 같은 감정을 벌레나 식물과의 사이에서도 나는 느낀다.

이 의식은 현미경적(顯微鏡的)인 혹은 망원경적인 존재물을 대하게 됨에 따라서 사라져 버린다. 그러나 그것은 그러한 존재물과 내가 하나임을 감독할 수 있는 기능이 나에게 없다는 것 뿐이다. 그러한 사실이 없다고 증명되는 것은 결코 아니다.

〈칸 트〉

인생의 길은 하나이다. 그리고 인류의 영원한 희망은, 우리들 전부가 조만간에는 이 길 위에서 하나가 된다는 그것이다.

우리들 모두가 하나가 되는 이 길은, 우리 인생의 기초에 너무나 뚜렷이 깔려 있다.

인생의 길은 넓다. 그러나 대개는 이 길에 눈이 미치지 못하고, 죽음의 길을 걸어가고 마는 것이다. 〈고골리〉

우리는 하나의 위대한 신체의 일부분이다. 자연은 우리를 혈연적(血緣的)인 관계 속에 창조하였다. 자연은 우리를 같은 재료를 써서 같은 목적을 위하여 창조해 놓은 것이다.

〈파스칼〉

생명을 가진 모든 것들과 그대와 결합되어 있음을 감득(感得)함을 방해하는 모든 악을 그대 자신 속에서 몰아내도록 하라.

11일 부부(夫婦)

인간의 가장 강렬한 정욕 속에 나타난 성적인 관계는, 가장 큰 죄악과 고뇌의 근원이다.

서로 사랑하던 부부가, 저희들의 목적은 서로의 완성임을 자각하고, 서로 기억과 양심과 모범을 보임으로써 돕는다면, 그들은 얼마나 위대한 행복을 얻을 수 있게 될 것인가!

〈톨스토이〉

남편과 아내가 동일체(同一體)를 이룬다 함은, 글자 그대로의 뜻은 아니다. 도덕적인 생활을 하는 남편과 아내가 그들의 첫걸음을 내디디는 상태를 가리켜 하는 말이다.

〈죤·러스킨〉

두 영혼이 영원히 결합됨을 서로가 느낄 때는 참으로 위대하다. 온갖 고통이나 험준한 길에 있어서, 서로 의지하며 서로 위로하며, 최후 이별의 말할 수 없는 순간에도, 서로 떨어지지 않기 위하여 결합되기를 원할 때는 참으로 위대하다.

〈죠오지·엘리어트〉

바리새파 사람이 그리스도를 보고 묻기를 「어떠한 원인이 있을 때에 남자는 여자와 이혼할 수 있읍니까?」

그리스도가 대답하기를 「최초에 남자와 여자를 창조하시었다는 그 분께서 역시 그들 부부를 만드셨다는 이야기를, 그대는 읽은 적이 있느냐?」

그리고 다시 말을 잇기를, 「아버지 되는 사람과 어머니 되는 사람은 결합(結合)하여 한 육체가 되는 것이다. 그러므로 그 아내와 이혼하고 딴 여자와 결혼하는 남자는 간음의 죄를 범하는 것이다.

〈성 서〉

성적 결합은 각 개인에게 있어서 중요함과 같이, 인류 전체에 있어서도 종족의 존속에 관계되는 중요한 일이다. 또한 그것은 매우 곤란하고 복잡한 것이기 때문에, 그 결합의 형식은 형형색색(形形色色)이며, 특히 깊은 고찰을 필요로 하는 것이다.

12일 업보(業報)

과거의 생활은 현재의 생활에 방향을 지시해 준다. 이것을 인도(印度)에서는 업보라 부르고 있다.

오늘 행할 수 있는 선행을 결코 내일로 미루어서는 아니된다. 사람이 그 임무를 완수하였느냐 어떠냐를 묻는 것은 죽음이 아니기 때문이다. 죽음은 존경도 증오도 모른다. 그것은 벗도 적도 갖지 않는다.

인간의 인생은 그의 실천적 결과이다. 실천은 그의 운명을 좋게도 나쁘게도 한다. 여기에 우리의 생활법칙이 있다. 우리가 하지 않으면 안될 것은, 그 일이 실천되느냐 안되느냐 하는 점에만 달려 있는 것이다. 〈아그니 · 브라나〉

영혼이 우리 몸을 떠나서 방황한 적이 있었다. 거기는 공허하고 쓸쓸한 곳이었다. 그때 무서운 여자가 나타났다. 얼굴이 썩어 문들어진 못난 여자였다. 「당신은 누구요?」하고 영혼은 물었다. 「더럽고 언짢은 악마보다도 추악한 당신은 대체 누구요?」 그 허깨비는 대답하였다. 「나는 당신 행위의 그림자요」
〈페르시아 속담〉

규범(規範)만을 찾을 것이 아니라, 선한 일을 실천하라.
〈탈무드〉

그대의 구세주(救世主)는 그대의 행위 그것이다. 선(善)은 그대의 행위 속에 있다. 선행(善行)이란 다음과 같은 것을 말한다.

즉 자애롭고 공손하여 친절한 것, 참된 말만 입에 담을 것, 정직한 마음을 가질 것, 항상 배울 것, 노여움을 참을 것, 자족(自足)함을 알 것, 남을 사랑하며 부끄러움을 알 것, 웃 어른을 공경할 것, 등등이다. 이러한 모든 요건(要件)은 참된 사람의 벗이며, 악한 사람의 적이 되는 것이다.

〈톨스토이〉

과거의 생활이 어떠한 방향을 향해 있었든, 현재의 생활이 그것을 변화시킬 수 있다.

13일 성자(聖者)

성자로서의 자격은 도덕상의 순수성에 있다. 그리고 그 결과는 정신적 평화이다.

무슨 일이 그대를 괴롭게 할 때는 다음과 같이 생각하라.

(1) 이보다도 괴로운 일이 다른 사람에게는 더욱 많이 일어나고 있다는 점,

(2) 지금과 같이 괴롭던 이전의 경우를 이제는 조용히 회상할 수 있다는 점,

(3) 가장 중요한 것은, 그대를 괴롭히는 이 일은 한낱 좋은 경험의 자료로서, 그대의 정신력을 알아보는 경우가 된다는 것. 〈존·러스킨〉

인간의 마음이란, 때로는 가장 완성된 상태에 있으며, 때로는 가장 타락한 상태에 놓이기도 한다. 완성된 상태에 있을 때에 조심하라. 그 상태를 유지하며, 그러므로써 악한 것을 몰아내도록 하라. 〈베이컨〉

성자임을 가장 잘 증명하는 것은, 끊임없이 바른 방향으로 정신을 돌리려는 노력으로써 알 수 있다. 〈몬테에뉴〉

항상 변화하는 환경은 우리의 평화를 빼앗는 것이 아니다. 우리의 평화를 빼앗는 것은 언제나 만족되지 못한 욕망 그것이다.

하고 싶은 일을 하는 사람은, 얼마 후면 다시는 그 일을 하려고 하지 않는다. 욕망이란 그같이 변덕스러운 것이다.

〈톨스토이〉

성자는 싸움도 교제도 싫어하지 않는다. 그는 관대하여 교제도 곧잘 한다. 성자는 항상 겸손하다. 성자에게서 덕성을 제거한다면, 남는 것은 교활과 배반 뿐일 것이다. 독수리처럼 현명하라. 비둘기처럼 깨끗하라. 〈세네카〉

예지(叡智)는 무한한 것이다. 그것은 가까이 갈수록 필요성을 느끼게 된다. 인간은 어디까지나 향상할 수 있다.

14일 채식(菜食)

이미 먼 옛날부터 주장되어온 채식주의(菜食主義)는, 오랜동안 등한시되었었다. 그러나 오늘날에 와서 이 주의는 차츰 많은 사람들의 주의를 끌고 있다.

오늘날에 있어서는, 기아(棄兒)라든지, 결투라든지, 죄수를 학대한다든지, 그밖의 모든 야만 행위는, 멸시를 받아야 할 수치스러운 일로 여겨지게 되었다. 그러한 일이 예전에는 아무에게서도 비난을 받거나, 정의에 상반되는 일로는 생각되지 않았었다.

이와 마찬가지로 동물을 살생하여 그 시체를 식탁에 올리는 일도, 부도덕하고 용서 받을 수 없는 일로 생각되는 시대가 멀지 않아 오고야 말 것이다. 〈투이메르만〉

멀지 않아, 사람들은 지금 그들이 느끼고 있는 인육(人肉)에 대한 것과 같은 혐오증을, 수육(獸肉)에 대해서도 느끼게 될 것이다. 〈라마르티느〉

아이들이 새나 고양이를 희롱하며 놀고 있는 것을 보면, 그런 장난을 해서는 아니 된다, 동물을 애호해야 한다고 그대들은 타이를 것이다.

그럼에도 불구하고 그대들 자신은, 사냥을 가서 비둘기를 잡기도 하고, 경마를 즐기곤 한다. 그리고 동물의 생명을 빼앗아 올려놓은 식탁 앞에 앉는 것이다.

이같은 어리석은 명백한 모순을 현대인들은 태연히 범하고 있는 것이다. 〈톨스토이〉

현대에 있어서는 만족이나 취미를 위하여 동물을 살해함이 죄악임은 이미 명백한 사실이 되었다. 육식은 죄악과 절연 같은 것이라고는 할 수 없을지도 모른다. 그러나 의식적으로 행해지는 모든 악한 행위와 같이, 그 배후에 그보다 더 큰 죄악을 내포하고 있는 행위임에는 틀림이 없다.

15일 진정(眞情)

참되고 신뢰할 수 있는 것은 적에 대한 사랑 그것이다. 자기에게 불쾌한 자를 사랑할 때에만, 참된 사랑을 맛볼 수 있는 것이다.

그대들의 이웃을 사랑하고 적을 미워하라, 이러한 말을 흔히 들어왔을 것이다. 그러나 나는 말하느니 「적을 사랑하라. 그대를 저주하는 자를 축복하라. 그대를 증오하는 자에게 감사를 드려라. 그대를 배척하고 비방하는 자를 위하여 기도를 드려라」

이렇게 함으로써 그대는 하나님이신 아버지의 아들이 될 것이다. 하나님이신 아버지는, 그 태양에게 선한 자와 악한 자 위에 똑같이 광명을 비추도록 분부하시었다. 또한 비(雨)로 하여금 옳은 것과 옳지 못한 것 위에 똑같이 내리도록 분부하시었다. 〈성 서〉

자기를 동정하는 사람을 사랑함은 참으로 용이한 일이다. 그러나 자기를 배반하고 중상하는 자를 비난하지 않고 사랑함은 참으로 어려운 일이다. 〈톨스토이〉

나를 사랑해 주는 자, 나의 마음에 드는 자를 사랑함은, 인간의 보편적인 감정이다. 그러나 적을 사랑함은, 오직 신적인 사랑에서만 가능한 일이다.

인간은 일반적인 사랑으로서는 사랑이 미움으로 바뀌는 수가 가끔 있지만, 신적인 사랑은 불변한 것이다. 죽음도 그것을 파괴할 수가 없다. 신적인 사랑이야 말로 인간의 본성이며, 인간에게 다른 모든 동물보다도 고귀한 영성(靈性)을 부여하는 것이다. 〈세네카〉

불쾌한 사람이나 적의를 갖는 사람을 사귀는 것은 다음과 같은 점을 반성하는 좋은 계기가 되는 것이다. 즉 「나는 이런 때에, 오직 이런 때에만 나타나는 성스러운 사랑의 감정을 갖고 있는가, 어떤가?」

16일 과학(科學)

과학의 중대한 악폐(惡弊)는 다음과 같다. 그것이 모든 것을 알 수도 없을 뿐만 아니라, 종교의 도움 없이는 무엇을 배워야 할지 그것조차 알지 못하는 것이다.

그럼에도 불구하고, 다만 과학에 종사하는 사람들이 그들에게만 필요한 것, 유쾌한 것만을 연구하고 있다는 그 점이다. 그들은 대개 옳지 못한 생활을 하고 있다. 그들에게 있어서 무엇보다도 필요한 것은, 다만 자기들에게 이익이 되는 지상적인 질서 그것 뿐이다.

인간의 참다운 지혜는, 결코 지식의 양에 의한 것이 아니다. 이 세계에 있는 것은 무한하며, 아무리 노력 하더라도 우리는 그것을 전부 알 수는 없다.

인간에게 필요한 지식 중에서 가장 중요한 것은, 어떻게 살 것이냐 하는 것, 어떻게 하면 악을 보다 덜 행하며 선을 보다 더 행할 수 있느냐 하는 그 점이다.

유감스럽게도 현대의 과학은, 이 점을 다른 측면 보다 가벼운 것으로 취급하며, 혹은 전혀 인정하려 하지 않는다는 것이다. 〈톨스토이〉

가장 대담한 행동이란 무엇일까? 자기 자신도 이해하지 못하면서, 신에 대하여 아는척 하는 그것이다. 〈칼 빈〉

위대한 학자는 어떤 이론을 들으면, 그것을 실증해 보고자 한다. 평범한 학자가 그 이론을 들으면, 때로는 그것을 고찰하고 또는 묵과해 버린다. 어리석은 학자는, 대번에 그 이론을 조롱하고 만다. 〈노 자〉

모든 지식이 다 참된 것이라면, 그것은 모두 유익할 것이다. 그러나 지식은 사람들의 그릇된 판단을 받는 일이 흔히 있다. 그러므로 그대가 얻고자 하는 지식의 선택은 엄격하면 엄격할수록 좋은 것이다.

17일 희구(希求)

현대의 조잡한 조직 속에서 구원을 얻으려면, 오직 사람들 사이에 종교적 정신을 보급시키는 길 밖에 없다.

무엇보다도 먼저 신의 나라와 진리를 찾으라. 그때에 비로소 모든 것을 얻을 수 있을 것이다.

참되고 건전한 사회를 조직하는 제일단계는 모든 사람에게 진실하고 평등하며 치우침이 없는 물질적 권리를 보증하는데 있다.

이로써 모든 필요한 일이 끝나는 것은 아니다, 그다음 단계의 일들을 아주 용이하게 할 수 있음을 의미하는 것이다. 그리고 이 단계를 마치지 못하는 한 다른 모든 면은 성과를 거둘 수 없을 것이다. 〈헨리·죠지〉

종교적 정신에 뿌리 박지 않고서는 그 어떤 확고한 지식의 승리도, 진실된 사회적 발전도 있으리라고 믿어지지 않는다. 또한 그 어떤 학문이든 높은 종교적 정신에 대하여, 또한 인간의 발생 및 운명에 관한 영원한 문제를 해결하는데 대하여, 무관심하다고 하면, 새로운 사회의 건설을 실천하기에는 무력할 것이라고 나는 확신하는 바 이다.

혹은 그것이 아름다운 형식을 꾸며낼 수 있을지는 모른다. 그러나 그 형식만 가지고서는「푸로메티우스」가 하늘에서 얻어온 저 불꽃은 영원히 얻을 수 없을 것이다. 〈마드지니〉

공통된 신앙과 공통된 목적이 없다면 사회는 존재하지 못한다. 시정방침(施政方針)은 종교 속에 그 원칙이 세워지지 않으면 안된다. 〈마드지니〉

그대가 현대사회의 모순된 조직 속에서 고민하고 있다면, 그리고 그 조직을 개량하고자 하다면, 그 방법은 단 하나 밖에 없음을 알라.

그것은 사람들 속에 종교적 정신을 앙양하는 것이다. 그러기에는 그대 자신 속에 먼저 종교적 정신을 싹트게 하여야 한다.

18일 판단(判斷)

타인을 판단함은 언제나 옳지 못한 일이다. 그것은 누구를 막론하고 결코 타인의 마음 속에 일어난 일 또는 일어날 일을 알 수 없기 때문이다.

자기의 결점을 반성하는 사람에게는 타인의 결점을 캐어낼 틈이 없다.
〈공 자〉

인간의 마음이란 자진해서 그렇게 되는 것이 아니라, 무엇에든 강요당함으로써 진리와 절제와 정의와 선에서 멀어지게 되는 것이다. 이 점을 분명히 알게 될수록, 우리는 타인에 대해서 더욱 친절하게 될 것이다.
〈오레리아스〉

가장 범하기 쉬운 과오는, 남을 착한 사람, 악한 사람 또는 어리석은 사람, 똑똑한 사람 등등으로 구별하는 그것이다.
인간이란 강물과 같이 흐르고 있는 존재이다. 끊임없이 변화하면서 제각각의 길을 걸어간다.
인간의 내부에서는 모든 가능성이 내포되어 있다. 바보라도 똑똑하게 될 수 있으며, 악인도 선인이 될 가능성이 있다. 그 반대도 마찬가지다. 이 점에 인간의 위대성이 있는 것이다. 우리는 어떻게 타인에게 결정적인 판단을 내릴 수 있겠는가? 그는 이러 저러한 사람이라고 판단을 내렸을 때, 이미 변해져 있을 것이다.

그 사람의 경우에 서보지 않는 한, 그의 일에 대해서 이러니 저러니 말하지 말라. 남은 되도록 용서하고 자기는 되도록 용서치 말라.
〈탈무드〉

나는 나의 본성이 선이지 악은 결코 아니라는 것을 알고 있다. 다른 사람들도 모두 나와 같을 것이다.
그러므로 타인이 무엇을 생각하고 있는지는 모르지만, 그들도 항상 악이 아니라 선을 생각하고 있는 것으로 봐도 틀림이 없다고 믿는다.

19일 축재(蓄財)

무릇 재물이란, 가난한 사람들의 결핍이 있음으로써 얻을 수 있는 것이다.

돈을 가졌으니까 자선을 해보겠다는 말을 하는데, 이는 어떤 소수의 사람들이 부정한 입장에서 자기들의 지배권을 유지해 보려는 생각에 의한 결과이다.

그 지배권의 유지는 커다란 불공평을 조성하게 된다. 그래서 더욱 자선을 하지 않으면 안되게 되는 것이다. 그러한 상태에서 부유한 자가 가난한 사람들에게 보여 주는 자선이, 과연 진정한 구원이 될 수 있을 것인가? 부유한 자들은 그런 일을 하고서, 다만 자랑거리로 알고 있을 따름이다. 〈칸 트〉

타인의 빈곤을 기회로 약탈하지 말라고 솔로몬은 말하였다. 이 말은 오늘날의 명백한 사회적 약탈을 의미하는 것이다.

즉 타인의 빈곤을 기화로 그 노동 수단을 빼앗고, 싼 임금을 지불하고는 시치미를 떼는 사실이 횡행하고 있음을 볼 수 있다.

이와 정반대인 약탈형식——즉 어떤 사람이 부유한 까닭에, 그로부터 빼앗는 것은 정당하다고 생각되는 일이 있는데, 이러한 생각은 확실히 모순되며 위험한 것이므로, 양식을 갖춘 사람들은 결코 찬성하지 않는다. 〈존 · 러스킨〉

「부(富)는 노동의 집적(集積)」이란 말은 진실이다. 그러나 어떤 사람은 노동에만 종사하고, 어떤 사람은 그 집적만을 소유하게 됨이 보통이다. 현명한 사람은 이를 부당한 분배라고 보고 있다. 〈톨스토이〉

죄악이 따르지 않는 부는, 오직 부자유가 없는 사람들만이 사는 세계에서만 가능할 것이다. 우리의 이 세계와 같이, 한 사람의 부자가 있기 위해서 몇 백명의 거지가 생기지 않으면 안되는 곳에서는, 그러한 부란 있을 수 없다.

20일 응보(應報)

완전한 선은 그 행위 속에 보답이 내포되어 있다, 보답을 의식하면서 행하는 선은, 선 자체의 즐거움을 완전히 말살해 버리고 만다.

도덕적인 것이라면 무엇이든 실천하라. 죄악적인 것이라면 무엇이든 거부하라.

하나의 덕행은 더욱 많은 덕행을 따르게 한다. 하나의 죄악은 더욱 많은 죄악을 따르게 한다.

덕행의 보수는 덕행——죄악의 보수는 죄악이다.

〈벤차사이〉

자기에게 감사하도록 함으로써 이익을 얻으려는 마음으로 타인과 교제한다면, 그대는 그대의 거짓된 선행에 대하여, 아무런 댓가도 얻지 못할 것이다. 그러나 아무런 이득의 욕망없이 사귄다면, 그대는 감사의 이익을 얻을 것이다.

「스스로의 마음을 인색하게 쓰는 자는 그것을 잃으리라. 그러나 신(神)을 위하여 그것을 잃는 자는 도리어 그것을 얻으리라」

이 말은 모든 사람에게 대하여 진실하다. 〈죤·러스킨〉

어떤 회회교(回回敎)의 승(僧)이 기도를 드렸다. 「신이여, 악한 자에게 은혜를 드리워 주소서. 선량한 자에게는 이미 은혜를 베푸시었나니, 선을 행한 자는 이미 선한 자가 되었나이다」 〈사아디〉

남에게 선을 베푸는 자는 자기 자신에게 대해서 선을 베푸는 자이다. 이는 남에게 베푼 선의 보수를 의미함이 아니다.

착한 일을 한 그 행위 속에, 그 의미는 포함되어 있다. 왜냐하면, 착한 일을 하였다는 의식은, 인간애게 있어서는 최고의 의미를 가지는 것이기 때문이다. 〈세네카〉

선을 행하는 그 자체가 즐거움이다. 아무도 그대가 착한 일을 하였음을 모르고 있다는 사실을 알 때, 그 즐거움은 더욱 커질 것이다.」

21일 자찬(自讚)

인간은 자기의 육체를 자기 힘으로 쳐들어 올릴 수 없듯이, 스스로 자기를 칭찬할 수도 없다. 자기 자신을 칭찬하도록 수단을 쓰면 쓸수록, 모든 사람들 앞에 자기의 흠점을 폭로하고 말게 된다.

사상과 그 표현(말)은 참되어야 한다. 자기의 행동을 정당화하기 위하여, 사상이나 말을 거짓 꾸며서는 안된다.

〈톨스토이〉

나는 공손하다고 자기 스스로를 말하는 자는, 결코 공손한 자가 아니다. 나는 아무것도 모른다고 하는 자는, 모든 것을 잘 알고 있는 자이다.

나는 무엇이나 다 알고 있다고 말하는 자는 거짓말쟁이다. 그저 아무말도 하지 않는 자가, 제일 현명하고 훌륭한 인격의 소유자이다. 〈웨터너〉

자기 자신에 대해서는 좋게도 나쁘게도 말하지 말라. 가령 좋게 말한다 해도 남들이 믿어주지를 않을 것이다.

또 나쁘게 말하면, 남들은 그대가 말한 이상으로 나쁘게 생각할 것이다. 제일 좋은 방법은 자기에 대해서는 아무말도 아니하는 그것이다. 〈죤·러스킨〉

아직 젊었을 때, 나는 성전(聖典)을 무릎 위에 펴고 밤새 자지 않았다. 나는 아버지께 묻기를「저렇게 많은 사람들이 누구 하나 일어나서 기도 드리려 하지 않는군요?」

그랬더니 아버지가 말씀하시기를「그런 말을 하려면, 너는 이제 자는게 좋겠다. 남들이 어떻게 하든 그런 말은 하는게 아니야. 자만심을 가지면 자기 밖에 눈에 안보이는 거야. 신을 볼줄 아는 사람이라면, 아무도 자기 이상의 결점을 가진 것으로 보이지 않을 거다.」 〈사이디〉

좋은 결과를 원한다면, 자기 자신을 칭찬함을 삼가하라. 그리고 타인에게도 자기를 칭찬하게 하여서는 아니된다.

22일 정의(正義)

만약 정의에 입각하여 우리의 생활속의 악을 적발하고자 한다면, 실제생활을 숨김 없이 인정하라.

우리의 생활은 변동되는 것이다. 그러나 정의는 언제나 고정된 자세로서 우리의 생활을 적발하여 마지 않는 것이다.

막대한 생산 능력이 헛되이 소비되는 것은, 자연 법칙에 의한 것이 아니라, 사회의 무질서로 인한 결과이다. 이 무질서 때문에 근로하는 사람들이, 근로하기 위하여 참된 즐거움을 얻으려 하는 것, 그것이 용서되지 않기 때문이다.

〈벨리 · 죠오지〉

이웃사람에게 대하여 정의로움을 보이라. 그들을 사랑하건 아니하건 정의로움을 표시할 수는 있다. 그러면 그대는 그들을 사랑하는 실지 방법을 알게 될 것이다.

그러나 만일 그대가 그들에게 대하여, 사랑하지 않는다는 이유로써 부정의한 짓을 한다면, 언제까지 라도 사랑을 행할 수는 없을 것이며, 끝끝내 원수가 되고 말 것이다.

〈죤 · 러스킨〉

정의가 도덕적 생활을 영위하기 위한 최고의 조건이라고는 생각지 않는다. 그러나 그것은 최초의 조건임에 틀림 없다. 정의 이상의 것이라도 그것은, 반드시 정의 위에 입각하는 것이며, 자기 내부에 정의를 지니고, 다만 정의를 통해서만 얻어질 수 있는 성질의 것이다.

유태(猶太)의 종교적 발전 경과에 있어서 「너희의 신은 정의다」라고 한 교훈이, 인간의 신에 대한 감동적인 계시가 있기 훨씬 이전에 존재하였음은 당연한 일이라 하겠다.

〈톨스토이〉

정의의 영원성을 인식 못하는 동안은, 사랑의 영원성도 나타나지 못할 것이다. 참된 관용을 얻기 이전에, 정의를 지키지 않으면 아니된다. 마찬가지로 인간사회는 자비심에까지 향상되기 이전에, 정의의 기반을 수립하지 않으면 아니된다.

23일 고뇌(苦惱)

고뇌는——생리적으로나 정신적으로나, 인간의 성장을 위하여 없어서는 안될 요건이다.

만약에 고뇌가 없다면, 인간은 자기자신의 경계선(境界線)을 알지 못할 것이다. 우리는 고뇌의 의의를 깊이 깨달을 필요가 있다.

우리는 모든 방면에 있어서 고뇌에 둘러싸여 있다. 그것은 우리의 행복을 의미하는 것이다. 도덕상에 있어서 도달할 수 있는 표준 이하로 떨어지려고 한다면——그것은 고뇌이다. 또 그 표준 이상으로 올라가려는 것도 고뇌이다. 또한 한 장소에 움직이지 않고 머물러 있으려는 것도 고뇌이다.

양심의 가책 때문에 더 이상 견디기 어렵게 되는 것이다. 그때에 비로소 인간은 전진을 하며 도덕적으로 완성되어갈 수 있다. 〈표들·스트라호프〉

성장하였다는 표적은 다름 아닌 고뇌 이다. 고뇌 없는 생활은, 다른 형태로 발전해갈 수 없다. 고뇌 그것이 성장을 초래하는 것이기 때문이다.

원인은 결과이다. 또한 결과는 원인이다. 정신적인 생활에 있어서는 항상 그러하다. 정신적인 생활에 있어서는 시간도 공간도 없다. 〈톨스토이〉

마음이 괴로울 때는, 신 이외에 아무에게도 그것을 말하거나 하소연해서는 아니된다.

침묵을 지키고 꾹 참아내어야 한다. 그렇지 않으면 고뇌는 다른 사람에게로 옮겨가서 그를 괴롭힐 것이다.

고뇌 그 속에만 조금씩이라도 완성으로 향하여 가까워져 가는 기회와 도인(導因)이 내포되어 있는 것이다. 〈세네카〉

고뇌 속에서 정신적인 성장에 대한 의의를 찾으라. 그러면 그대의 고뇌는 사라지고, 환희와 광명이 새벽하늘처럼 밝아올 것이다.

24일 계시(啓示)

신은 심령(心靈)의 근원이다. 그러므로 언어로써 표현할 수가 없다.

잠시라도 신의 존재를 의심치 않는 신자는 거의 없을 것이다. 이러한 의혹은 결코 해로운 것이 아니다. 그것은 도리어 높은 신의 이해로 들어가는 첫단계라고도 할 수 있다.

신을 믿음이 습관이 되면, 나중에는 신을 믿지 않게 될 것이다. 신이 새로운 방향에서 계시 되었을 때, 그리고 진정으로 신을 갖고 있을 때에만 그대는 완전한 신앙심을 갖을 수 있을 것이다.

신이 계시되는 방향은, 그 양(量)에 있어서 무한하다.

〈톨스토이〉

그리스도는 말하기를,

「나를 믿으라. 이 산상(山上)도 예루살렘도 아닌 곳에서, 그대가 예배할 때는 오리라. 그때에 진정한 신앙심을 가진 사람들은, 진실한 마음 속에서 신을 예배하게 되리라. 신은 그 같은 예배자를 찾고 있기 때문이다. 신은 우리의 마음이요, 신을 폐배하는 자는, 진실한 마음에서 예배하지 않으면 아니 되리라」

〈성 서〉

모세는 기도하였다. 「신이여, 어디로 가면 당신을 뵈올 수 있겠나이까?」 신은 대답하였다. 「그대가 나를 찾을 때, 이미 그대는 나를 만나고 있는 것이다」

어떤 사람이 유목민에게 묻기를 「어찌하여 당신은 신의 존재를 알 수 있는가?」 유목민이 대답하기를, 「먼동이 트기를 볼 때에 어찌 횃불이 필요할까?」

〈아라비아성전〉

유태(猶太)에서는 신의 이름을 입에 담는 것을 죄악으로 생각한다. 이러한 사상의 근원은 깊고 진실한 것이다.

정신적인 것에 이름이 없음과 같이, 신에게는 이름이 있을 수가 없다. 이름이란 육체적인 것이어서, 정신적인 것은 못된다.

신은 정신이다. 어떤 이름으로 정의(定義)될 수 없는 것이다.

25일 상조(相助)

사람은 서로 돕는다. 타인의 도움 없이 우리는 살아갈 수가 없다. 그러나 그 도움은 상호적인 것이라야 한다. 우리의 생활은 서로 관련성을 가지고 있다.

어떤 사람들은 타인을 도와주나, 어떤 사람들은 타인의 도움을 받기만 한다. 이러한 사람들이 사회를 파괴하는 것이다.

저들이 우리를 위하여 진력해 준다면, 우리는 왜 그들과 함께 한 자리에서 식사를 하지 않는가? 모든 일을 다 그들과 같이 하지 않는가? 어찌하여 함께 휴식하고, 함께 배우고 하지 않는가? 〈톨스토이〉

그것이 무엇이든 간에 얻어가지고 이용하려면, 다음과 같은 점에 유의하여야 할 것이다. 즉 그것은 인간의 근로의 결과이며 그것을 낭비하고 소모하고 파괴함은, 인간의 근로를 무시하는 행위라는 점이다.

가령 어떤 중개인이 그대와 그 물품의 소득 사이에 서 있다면, 그 물품은 당신의 동포——인간의 힘에 의하여 만들어진 것임을 상기하라.

그 인간의 근로를 그대는 존경하지 않으면 아니된다. 그 존경을 표현하자면, 오직 동포의 근로의 소산을 진심으로 조심하여 다루도록 하여야 할 것이다. 〈존·러스킨〉

인간은 자기보다 이전 시대의 사람이나, 자기와 같은 시대 사람들의 근로의 결과를 힘입는 일 없이는, 살아갈 수가 없다. 그러므로 우리는 얻은 것의 보답을 하는 동시에, 타인을 위하여 근로하지 않으면 아니된다. 〈존·러스킨〉

인간은 상호부조(相互扶助)를 하여야 한다. 그리고 그 부조는 의식적인 것이라야 한다.

동포의 조력을 받은 사람은 물질만 가지고 할 것이 아니라, 존경과 감사와 동포의 생활에 대한 친화(親和)로써 그 댓가를 지불하지 않으면 아니된다.

26일 변화(變化)

우리의 생활에 있어서 가장 중요한 변화를 보이는 것은, 신앙이다. 그리고 그 변화는 현대에 있어서 가장 뚜렷한 것인듯하다.

「그리스도」는 그의 제자와 후예(後裔)들에게 경고하기를 사이비(似而非)「그리스도」나 예언자를 경계할 것과, 또 그들이 무슨 기적을 행하여 보일지라도 속아서는 아니된다고 하였다.

〈라메에〉

옛날에 사람들이 불행하였을 때, 예언자는 말하기를, 너희는 신(神)을 잊고 있다. 신의 길에서 벗어나고 있다. 그렇지 않다면 그토록 불행할 까닭이 있겠는가? 너희는 영원한 법칙을 순종하지 않고 있는 것이다.

거짓 법칙을 쫓으며, 의식적으로 진실을 회피하고 있다. 그리하여 이제는 자연의 위대한 관용도 사라지려 하고 있음을 너희는 알지 못하는 것이다, 라고 하였다. 〈카알라일〉

내가 오래 살면 살수록 여러 가지 사건이 내 앞에 벌어진다. 우리는 중대한 시대에 살고 있는 것이다. 사람들 앞에 이렇게 많은 사건이 있었던 때도 없었다. 우리의 시대는 그 가장 좋은 의미에 있어서의 혁명의 시대이다. 물질적이 아니라 도덕적인 것의 혁명의 시대이다.

사회의 건설과 인간의 완성에 대하여 높은 사상이 차츰 양성되고 있다. 우리는 그것을 거두어 들일 때까지 살아 있을 수는 없을 것이다. 그러나 그 신앙과 더불어 수확이 있음은 큰 행복이라 할 것이다. 〈챤 닝〉

종교는 불변의 것이라는 기만을 믿지 않아도 좋을 때가 왔다. 종교의 불변을 믿음은, 자기가 타고 있는 배의 부동(不動)을 믿는 것이나 다를바 없다.

끊임 없는 인류의 진화는, 종교의 진화에 의거하고 있는 것이다.

27일 외구(畏懼)

만약 인간이 인간을 두려워 한다면, 그는 신을 믿고 있지 않는 것이다.

사람을 두려워 하는 자는 신을 두려워 하지 않는 자이다.
신을 두려워 하는 자는, 사람은 두려워 하지 않는 자이다.

〈챠 닝〉

그대가 하고자 하는 선행을 충분히 실천할 수 없다 하더라도, 낙담하거나 절망하거나 해서는 아니된다. 가치 있다고 생각한 높은 곳에서 추락한다면, 다시 그 곳으로 올라가도록 노력하라.

인생의 시련은 겸양으로써 참아라. 그리고 항상 자성을 게을리 하지 말고, 자기 자신의 근원으로 돌아가도록 하라.

〈오레리아스〉

그 생활이 계속적인 성과를 얻는 사람을 존경하라. 그같은 사람은 무한하고 영원한 것을 향하여 나아가며, 칭찬 속에서가 아니라 곤란 속에서, 자기 자신에게 대한 지지를 발견하는 것이다,

그는 특별히 빛나지지 않으며, 또 자기를 빛내려고도 하지 않는다. 그는 또한 미리 알면서도, 비난이 집중되기 쉬운 도덕을 지켜나가며, 그것을 파괴하고자 그에게서 멀어진 모든 적들이 자기와 함께 협동할 수 있을만한 진리를 가려잡는 것이다.

높은 덕성(德性)은 현세적(現世的) 법칙에 상반되기 일쑤다.

〈에머슨〉

세상 사람들이 다 비방하는 사람들 속에서, 선한 사람을 찾아내라.

〈챠 닝〉

아무것도 두려워 하지 않는 사람은, 누구나 다 두려워 하는 그 사람보다 더욱 굳세다.

〈쉘 리〉

그대가 신의 힘 속에 자기 자신을 의식하고 있다면, 사람들은 그대에게 아무 악한 것도 하지 못하리라.

28일 협화(協和)

높은 지혜는 협화와 일치 속에서 이루어진다.

남의 말을 들을 때에는 깊은 주의를 기울여야 한다. 말은 적게 할수록 좋다. 그대에게 묻지 않은 말에 대해서는, 절대로 대답하지 않도록 하라. 만약에 묻는 사람이 있거든, 되도록 간단하게 대답하라. 알지 못함을 부끄러이 생각할 필요는 없다.

다투기 위해서 다투지 말라. 자만을 피하라. 정도 이상의 높은 지위를 탐내지 말라. 설령 그러한 위치가 그대에게 굴러 들어 오더라도.

지나치게 공손한 태도를 짓지 말라. 그것은 남도 그대에게 공손하기를 강요하는 것이 되기 때문이다. 그렇게 되면 서로가 불쾌감만 느끼게 되는 것이다. 〈스우피〉

모든 사람은 타인 속에 자기의 거울을 가지고 있다. 그 거울에 의하여 자기 자신의 죄악이며, 결점을 똑똑히 비추어 볼 수가 있다.

그러나 우리는 대개가 이 거울에 대하여 개와 같은 행동을 하고 있다. 거울에 비치는 것이 자기가 아니라, 다른 개라고 생각하고 짖어대는 것이다. 〈쇼펜하우어〉

그대가 성자를 대할 때에는 자신을 돌이켜보고, 나도 성자와 같은 덕을 쌓고 있는가 생각해보라. 악인을 대할 때에는 자신을 돌이켜, 나는 그 악인과 같이 죄를 짓지 않았는가 어떤가를 생각해 보라. 〈중국성원〉

「자기 자신을 알라」 이것이 모든 행동의 기초가 된다. 그러나 자기를 바라본다고 자기를 알 수 있는 것이 아니다. 다른 사람의 눈으로 볼 때, 비로소 그대 자신을 똑똑히 알 수 있는 것이다. 〈존 • 러스킨〉

우리가 공동생활을 할 때, 사람과 사람의 결합에서 얻음이 많다는 사실을 잊어서는 아니된다.

29일 절제(節制)

인간은 모든 정욕을 극복해 나갈 수 있음을 알고 있다. 때로 정욕이 압도함을 느낄지라도, 그것은 극복할 수 없음을 증명하는 것은 아니다. 다만 그순간에만 극복하지 못했음을 증명하는 것이 될 뿐이다.

마부는 말이 말을 듣지 않는다고 해서 고삐를 곧 집어 던지지는 않는다. 더욱 세게 고삐를 잡아 당긴다.

절제도 이와 같다. 정신적인 고삐를 집어 던지지 않도록 해야 한다.

어떤 사람이 전쟁에서 몇 천번 승리를 얻고, 다른 사람이 자기의 정욕 극복에서 승리를 얻었다면, 후자가 더 큰 승리를 거둔 것이라 하겠다.

타인에게 대한 승리보다도 자기 자신에게 대한 승리가 더욱 위대하다. 어떤 사람이건 신이건, 자기 자신을 지배하는 사람의 승리를 막아버릴 수는 없다. 〈자마파다〉

폭식(暴食)하는 사람은 태만을 극복하지 못한다. 그는 성적 욕정을 억제하지 못한다.

그러므로 어떠한 가르침을 받더라도, 절제에의 노력은, 폭식의 욕망과 투쟁하는데서부터 시작된다. 그것은 또한 단식에서부터 시작된다. 〈톨스토이〉

이성으로서 감정을 지배하는 것——이것이 절제(節制)의 의의이다.

절제에 대하여 어떤 목사는 말하기를, 그것은 덕성이 아니라, 덕성의 위대한 소행이라 하였다. 〈존 슨〉

무엇에나 다 결핍되어 있다는 사실은, 인간의 마음을 평화롭게 한다. 모든 죄악은 만족된 상태에서 싹트는 것이다. 〈아미엘〉

절제는 용이한 것이 아니다. 그러나 인간의 생활 과정은 정욕을 강화하기보다도 약화하여가는 경향에 있다. 시간이 절제를 위한 노력에 대하여 조력할 것이다.

30일 덕성(德性)

선(善)은 덕성(德性)이며 즐거움이며 또한 투쟁의 무기(武器)이다.

만약 그 누구의 과오를 발견한다면, 친절하게 주의해 줄 것이며, 어떤 점이 잘못 되었는가를 일러 주어야 한다. 그렇지 않으면, 다만 자기 자신을 책하라. 다른 아무도 책해서는 안 된다. 그리고 더욱 친절하도록 힘써라. 〈오레리아스〉

죄 많은 인간, 거짓을 행하는 인간, 그리고 특히 그대를 증상하는 인간에게, 선한 일을 베풀기란 어려운 법이다. 그러나 그런 인간에게 선을 행함은, 그와 그대를 위하여 필요한 일이다. 〈톨스토이〉

만일 진정으로 생활에 대한 자기의 견해를 바르다고 믿으며, 타인에게 선한 일을 베풀고자 한다면——반드시 언젠가는, 그 인생관이 바른 것임을 이해할 수 있도록, 상대방을 설복할 수 있게 될 것이다. 그때에 상대방이 그릇된 견해를 가지면 가질수록, 그대가 설복하려는 견해에 대하여 그가 이해를 가짐은 더욱 중요해지며, 더욱 바람직하게 될 것이다.

그러나 우리는 흔히 그와 정반대의 행동을 하게 된다. 자기의 말에 전적으로 동감하고, 또는 반쯤 동의를 표시하는 사람들과는 뜻이 잘 통한다. 그러나 상대방이 우리가 인정하는 사실을 이해하려 하지 않고, 또는 믿으려 하지 않을 때에는 우리는 한번쯤은 그 진실을 역설하고, 그것을 믿게 하려는 노력도 하여본다. 〈에페크테타스〉

모든 방종은 자살의 근원이다. 그것은 눈에 안보이는 집밑의 흐림이다. 조만간 그 집 토대를 무너뜨리고 만다. 〈브레키〉

남과 사이가 벌어졌을 때, 그대에게 대한 불만스러운 태도를 보았을 때, 남이 그대를 배반하였을 때, 그가 나쁜 것이 아니라 그대의 선이 부족하였다고 생각하라.

31일 후회(後悔)

후회란, 자기의 죄악, 약점의 모든 단계를 인정함을 의미한다. 후회란 자기 속에 뿌리 박은 모든 악을 거부하는 것이며, 마음을 정화(淨化)하고 선(善)으로 돌리고자 노력함을 의미한다.

자기 양심에 대하여 죄를 느끼면 느낄수록, 우리는 더욱 남의 죄를 찾아내려는 마음이 생긴다. 특히 자기가 죄스럽게 생각하는 상대방의 죄악에 대해서 그렇다.

후회한 일을 앞으로 삼가려는 결심을 가질 때에만, 그 후회는 진실한 것이다. 〈톨스토이〉

진실된 사람이란 자기의 죄악을 인정하고, 자기의 선행을 잊어버리는 사람을 말한다. 죄인은 그 반대이다.

자기를 용서하지 말라. 그때에 그대는 남을 용서할 수 있을 것이다. 신앙이 두터운 사람은 말한다. 「우리의 노년에 수치를 남기지 않을 청춘이여, 너에게 은혜가 있으라!」

회개한 사람들은 말한다. 「우리 청춘의 죄를 씻어주는 노년이여, 너에게 복이 있으라!」 신앙이 두터운 사람들과 회개한 사람들은 함께 말한다. 「죄 없는 자에게 행복을 드리워 주소서!」 〈탈무드〉

자기 잘못을 의식하는 것만큼 마음이 가벼워지는 일은 없다. 또한 자기의 견지(見地)를 인정하려고 하는 것만큼 마음이 무거워지는 일은 없다. 〈괴 테〉

아직 힘이 약해지기 전부터 죄를 뉘우치는 자에게 행복이 있으라. 힘이 그대에게서 떠나기 전에 뉘우치라. 빛이 아직 사라지기 전에 기름을 치라. 〈탈무드〉

이 무한세계에 있어서 자기는 한정된 존재라는 의식, 그리고 자기가 할 수 있으며 또 하여야 할 일을 다하지 못했다는 죄의 의식, 이 죄악의 의식은 인간이 인간인 동안은 언제까지나 계속해 있는 것이다.

4월의 장

《브락크 그림》

1일 영역(領域)

지식의 영역은 한정 없이 넓은 것이다. 그러므로 참다운 지식을 얻자면, 그 넓은 영역에서 무엇이 가장 중요하며, 무엇이 가장 불필요한 것인가를 먼저 알아야 한다.

천문학자들의 관측이나 계산은, 우리에게 놀랄만한 많은 지식을 갖다 주었다. 그러나 그들의 가장 중요한 연구 결과는, 우리의 무지가 한없는 것임을 폭로하였다.

많은 지식을 얻은 후에야 비로소 우리의 이성(理性)은, 인간의 무지가 한이 없는 것임을 알게 된다. 이러한 사실을 생각할 때, 모든 사물의 궁극적 목적의 판단에 있어서, 커다란 변화가 없어서는 안될 것임을 또한 알게 되는 것이다.

〈톨스토이〉

「땅에는 풀이 돋아 있읍니다. 우리는 그 풀을 볼 수 있읍니다. 달에서는 볼 수 없겠지요. 풀에는 꽃이 달렸읍니다. 꽃에는 조그마한 벌레가 붙어 있읍니다. 그밖에는 아무 것도 없읍니다.」

이 얼마나 엉뚱한 자부심이냐!

「복잡한 육체는 여러가지 요소로서 형성되었읍니다. 그 요소는 불가피한 것입니다.」

이 또한 얼마나 엉뚱한 자신이냐! 〈파스칼〉

하늘과 땅 사이의 모든 것을 다 알겠다는 생각을 버려라. 일반적으로 예언과 존재의 법칙에 관해서 알 수 있는 사실은 참으로 얼마 안되는 적은 것이다.

그러나 그 얼마 안되는 것만 가지고도 충분하다. 많은 것을 바람은 행복하지 못하다. 〈죤·러스킨〉

지식은 무한한 것이다. 그러므로 아주 적게 아는 자보다, 아주 많은 것을 아는 자가 우월한 위치를 차지하게 되는 경우란 극히 적다고 보지 않을 수 없다.

2일 인내(忍耐)

도덕적 생활은 끊임없는 노력속에서 이루어진다.

극히 단순하고 도덕적인 고결한 심성을 가지고, 끊임없이 눈에 뜨이지 않는 의무를 수행함은, 인간의 성격을 매우 굳건하게 만들어 준다.

그리하여 그는 이 세상의 잡음(雜音)과 불바다 속에서도, 용감하고 힘차게 행동할 수 있는 인간이 되는 것이다.

〈에머슨〉

성장이란 서서히 진행되는 과정이며, 돌발적으로 비약되는 것은 아니다. 갑자기 발생하는 사상적 충동으로서는, 과학의 전영역을 알 수는 없다. 또 즉흥적인 참회로서는 죄악을 극복할 수는 없다.

정신적 성장을 꾀하자면 지혜 깊은 교훈의 인도를 받으며, 끊임없는 인내(忍耐)와 노력에 의하는 수 밖에 없다.

〈챠 닝〉

성급하게 굴지 말라. 어떠한 일에 종사하더라도 그것이 선에 봉사할 수 있도록 노력하라.

모든 것 속에서 그대의 지혜로운 생활에 대하여 필요한 것을 끌어내도록 노력하라. 우리 육체의 기관이 음식물 속에서 자양분을 골라내어 섭취하듯이 하라. 〈오레리아스〉

습관은 어떤 것이고 간에, 결코 좋은 것은 못된다. 옳은 행위의 습관일지라도 좋은 것은 못된다. 그것이 습관이 된 까닭으로, 옳은 행위도 도덕적인 것이 못되고 마는 것이다.

〈칸 트〉

십자가의 고통은 면하려고 애쓸수록 더욱 커진다.

〈아미엘〉

도덕적인 노력과 그 생활을 인식한 기쁨은, 마치 육체적인 노동과 그 휴식의 기쁨과도 같이 번갈아 오는 것이다.

육체의 노동 없이는 휴식의 기쁨도 없다. 도덕적인 노력 없이는 생활 인식의 기쁨도 있을 수 없는 것이다.

3일 합류(合流)

죽음은 항상 행복하다——. 죽음은 우리의 본질을 다른 형태로 변화시키는 것이 아닐까? 본질이 소멸되고, 만물의 무궁한 본원과 합류되고 마는 것이 아닐까?

죽음은 유기체의 파멸이다. 이 유기체는 우리가 인생을 받아들이는 하나의 도구였던 것이다.

죽음은 그것을 통해서 바깥을 내다보던 유리창을 깨뜨려 버린 것이나 다름 없다. 그 유리가 다시 깨어질 수 있는 것인지, 부서진 유리창을 통하여 무엇이 보일 것인지, 우리는 알 수가 없다. 〈톨스토이〉

신이 인간들을 향하여 무엇이든지 마음에 드는 것을 골라잡으라고 한다면——즉 죽음을 택하든지, 아니면 가난과 괴로움과 병환 속에서 살아가든지, 또는 재물과 권력과 만족과 건강을 즐기면서 그러나 시시각각으로 그것을 빼앗기지 않으려는 공포에 떨면서 살든지, 그 어느 쪽이든 택하라고 한다면, 우리는 망설이지 않을 수 없을 것이다.

그러나 자연은 이 문제를 해결해 주고 있다. 어느 것을 택해야 좋을지 모르는 곤란한 문제를 해결해 주고 있다.

〈라 · 부루이엘〉

인생을 꿈이라고 생각할 수 있음은 의심할 여지가 없는 사실이다. 또한 죽음을 각성(覺醒)이라고 생각할 수 있음도 의심할 바 없다.

그러나 우리의 본질이나 자아가 꿈에 속하며, 깨지 않는 의식에 속하여 있다고 할 때, 죽음은 우리의 모든 면에 있어서 파멸이라고 생각할 수 있다. 〈쇼펜하우어〉

죽기를 바라면서도 죽음을 두려워 함은, 지혜로운 사람이 아니다. 〈아라비아 속담〉

항상 생활을 중용에서 유지하도록 하라. 죽음을 두려워하지 말고, 또 죽음을 바라지 않는 상태에서 생활을 영위하도록 노력하라.

4일 희열(喜悅)

인생은 끊임 없는 기쁨이어야 하며, 또 인생은 기쁨이 될 수 있는 것이다.

인생은 눈물의 골짜기가 아니다. 어떤 시련의 마당도 아니다. 인생은 견줄 바 없이 귀중한 그 무엇이다.

인생의 즐거움은 무한하다. 이 세상의 규범(規範)을 위하여 우리에게 부과된 임무를 수행함으로써, 그 즐거움을 얻기만 하면 되는 것이다. 〈톨스토이〉

대다수의 인간들은 자기의 만족에 지나치게 집착하던 결과로, 만족을 잃게 될 것 같으면, 곧 말할 수 없는 비탄에 빠지게 된다.

그러나 기쁨을 알며 그 기쁨이 사라지더라도 한탄을 하지 않는 사람만이, 옳은 인생을 살 수 있는 것이다. 〈파스칼〉

한 사람의 불안한 정신 태도는, 그를 무한한 불행으로 빠뜨릴 뿐만 아니라, 동시에 타인에게도 불행을 끼친다.

선량한 정신 태도는 인생의 수레바퀴를 원만하게 회전시키는 기름과 같은 것이다. 〈톨스토이〉

침착한 태도를 가지고 어떠한 불행도 참고 견디라. 그리고 그 불행을 선에 도달하는 도움이 되게 하라. 위(胃)는 음식물속에서 육체에 대하여 영양분이 될만한 것만을 골라낸다. 불은 물건을 집어 넣으면 더욱 밝게 타오른다. 그와같이 모든 불행속에서 인생의 도움이 될만한 것만을 골라내어 소용되도록 하라. 〈존·러스킨〉

시험하여 보라——그러면 그대도 사랑과 선행으로써 마음의 평화를 얻을 것이며, 자기의 운명에 만족하는 사람의 생활을 영위해 나갈 수가 있을 것이다. 〈오레리아스〉

기쁘고 즐겁게 살아가기 위한 중요한 요건은 인생을 즐거운 것이라고 믿는데 있다. 만약 기쁨이 없다면, 그대의 어딘가에 잘못이 있음을 알라.

5일 태만(怠慢)

「일하지 않으면 아니된다」이 법칙에서 벗어남은, 오직 죄악을 범함을 의미한다. 혹은 부정 앞에 아부하고 굴복함을 의미한다.

진실로 그대들은 누구나 손에 낫을 들고 산에 가서 나뭇단을 묶고, 그것을 팔아 의식주의 방도를 세워야 한다. 타인에게 구걸해서는 아니된다.

만일 타인이 주지 않는다면, 그대는 수모(受侮)를 느낄 것이요. 그리하여 비탄에 빠지지 않으면 아니될 것이다.

〈마호메트〉

근로만큼 인간을 고귀하게 하는 것은 없다. 근로가 없다면 인간은 인간으로서의 가치를 발휘하지 못할 것이다.

태만한 인간들은 표면상만 굉장한 일을 붙들고 법석을 편다. 그렇게라도 하지 않으면 남에게서 멸시를 받을 것이기 때문이다. 〈톨스토이〉

일하지 않는 자에게 대하여 대지(大地)는 이렇게 말할 것이다.

「오른손과 왼손을 갖고도 일하지 않음으로써, 너는 언제까지나 남의 문전에서 걸식하지 않으면 안 되리라. 영원토록 남의 문전에 버려진 찌꺼기를 주워 모으지 않으면 안되리라」

〈조로아스터〉

왕자가 입은 옷은 아무리 아름다울지라도, 내가 입은 값싼 옷만은 못하다.

부자가 먹은 음식은 아무리 맛있는 것일지라도, 내 식탁에 놓여 있는 한조각의 빵만은 못하다. 〈사아디〉

천하고 비굴한 표정을 짓느니보다는 차라리 생명을 끊음이 낫다. 남의 재물로써 사치를 즐기느니보다는 차라리 빈곤한 편이 낫다. 〈인도교전〉

그대가 일하기 싫다면, 그것은 아주 영락(零落)하였거나, 아니면 폭력을 휘두르고 있을 때다.」

6일 세계(世界)

사람들은 자기가 중요하다고 생각하는 여러 가지 일에 종사하고 있다. 그러나 거의 누구나가 다 사람들에게는 똑같이 운명지어져 있으며, 다른 모든 것을 그 속에 품고 있는 것——즉 자기의 정신을 향상 시키려는 유일한 일에는 종사하지 않고 있다.

이 일이 확실히 인간에게 운명지어진 것임은, 그 목적을 달하기 위해서 인간에게 아무런 장애도 없다는 점으로 미루어 보더라도, 용이하게 알 수 있는 것이다.

우리의 행복이나 불행은, 우리에게 대한 타인의 관계 속에 있다. 자기 자신을 바르게 처신하라. 그렇게 함으로써 우리는 자기와 타인에게 대하여 최선을 다할 수 있게 되는 것이다.

〈루시・말로리〉

나는 생각하기를, 잘되고자 노력하는 것만큼 잘사는 방법은 없다고 하겠다. 그리고 실지로 잘되어 감을 느끼는 것만큼 큰 만족은 없을 것이다.

이것은 내가 오늘날까지 살아오면서 경험하는 바 행복이다. 이것이 행복임은 내 양심이 증명해 준다. 〈소크라테스〉

우리의 결점을 지적해 주는 사람에게 감사해야 한다. 물론 우리의 결점은 지적을 받았다고 해서 아주 없어지는 것은 아니다. 결점이 너무나 많기 때문이다.

그러나 지적을 받음으로써, 자기의 결점을 알 수 있고, 우리의 마음은 불안해져서, 양심상 가만히 있을 수가 없게 되며, 그리하여 결점을 바로잡아 가지고 올바른 길로 옮겨가게 되는 것이다. 〈파스칼〉

끊임 없는 괴로움 속에서 살아가면서, 완성을 바란다는 것은 불가능한 일이다. 사막(沙漠)같은 곳에서는 더욱 불가능하다.

완성을 위해 가장 좋은 방법은 스스로의 세계관을 모색하여 파악한 다음, 그 세계관을 모든 일에 적용해 나간다는 그것이다.

7일 이선(以善)

악에 대하여 선으로 보답함은, 악을 악으로써 보답 함보다도 진실하며, 용이하며, 지혜로운 행동이다.

아무도 결코 자기 자신을 모든 행복에 대한 가장 가치 있는 존재라고는 생각지 않을 것이다. 그러나 우리가 생각할 수 있는 가장 높은 행복은, 지혜의 판단에 의하여 행동한다는 그것이 아닐까 한다.

지혜의 판단은 우리에게 명령할 것이다. 타인에게 선을 베풀라고, 그것이 자기 자신에게 대한 가장 높은 행복이라는 생각을 가져야 한다고. 〈오레리아스〉

타인을 대할 때, 그들에게 알맞은 교제를 함은, 다만 그들을 악화시킬 따름이다.

그들의 실제생활 이상으로 좋게 대접하여 줌은, 그들의 향상을 진실로 도와주는 하나의 방법이다. 〈괴 테〉

골고다로 모여든 사악한 인간들은, 드디어 그리스도를 십자가 상에 못 박았다.

그때에 그리스도는 말하기를

「아버지시여, 저들을 용서해 주소서. 저들은 행할 바를 모르나이다.」 〈성 서〉

무엇으로 적에게 갚을 것인가?

그를 되도록 착한 인간으로 만들도록 노력함이 좋다.

〈에피크테타스〉

친절로써 노여움을 극복하라. 선으로써 악에, 은혜로써 인색함에, 정의로써 허위에 이기도록 하라. 〈쟈마파아다〉

선으로써 악에 보답하라. 그러므로써 그대는 악한 인간들이 꾀하던 야망을 쳐부술 수 있을 것이다. 〈톨스토이〉

악에 대하여 선으로써 보답한 때의 기쁨을 한번 이라도 경험한 사람은, 그 기쁨을 얻을 다음 기회를 놓치지 않을 것이다.

8일 부정(不正)

전쟁은 인간에 의하여 범해지는 죄악이다.

보다 나은 제도의 출현은 다만 시기의 문제일 것이다. 군대와 전쟁은 반드시 소멸되어야 할 것이기 때문이다. 궤변자들이 무엇이라고 하든, 그것은 반드시 소멸되어야 할 것이다.

〈알프레드・드・위니〉

실로 놀랍고도 가공할 일이 이 지상에서 수행되고 있다. 예언자는 허위의 예언을 하고, 승려는 허위로서 사람들을 지배하고 있다.

그리고 사람들은 그것을 기뻐하며 받아들이는 것이다. 이러한 시대에 그대는 과연 무엇을 하려 하는가?　〈성　서〉

전쟁은 하나의 장막(帳幕)이다. 그 장막 뒤에서 여러 사람과 허다한 민족들이 무서운 죄악을 범하고 있다. 그 죄악은 전쟁이 아니면 견딜 수 없을만큼이나 큰 죄악이다.

〈스프링힐드〉

오직 그대들의 부정 그것만이, 그대들과 신을 가로막는 장막이다. 그대들은 그대들의 죄악으로 인하여 신의 얼굴은 보이지 않는 것이다. 뿐만 아니라 이로 인하여 그대들의 소리는 신의 귀에 들어가지 않는다. 이것은 그대들의 손가락이 피에 젖었으며, 그대들의 마음이 부정으로 인하여 더러워져 있기 때문이다.

그대들의 입은 거짓을 말하고, 혀는 부정을 담고 있다. 누구 하나 진리를 위하여 머리를 쳐들며, 진실을 위하여 행동하는 자는 없다, 모든 인간이 추악한 것을 바라고, 사악을 다투며 허위를 행하고 있다. 살아 있으면서도 죽은 것이나 다름이 없다.

〈톨스토이〉

그 누가 용서한다 할지라도, 또 무슨 말로 변명한다 할지라도, 살인은 항상 죄악이다. 그러므로 모든 살인자들은 반드시 멸시와 비난과 저주를 받아야 하며, 또한 교화와 훈도를 받아야 하는 것이다.

9일 본성(本性)

신에 대한 사랑과 불멸에 대한 신앙은 같다.

나는 신의 존재와 나의 자아의 불멸을, 나의 덕성에 의하여 믿는다. 즉 신과 사후세계에 대한 신앙은 나 자신의 본성 속에 깊이 결합되어 있다는 것, 이 신앙은 나에게서 떼어 놓을 수 없는 것이다. 〈칸 트〉

정신의 높이에 따라서 불멸에 대한 신앙의 두려움도 결정된다, 우리의 정신이 동물적인 몽매(蒙昧)에서 떨어지고, 이기적인 열정과 가엾은 미신에서 얼마나 벗어났는가 하는 것으로서 신앙에 대한 회의는 사라지는 것이요, 신앙의 특유하고도 위대한 덕성에 가까와지는 것이다.

미래를 덮었던 뚜껑은 열리고, 광명은 어둠속에 비치고, 양양한 신의 영역 속으로 들어가게 되는 것이다. 〈마르티노〉

지내고 겪은 일, 알고 있는 일 전부가, 아직 보지도 못하고 알지도 못하는 일들을 믿도록 가르쳐 준다. 우리를 위하여 신께서 미래에 준비해 주신 것——그것은 위대하고 은혜로운 것임에 틀림 없다.

신께서 하시는 일은, 이 세상에서 우리가 알게 된 것의 성질에 따라서 결정된다. 우리의 미래는 우리의 덕성——기억·희망·상상·지혜에 알맞는 것이어야 한다. 〈에머슨〉

신과 내세의 존재를 안다고 해서 칭찬받을 것은 못된다. 그것을 우리가 믿음은 논리에 의해서가 아니라, 덕성에 의한 결과이기 때문이다. 그것은 개인의 덕성에 기초를 두고 있음으로써, 신과 나의 불멸을 믿을 수가 있다고는 할 수 없는 것이다. 〈톨스토이〉

모든 존재 중에서 신을 사랑하는 사람은 자기의 불멸을 의심하지 않으며, 또 죽음을 두려워 하지도 않는다.

10일 내세(來世)

신의 왕국이 가까와지고 있다는 것, 즉 사람들이 차차로 현세(現世)의 생활제도의 어리석음과 천성에 배반되는 것임을 깨닫고 있다는 것은, 불가피적으로 새로운 질서의 건설로 향하게 하는 것이다.

그리스도는 가르치기를, 모든 인간은 신의 앞에서 평등함과 같이, 상호간에 있어서 평등하다 하였다. 아무도 동포에게 대하여 권력을 가질 수 없다. 평등과 자유, 이것은 지상에 있어서의 파괴할 수 없는 신의 법칙인 것이다. 〈라메에〉

현대에 있어서 우리는 누구나 형제라는 공통된 종교적 의식을 가져야 한다. 인간의 행복은 상호간의 협조에 의해서만 가능하다.

진정한 과학은 이 종교적 의식을 생활에 적용할 수 있도록 여러 가지 방법을 제시하는 것이 아니면 아니된다. 또한 진정한 예술은 이같은 의식을 감정에 호소하는 것이어야 한다.

〈마드지니〉

자연계에 있어서의 건조현상은 두개의 상반된 원인——즉 심한 추위와 더위에서 발생한다.

이와 마찬가지로 인간에게 있어서의 성격의 과단성(果斷性)도 서로 상반되는 두개의 원인 속에, 즉 이교도적인 자의식과 기독교적인 자의식 속에 조건지어져 있는 것이다.

인간에게 있어서의 과단성의 부족은, 인생관의 향상에 의하여 교정할 수가 있다. 이 점을 아는 사람은 자기 속에 숨은 과단성의 부족을 슬퍼하지 않을 뿐더러, 인간 속에 신의 왕국이 가까워진 증거라 하여 기뻐하는 것이다.

〈표돌·스트라호프〉

목적이 멀면 멀수록 더욱 더 앞으로 나아가는 것이 필요하다. 서둘지말라 그러나 쉬지말라. 〈마드지니〉

상호부조(相互扶助)는 이미 그리스도가 가르치신 것이므로, 모든 사람의 영혼과 지혜에 의하여 이해되고 실천될 것임에 틀림없다.

11일 기만(欺瞞)

덕성의 세계에 있어서는 모든 것이 육체의 세계에 있어서 보다 훨씬 밀접하게 결합되어 있다.

모든 기만(欺瞞)은 바로 그 뒤에 수많은 기만을 이끌어 온다. 모든 잔학(殘虐)은 다른 수 많은 잔학을 그뒤에 따르게 한다.

양심을 감추어 버리자면 두 가지의 방법이 있다. 하나는 외부적인 방법인데, 양심이 가리키는 방향에서부터 눈을 감아버리는 것이다. 또하나는 내부적인 것으로서, 양심 자체를 말살해 버리는 것이다. 〈톨스토이〉

사소한 가르침이라도 지키지 않는다면, 결국에는 중대한 가르침까지 등한히 하게 된다.

만약에 우리가 「자기를 사랑하듯 이웃을 사랑하라」하는 가르침을 무시한다면, 거기에 따라서 여러 가지 가르침, 즉 「복수하지 말라」「악을 행하지 말라」「형제를 미워하지 말라」등등의 가르침까지 등한시하게 되며, 이러한 결과로 결국은 피를 흘리게 될 것이다. 〈탈무드〉

여하한 악일지라도 가볍게 여겨서는 아니된다. 나와는 관계없는 일이라 생각해서도 아니된다.

물방울도 모이면 그릇이 가득 찬다. 조금씩 범하는 악이 쌓이면 헤어날 수 없게 된다.

여하한 선(善)에 대해서도 등한해서는 아니된다. 나같은 사람으로서는 도저히 따를 수 없는 것이라 생각해서는 아니된다.

한방울 한방울 모여서 그릇이 가득 찬다. 조금씩 선을 쌓아올림으로써, 성자는 선으로 가득차게 된다. 〈석 가〉

악의 시초를 불러일으키는 마음의 소리가 있다. 악은 보기 흉하고 수치스러운 모양을 하고 있다.

걸음을 멈추고 살펴브라. 그대는 악을 낳은 기만을 발견할 것이다.

12일 존재(存在)

자기의 내부를 깊이 파고 들어가면, 우리는 신을 발견하게 된다.

신을 찾음은, 그물을 가지고 물을 깃는 것과도 같다. 깃는 동안은 물이 그물 속에 담겨져 있는 듯이 보인다. 그러나 거두어 올리면 아무 것도 남아 있지 않다.

사색과 행동으로서 신을 찾으려 하는 동안 신은 그대의 마음 속에 있을 것이다. 그러나 신을 찾은 것으로 알고 마음을 놓기만 하면, 신은 사라지고 말 것이다. 〈톨스토이〉

숲 속에서 딱정벌레가 보이지 않는 곳으로 숨으려고 기어가는 것을 보았다. 나는 그것이 어째서 그다지도 비겁하게 나에게서 숨으려는가를 생각해 보았다. 내가 이 벌레의 은인(恩人)이 되어, 이 벌레의 일족(一族)에게 고마운 지식을 가르쳐 준다면 어떨까 하는 생각이 들자, 나는 딱정벌레 위에 서 있는 나 자신이 위대한 은인인 것 같이 곧 생각이 되는 것이었다.

〈토 로〉

신은 이미 존재하고 있다. 우리가 존재하고 있음으로 해서 그렇다. 우리가 신이라 부르든 무엇이라 부르든 간에, 우리의 내부에는 우리가 만들어내지 않은 그 무엇이 있음에는 틀림없다. 이 생명의 원천을 신이라고 부르라. 또 신이라고 부르지 않아도 좋다. 〈나드지니〉

이 이전에 내가 이같은 의심할 바 없는 진리를 알지 못했다는 것은 참으로 놀라운 일이다. 이 세계와 우리 인생 위에는 그 무엇인가가 있다는 사실, 우리는 마치 끓는 물과 같이, 그 무엇인가의 속에서 부벼대고 꺼지고 하는 존재였다는 사실을 나는 모르고 있었던 것이다. 〈톨스토이〉

우리가 신을 인식하지 못한다고 해서, 신의 존재를 의심할 수 있다는 증거는 아니된다. 그것은 우리가 아직 신을 인식하고 신을 이해할 힘을 얻지 못하고 있다는 것 뿐이다.

13일 지성(知性)

우리는 인생의 정신적 기원(起源)을, 두개의 방향을 통하여 알 수가 있다. 한편으로는 지혜를 통하여, 또 한편으로는 사랑을 통하여 인식할 수 있다.

위대한 사랑은 깊은 지혜와 같다. 지혜의 깊이는 정신의 깊이에 상응한다.

인도(人道)의 정점(頂點)에 도달하자면 위대한 심령에 의해서만 가능하다. 위대한 심령은 거기서는 위대한 지혜가 된다.

〈곤챠로프〉

우리의 도덕적 감정은 지적인 힘과 엉크러져 있다. 그러므로 그 한쪽에 접하면서 다른 한쪽에는 접하지 않는다고 할 수는 없다.

지혜가 한편 손상을 입게 되면, 그것은 항상 이 세상의 저주로서 나타난다. 〈톨스토이〉

우리는 이제까지 지혜와 양심 사이에 구별을 두고 생각하여 왔었다. 일반적으로 선행(先行)은 사색(思索)보다 중요하다고 말한다.

그러나 그것은 잘 결합된 힘을 억지로 분리 시키려는 것이나 다름 없다. 그런 생각 때문에 우리의 천성은 손상을 입게 되는 것이다.

도덕에서 사상을 제거해 보라, 무엇이 남겠는가? 사상의 힘이 없이 우리가 양심이라고 부르는 것은, 한낱 환상이나 과장이나 허위로 밖에 보이지 않을 것이다.

이 세상에서 가장 잔인한 행위는, 양심의 소치라는 이름으로 행하여져 왔다. 사람들은 양심의 명령이라고 말하면서, 서로 미워하고 서로 죽여왔던 것이다. 〈챤 닝〉

모든 것을 알도록 하라. 그리고 그중 지혜가 옳다는 것을 믿으라. 〈에머슨〉

이지(理知)를 가진 사람은 악인이 될 수 없다. 이지의 실천에 의하여 자기의 선을 크게 하라. 그리고 사랑에 의하여 의지를 깊게 하라.

14일 빈부(貧富)

권력자(즉 부유한 자)와 굴종자(즉 가난한 자)가 함께 있는 사회에서, 옳은 제도를 세우기란 어려운 일이다.

인간은 토지에 의해서만, 그리고 토지 위에서만 살 수 있다. 그러므로 그 토지를 다른 사람의 소유로 함으로써, 우리는 자기의 육체나 혈액을 타인의 소유로 만들고 마는 노예처럼 노동하지 않으면 안된다.

그리하여 사회생활이 어느 정도의 발전 단계에 이르게 되면, 토지의 소유 때문에 발생하게 된 이 노예제도는 실로 참혹하고 저주할 것이 되고 만다. 그것은 주인과 고용인과의 관계가 인간의 육체를 타인의 소유로 만드는 노예제도보다도, 직접적이 못되며 또 명료하지 않기 때문이다. 〈헨리 · 죠지〉

어떤 영국 작가는 인간을 세 계급으로 분류하였다. 노동자와 거지와 도둑.

이 분류는 항상 사회의 「높은 계급」「귀한 계급」으로 자처하는 계급의 사람들에게는 큰 실례가 될 것이다.

그러나 경제적 견지에서 볼 때, 이 분류는 퍽 정당한 것이라 하겠다. 인간이 부유하게 되는 길은 세가지 밖에 없기 때문이다. 노동을 하거나, 남의 것을 얻거나, 훔치거나 해야 하는 것이다.

그런데 노동하는 사람들이 극히 조금 밖에 보수를 얻지 못함은, 거지와 도둑이 너무 많은 자리를 차지하기 때문이다.

〈헨리 · 죠지〉

인간이 행복하게 될 수 있는 방법과 도구가 참으로 많이 생겼다. 이런 것에 대해서 우리의 조상들은 통 알지를 못했다.

그러나 우리는 행복하지 못하다. 어느 소수의 사람들이 정도 이상으로 행복해진다면, 다른 대다수의 사람들이 정도 이하로 불행해질 수 밖에 없는 것이다. 〈룻 소〉

가령 그대가 노력함이 없이 보수를 얻었다면, 일하고도 보수를 얻지 못하는 사람들이 어디엔가 있음을 알라.

15일 재물(財物)

이교도(異教徒)의 세계에 있어서 부는 행복과 출세의 원천이다.

기독교도의 세계에 있어서 부는 그 사람의 결점과 허위를 드러낸다.

부유한 기독교도란 비겁한 영웅과도 같다, 그는 신도로서의 자격을 상실한 것이다.

참다운 교양을 가진 사람은 지적(知的)인 자아에 대한 존경 때문에, 자기의 소유 및 재물을 부끄럽게 생각하는 것이다.
〈에머슨〉

부유한 자들이여, 들어보라. 그대들 주위에 있는 가난한 사람들을 위하여 눈물을 흘리라.

그대들의 재물은 쌓이기만 하여 썩고 있다. 그대들의 옷은 장만되기만 한채 좀이 먹고 있다. 그대들의 금은은 묻혀서 녹이 슬고 있다. 그 녹은 그대들을 배반하는 것이며, 불과 같이 그대들의 살을 태우는 것이다.

그대들은 최후의 날까지 재물을 모았다. 그러나 그대들의 밭을 간 노동자들에게 지급될 임금은, 그대들 손에 갇혀서 울고 있다. 그리하여 가난한 노동자들의 울음소리는 하늘에 계신 신의 귀에까지 울리고 있다. 〈성 서〉

빈곤은 우리에게 지혜·인내(忍耐), 그리고 위대한 철리(哲理)를 가르쳐 준다. 「라자레」는 빈곤 속에 살면서 기어이 왕관(王冠)을 얻지 않았던가? 「요셉」은 극식한 빈곤 속에서 노예가 되었을 뿐만 아니라, 죄수노릇까지도 하지 않았던가? 그러나 그러므로 해서 우리는 더욱 그들을 찬탄하여 마지 않는 것이다.

사람들에게 보리를 나누어줄 때의 그를, 옥에 갇혔을 때보다 더 찬양하지는 않는다. 왕관을 얻었을 때의 그를, 쇠사슬에 매였을 때보다 더 찬양하지는 않는다. 〈조로아스터〉

부유한 자를 존경할 필요는 없다. 그들의 생활을 떠나서 불쌍히 여길 필요 밖에 없다.

16일 인식(認識)

인생은 인식이다. 어떤 한계 안에 있는 자기 자신의, 신에 속하는 본질을 인식함을 의미한다.

참다운 실재(實在)는 정신이다. 그러면 기타의 것은 무엇인가? 그림자·간판·형상·비유(比喩)·그리고 몽환(夢幻)이다. 오직 인식만이 불멸이다. 인식만이 완전한 진실이다.

〈아미엘〉

인생의 의의는 자기 자신이 영원하며 무한한 것임을 인식하는데 있다. 즉 시간과 공간에 제한된 현상(現象) 속에, 초시간적(超時間的)이며 초공간적인 정신을 인식하는데 있다.

〈톨스토이〉

죽음은 나의 내부에 변화를 일으킨다, 즉 나 자신은 아주 소멸하여 없어지는 것이 아니라 하더라도, 나는 다른 존재 속으로 들어가고 마는 것이다. 지금 나는 나의 감정을 가진 나의 육체를 자아라고 생각한다. 그러나 그때에는 모든 세계가 달라지는 것이다.

세계가 그렇게 보이는 것은 내가 그렇게 생각하기 때문이며, 세계의 다른 부분의 실재는 그렇지 않은 것이 아닐까? 그리고 세계의 다른 부분의 실재는, 그 양에 있어서 무한한 것이 아닐까 생각된다.

〈세네카〉

자기 자신의 영혼 속에서 신을 찾으라. 그 이외의 곳에서는 결코 신은 발견할 수 없을 것이다.

〈가페르〉

세계는 비유(比喩)에 지나지 않는다. 사상은 사실보다도 진실하다.

마술과 같은 동화나 전설은, 사실상의 역사보다도 진실하다. 왜냐 하면 동화나 전설은 사실상의 역사보다도 더 깊은 것을 상징하고 있기 때문이다.

〈아미엘〉

이 세계는 하나의 커다란 환등(幻燈)이다. 그 목적은 정신의 형상화에 있으며, 보충에 있다. 인식은 우주이며, 그 태양은 사랑이다.

17일 완성(完成)

기독교는 완성의 길을 보여주는 종교이다.

「모세」로부터 「그리스도」에 이르기까지, 위대하고 지혜 깊은 종교적 발전은, 어떤 일부 사람들이나 민족에 의하여 완성되었다.

그러나 한사람의 인간이 인류 전체보다 위대할 수는 없다. 어떤 위대한 인간이 딴 사람의 이해를 받지 못할 만큼 앞선 지혜를 가졌다 하더라도, 이윽고 모든 사람들이 그를 따르게 될 때는 오고 마는 것이다. 〈파르케엘〉

신망 없는 인간은 어느 순간에 있어서나, 그가 살고 있는 일체의 것에서 멀어져 가고 있는 것이다. 그리고 저주하는 이름 밑에서 그는 살고 있는 것이다. 〈톨스토이〉

인간은 인생의 목적에 도달할 수가 없다. 인간은 다만, 인생의 목적을 향하여 인도되는 방향을 알 수 있을 따름이다. 〈에머슨〉

기독교 정신이란 그리스도의 간단 명료한 말에 의하면, 극히 단순한 것이다. 그것은 순수한 도덕성, 완성된 종교정신, 그리고 인간에 대한 사랑——모든 제한(制限)을 제거한 신에 대한 사랑 그것이다.

그 신앙의 슬로우건은 하느님 아버지와 같이 완전한 것이 되라는 그것이다. 그 신앙의 유일한 형식은, 신에 의한 생활, 즉 가장 착한 일을 가장 착실한 방법에 의하여, 가장 성스러운 목적을 위하여 행하라는 그것이다. 신의 계율을 완전히 지키라는 그것이다. 그 신앙의 확립은, 그대의 마음 속에 있다. 즉 그대 속에 만물의 근원이신 신이 나타나는 것이다.

모든 것은 극히 간단하다. 아무리 어린 아이라도 이해할 수 있는 것이다. 〈파르케엘〉

굳세기를 원한다면, 신앙을 확립하라.

18일 학자(學者)

중요한 것은 지식의 분량이 아니라, 그 질이다. 우리는 퍽 많은 것을 알고 있으면서도, 가장 필요한 것은 알지 못하기 일쑤이다.

학문을 한다는 사람이 인생의 진리보다도 화술에 더 마음을 쓰는 것을 보는데, 어떠한 악이 가장 옳지 못한 지혜를 낳는 것이며, 얼마나 진리에 대하여 위험한 것인가를 우리는 알아야 할 것이다. 〈세네카〉

자기의 높지도 못한 사상을, 깊고 세련된 어휘에 의하여 표현하고자 애쓰는 작가가 있다. 그들은 극히 올바르지 못한 태도를 가졌다 할 것이다.

작가들이 자기의 사상을 가장 적합한 어휘로써 표현할 수 있다면, 그들은 전체 독자를 보다 향상하게 하였다 할 수 있으며, 비평가의 주의를 끌만한 가치를 가졌다고 할 수 있을 것이다. 〈리프텐벨그〉

최고학부(最高學府)에 있어서의 방법론적인 논쟁을 말에 있어서만 확정된 의의를 덧붙이고, 곤란한 문제를 해결하기를 피함은 상식화된 사실이다. 왜냐하면 아카데미에 있어서는 언제나 아무렇게나 「그 문제는 알 수 있다」는 따위 말을 듣기를 싫어하기 때문이다. 〈칸 트〉

참다운 진리를 쓰고 읽기 위해서는, 실로 많은 곤란을 극복하지 않으면 아니된다. 거짓을 말하는 자는, 진리에 대하여 가장 약한 자이다.

술 취한 자와 같이 흥이 나서 모든 것을 이야기하며, 검토하려는 작가나 학자는 참다운 진리에 대한 위험한 존재라 할 수 있다. 〈톨스토이〉

참된 지식에 대하여 흐릿한 이해밖에 가지지 못함은 무엇보다도 해로운 일이다. 「학자」라는 사람들은 이같은 이해에 대하여, 머리 속에서만 똑똑한 표현을 하려고 애쓰는 과오를 범하고 있는 것이다.

19일 고락(苦樂)

고뇌의 기쁨을 알지 못하는 사람은, 참다운 지혜, 즉 참다운 인생을 아직 알지 못하는 사람이다.

인류의 위대한 임무는 오직 고뇌를 겪음으로써 성취되는 것이다. 그리스도는 자기 앞에 기다리는 것이 고뇌임을 알고 있었다. 그리고 모든 것을 예언하였다.

즉 그에 대한·권력 있는 자들의 증오와 폭압, 그가 고쳐주려고 애쓴 병자들의 배반 등을 그는 알고 있었다. 그러나 그리스도는 자포자기(自暴自棄)를 죽음보다도 슬픈 것으로 생각하였다.

그는 자기의 사상을 버리지 않았다. 끊임없이 그 사상을 불러일으키고 순식간이라도 단념하는 일이 없었다. 〈라 메〉

이러한 것을 알게 됨은 얼마나 큰 기쁨일까! 즉 인생에 대한 진리는 문(門)과 같다는 것을, 이 문을 열고 우리는 근본적인 무의식의 생활에서, 지적인 자의식(自意識)의 세계로 나가게 된다. 전자의 세계에 있어서 고뇌는 그대로 고뇌이며, 죽음은 그대로 죽음이다.

그러나 지적(知的)인 자의식의 세계에 있어서는, 고뇌와 죽음에 의하여 인생은 행복하게 된다. 즉 다른 공통의 우주적인 신(神)에 속하는 영원불멸의 인생이 나타나는 것이다. 이는 형언할 수 없이 기쁜 복음(福音)이 아니고 무엇이겠는가?

〈부 카〉

인간은 신으로 부터 받는 벌 때문에 착한 행동을 하게 된다. 즉 인간은 자기에게 부과된 고뇌를 기뻐하지 않으면 안되는 것이다. 고뇌는 인간에게 있어서 커다란 진리와 이익을 가져오는 것이기 때문이다. 〈톨스토이〉

정신적 생활을 하는 사람은 고뇌가 자기 완성의 중요한 요소임을 알고 있다. 그러므로 그에게 있어서 고뇌는 조금도 슬퍼할 것이 못되며, 도리어 행복의 근원으로 생각되는 것이다.

20일 사회(社會)

정신적인 인간에게 있어서 자기부정(自己否定)은 행복으로 가는 길이다. 동물적인 인간에게 있어서 정욕의 만족이 그러함과 같이.

부모를 나보다 더 사랑하는 자는 나에게 합당치 않은 자이다. 자녀를 나보다 더 사랑하는 자는, 나에게 합당치 않은 자이다.

자기 자신의 십자가를 짊어지고 내뒤를 따르지 않는 자는, 나에게 합당치 않은 자이다.

자기의 영혼을 소중히 하는 자는, 그것을 잃어버린다. 나를 위하여 영혼을 잃는 자는 그것을 얻게 된다. 〈성 서〉

인간으로서 남의 행복을 위하여 자기의 이익을 버리고 노력하는 것만큼 큰 행복은 없다. 그것은 영원한 행복으로 가는 길이다.

자기의 이익을 위해서 힘을 다함과 같이, 사회 공공의 이익을 위하여 진력할 때, 우리는 평화와 행복을 얻을 수 있다. 그때에 천상의 무궁한 행복은 우리 앞에 꽃피게 될 것이다.

〈루시·말로리〉

타인에게 선을 베푸는 사람은 선량한 사람이다. 선을 행하기 위하여 고난을 겪는다면, 그는 더욱 선량한 사람이다. 선을 행한 사람을 위하여 고난을 무릅쓴다면, 그는 더욱 더 선량한 사람이다.

선을 계속 행하기 위하여 더 많은 고난을 겪어나간다면, 그 이상 더 없는 선량한 사람이다. 만약에 그가 그때문에 죽는다면 그는 가장 위대한 영웅이다. 〈라·보류이엘〉

만약 그가 정신적인 생활을 하고 있다면, 현세적인 행복을 부정하기란 그다지 어려운 일이 아닐 것이다.

그는 그 이외의 생활을 할 수 없게 된다. 그렇게 함으로써 그는 더욱 착한 인간이 되며, 그의 생활은 더욱 향상되는 것이다.

21일 애타(愛他)

기독교도의 세계는 동물적인 생활로 변해버렸다. 그들은 거기서 빠져나올 길이 없는 듯이 보인다. 이 불행한 상태에서 빠져나오는 길은 하나 밖에 없다.

그것은 사랑에 대한 가르침을 회복하는 길이다. 말에 의하여, 그리고 중요한 점은 아주 어리석게 된 사람들의 행동에 의하여 회복하는 그 길이다.

도덕과 지혜와 좋은 습관을 상실한 가엾은 사람들의 상태는 참으로 불행하다.

그리고 파산(破産)이나 가족의 건강이나 하는 따위의 속세적인 행복을 상실한 상태를 딱하게 여기지 않을 수 없음은 불행한 일이다. 〈톨스토이〉

그대들의 친한 형제들(정신적인 형제들)은 굶주림 때문에 죽어가는데, 그대들은 포식 때문에 게으르게 되어 있다. 형제들은 벌거숭이로 걸어 가는데, 그대들은 의복이 좀먹지나 않을까하여 장농속에 깊이 간직해 둔다.

그러나 그 의복을 벌거숭이 형제들에게 걸쳐줌이 훨씬 좋지 않을까? 그 의복이 모든 형제들에게 골고루 베풀어졌을 때, 그대들은 심로(心勞)에서 자유로이 될 수 있지 않을까? 의복이 좀 때문에 손상될 것을 염려한다면, 그것을 가난한 형제들에게 베풀어 주라. 가난한 형제들은 의복을 손질하는 방법을 잘 알고 있는 것이다. 〈조로아스터〉

나 자신 깊이 깨닫기 전까지에는, 「적을 사랑하라」고 한 기독교도들의 말은 거짓 선전의 말인줄로만 알았었다.

〈렛 싱〉

이 현세와 조화를 가리려 하며, 언제까지나 현세적인 생활을 지속하고자 하는 그러한 태도를 버려라. 그런 생활을 계속하는 한, 사랑의 왕국으로 가까이 갈 수는 없다.

사랑의 왕국으로 접근할 수 있는 생활을 하라. 그러자면 부정의(不正義) 위에다 생활의 기반을 두지 않도록 하라. 언제나 사랑 위에다 두도록 하라.

22일 자각(自覺)

자기 자신을 안다는 것은 신을 안다는 것이다.

그리스도는 소리를 높여 말하였다. 「나를 믿는 자는 나를 믿음이 아니라, 이 지상으로 나를 보내신 그이를 믿는 자이다. 나를 믿는 모든 사람을 어둠속에서 건지기 위하여 나는 이 지상으로 온 광명이다.」 〈성 서〉

정도의 차는 있지만 어떤 사람은 사랑하고, 어떤 사람은 사랑하지 않는다는 인간 사이의 기본적인 관계는, 공간적인 혹은 시간적인 조건에서 생기는 것이 아니다.

그 반대로 공간적이며 시간적인 조건은 인간에게 영향을 끼치든 안끼치든, 인간은 이 세상에 태어나면서 부터 곧 그 누구는 사랑하지 않는다는 관계를 가지게 된다.

이 때문에 전혀 같은 공간적 시간적 조건 속에서 태어나고 교육 받은 사람들이 서로 미워하는 것이다. 그리고 이것은 인간의 내면적인 자아에 대한 가장 심한 배반이다.

〈톨스토이〉

참다운 행복의 근원은 마음 속에 있다. 그것을 다른 곳에서 찾으려함은 어리석은 일이다. 그것은 마치 등 뒤에 있는 양을 찾아 다니는 것이나 다름없다.

무엇 때문에 우리는 돌을 모아다가 큰 제단을 만들려 하는 것이냐? 신은 항상 우리 자신속에 살아 계시다. 어찌하여 그런 수고를 무릅쓰려하는 것이냐?

생각 없는 우상을 받드느니보다는, 한 마리의 산 개를 사랑함이 차라리 나을 것이다. 수많은 반신(半神) 보다 하나의 위대한 신을 받드는 것이 나을 것이다. 〈베마나〉

인간은 자기의 자아를 굴종적이며 편안한 세계로부터, 자유로우며 확실한 기쁨에 넘치는 세계로 옮겨 놓을 수가 있다. 그것은 정신의 본질을 인식함으로써 가능한 것이다.

23일 소박(素朴)

참된 진리는 항상 단순한 것이다. 단순이란 매혹적이며 이로운 것이다. 그럼에도 불구하고 단순한 사람이 이다지도 적다는 것은, 참으로 놀라운 사실이다.

진실로 지혜 높은 사람이란, 모든 불필요한 것을 버리고, 결국에 있어서 자기에게 필요한 것만을 가지는 사람을 말한다.
〈에머슨〉

공공(公共)의 일에 봉사하라. 사랑의 일을 수행하라. 말을 삼가라. 절제에 힘쓰라. 노력하라. 악한 일을 거부하고 착한 일을 실천하기에 용기와 자신을 가져라.

필요한 일, 착한 일——사랑에 봉사하는 일을 하며 사랑에 따르는 말을 하라. 눈에 뜨이지 않는 사소한 행동이나 말은, 사랑의 나무의 작은 열매다. 그것은 나중에 크게 자라서, 그 가지가 이 세상의 모든 것을 덮게 될 것이다. 〈톨스토이〉

우리의 모든 낭비는 타인의 행위를 보고 그와 똑같이 하려는데에서 기인된다. 타인이 먹는 것을 보면, 자기도 그것을 사기 위하여 빚을 내기까지 한다.

그러나 우리는 지식이나 정신이나 아름다움을 위해서는, 결코 그렇게 많은 지출을 하려고 하지 않는다. 〈에머슨〉

무릇 위대한 일은, 눈에 뜨이지 않게 겸손하고 단순한 상태에서 진행되는 법이다.

번개가 번쩍이고 천둥이 칠 때에는, 밭을 갈거나 집을 짓거나 가축을 가꾸거나 할 수 없다.

위대하고 참된 일은, 항상 단순하고 신중한 것이다.
〈챤 닝〉

단순하게 보이도록 꾸미는 사람은, 누구보다도 단순하지 못하다.

계획적인 단순은 가장 불쾌한 기교(技巧)이며, 가장 큰 허식(虛飾)이다.

24일 용기(勇氣)

자기와 신이 연결되어 있음을 아는 자에게 있어서는, 참다운 용기는 특히 투쟁 속에 있다.

깊은 지혜가 가르칠 때에 용기를 내라. 그것은 발분(發奮)할 수 있는 기회이다. 그때에 우리는 행복하다. 그때에 용기만 낸다면 우리는 행복하다.

타인이 나에게 위험을 경고하고, 우리의 뒤를 따르기를 거부하고, 우리를 반대하더라도――그때만은 우리는 행복하다.

〈콘웨이〉

나의 말이 지금은 아마 그대 귀에 참혹한 말로 들릴 것이다. 그러나 내일이 되면 그대는 자기의 참다운 천성이 가르치는 소리를 따르게 될 것이다. 그리고 우리가 서로 진실할 것 같으면, 향해 나아가는 목적은 같을 것이다.

속인들과 같은 행동의 동기와 원인을 버리고, 자기 자신을 신뢰할 수 있는 사람은 행복하다. 현세(現世)의 관습과 규칙에 대신함에 자기의 신념으로 하고, 그 내면적인 신념이, 다른 사람들에게 대한 철칙이 되도록 자기를 완성하기 위해서는, 정신이 고결(高潔)하고 의지가 굳으며, 시점(視點)이 명확하여야 한다.

〈에머슨〉

로마의 여황제가 보석을 잃고, 다음과 같이 고시(告示)를 내리었다. 「30일 이내에 보석을 발견하고 계출한 자에게는 큰 보수를 주리라. 그러나 30일이 지나도 계출치 않을 때는 사형에 처한다」

유태(猶太)의 학자 『삼웰』이 30일이 지나서 보석을 계출하였다. 「고시가 내린 것을 알면서 어찌하여 늦게 계출하였는가?」라는 질문을 받고 그는 「사형이 두려워서가 아니라, 신(神)이 두려워서 계출한 것이요」라고 대답하였다.

〈톨스토이〉

그대가 받드는 신의 일이 완성되기를 기다리지 말라. 그대의 노력은 헛되지 않으며, 신의 일을 도와 진행시키고 있는 것임을 알라.

25일 이원(二元)

인간은 자기의 본질을 육체적인 것과 정신적인 것으로 구별하여 느끼기도 한다. 육체적인 것으로 느끼는 사람은 자유롭지 못하다. 정신적인 것으로 느끼는 사람에게는 여하한 부자유도 있을 수 없다.

「신에 대한 사랑」이란 무엇일까? 그것은 자기의 내부에서 가장 높은 창조력을 기르기 위한 노력을 가리킨다. 신의 창조력은 만물 속 어디에나 다 숨어 있다. 그러나 이 세상에서의 그 가장 위대한 표현은 인간 속에 있는 것이다.

그 힘이 움직이기 위해서는, 우리는 우선 그것을 알아야 한다. 자기 자신이 가장 훌륭하고 가장 고귀한 것을 만들어낼 수 있는 것임을 모르기 때문에, 인간은 가장 나쁘고 가장 저속한 것을 만들지 않으면 아니된다.

나는 항상 나 자신을 반성하여야 함을 알고 있다. 신(神)은 모든 것을 알고 있다는 것, 그리고 신의 법칙은 변하지 않는다는 것을 알고 있다. 신은 모든 것을 보며 모든 것 속으로 들어갈 수 있으며, 모든 것 속에 존재해 있다는 것을 알고 있다.

신은 모든 것의 내부에 깊이 스며들어가 있다. 마치 햇빛이 어두운 방속에 비쳐들 듯이.

우리는 신의 빛을 반영(反影)하도록 노력하지 않으면 아니된다. 마치 두 개이 악기(樂器)가 서로 공명(共鳴)하듯이.

〈공 자〉

영혼이란 어떤 것인가에 관하여 생각해 보자. 영혼이 육체속에 깃들어 있는 것이라고 생각할 때에는, 그것은 이해하기가 곤란하다. 그러나 영혼을 육체에서 분리해 생각할 때 그것은 이해하기가 쉽다. 영혼은 육체에 밀착된 것이 아니라, 육체를 떠나서 하늘로, 즉 우리의 주 아버지께로 돌아가는 것이다.

〈시세로〉

인간은 육체적 존재로부터 정신적 존재 속으로 얼마만큼 옮길 수 있느냐에 따라서 자유의 정도가 결정된다.

26일 심신(心神)

신을 인식하기란 용이한 일이다. 그러나 신을 배우기란 거의 불가능한 일이다.

인간으로서 발달할 대로 발달된 지혜를 가진 공손한 사람은, 자기의 한계라는 것을 알고 있어서 결코 그 한계에서 벗어나는 일이 없다. 그는 그 한계 안에 있어서 자기의 정신과 창조주에 대한 이해를 발견하는 것이다. 〈룻 소〉

신에 대한 믿음은 본능이다. 이는 두 발로 걸어다니는 능력과 같아서, 인간의 천성 속에 깃들어 있는 것이다. 그것은 사람에 따라서는 변형(變形)되고, 또는 완전히 질식(窒息)된 상태에 놓여있기도 한다. 그러나 그것은 언제나 존재하는 것이며, 동시에 사물을 인식하는 힘의 충실을 위하여 극히 필요한 것이다. 〈리프텐벨그〉

이해하기 곤란하다는 점에서 본다면, 신이 존재한다는 말과 존재하지 않는다는 말은 다 같다.

육체 속에 영혼이 깃들어 있다는 말도, 우리에게는 영혼이 없다는 말과 같게 들린다. 이 세계가 창조된 것이라는 말도, 창조된 것이 아니라는 말과 같게 들리는 것이다. 〈파스칼〉

내 속에 있는 생명이란 양심을 말한다. 양심은 나의 소유가 아니다. 나의 의식에 의한 것이 아니다. 그것을 하고자 할 때, 나타나는 것이다. 그러나 그것이 내 속에 존재할 때, 나와 양심은 동체(同體)이다.

양심이 내 속에 있는 동안, 나는 살아 있는 것이다. 양심은 신(神)이다. 나는 어떤 신이 내 속에 존재하는지 알지 못한다. 나는 양심이 어디서 오는 것인지 알지 못한다. 그러나 그것이 내 속에 있을 때, 나는 그것을 알고 있다.

〈N·N·게에〉

신 속에 살라. 자기 속의 신을 알라. 그리고 신을 말로써 정의(定義)하려 하지 말라.

27일 비판(批判)

타인을 심판함은 죄악이다. 때로 그것은 가장 잔인하며 부정한 것이다. 내가 타인을 심판한다면 그것은 죄악을 범하는 일이 된다. 그는 나를 칭찬하며, 나에게 선을 베풀고 있을지도 모르는 것이다.

가장 일반적인 착오는, 모든 사람이 어떤 일정한 성격을 가진 것이라고 생각하는데에 있다. 즉 착한 사람, 악한 사람, 어진 사람, 어리석은 사람, 격정적(激情的)인 사람, 냉정한 사람 등등으로 분류하는 경향은 착오이다.

인간은 그런 것이 아니다. 우리는 타인을 평하여, 악한 사람이라거나 어진 사람이라거나 판단을 내려서는 아니된다. 이렇게 타인을 한정해 버림은 죄악이다. 〈톨스토이〉

다음과 같은 점을 잘 이해하고, 항상 명심해 두라. 즉 사람은 누구나 항상 자기가 좋다고 생각하는 일을 행하는 것이다. 만일 사실로 그 일이 좋은 것이라면, 그 사람은 옳은 것이다. 허나 만일 그 사람이 그릇되었다면, 그 일은 누구에게보다도 그 자신에게 나쁜 결과를 가져오고 만다. 왜냐하면, 모든 그릇된 일 끝에는 반듯이 고통이 따르기 때문이다.

이 점을 항상 명심하고 있다면, 그대는 누구에게 대해서나, 화를 내거나 짜증을 내지 않을 것이다. 또 누구를 비난하거나 꾸짖거나 하지도 않을 것이며, 누구와 사이가 벌어지지도 않을 것이다. 〈에피크테타스〉

두 사람 사이에 싸움이 벌어졌다면, 그 싸움의 정도 여하를 불문하고, 싸우고 있는 두 사람이 다 옳지 못한 것이다. 어느 한쪽이 나쁘지 않다면, 싸움은 일어나지 않을 것이다. 반들반들한 거울에다 성냥을 그을 수는 없다. 〈세네카〉

누구나 타인을 비난함을 볼 때에는, 서로 그것을 말릴 것을 약속하라. 그러면 살기 좋은 세상이 될 것이다.

28일 근면(勤勉)

태만이 행복의 근원이며, 근로가 죄악이라는 생각은 참으로 기묘하고 위험한 착오라 하겠다.

두뇌가 게을러지지 않기 위하여, 또 목적 없이 헛된 노력을 하지 않기 위하여, 육체적인 노동은 필요한 것이다.

〈톨스토이〉

모든 무위도식하는 무리들에게, 다음과 같은 관념을 가지도록 하여야 한다. 즉 인간의 행복에 없어서는 아니될 조건은, 태만이 아니라 근로라는 점을 인식시켜야 한다.

인간은 일하지 않고는 견딜 수가 없다. 일하지 않으면 개미나 말이나 모든 동물이 다 심심해지듯, 인간도 심심하고 괴롭고 난처하게 되는 것이다. 〈에머슨〉

행복을 얻기 위한 확실한 조건은 노동이다. 노동은 첫째로 자신있게 택한 자유로운 것이라야 한다. 두째로 식욕과 수면을 주는 육체적인 것이라야 한다. 〈헨리·죠지〉

육체노동은 모든 사람의 의무이며 행복이다. 그러나 두뇌나 감정의 노동은 그 일을 사명으로 타고 난 사람들에게만 의무이자 행복이 될 수 있는 것이다. 이러한 사명은 어떤 희생으로서만 이해되며 증명된다. 학자나 예술가는 그 사명에 따르기 위하여, 그 평화와 안태(安泰)를 희생하는 것이다.

〈에머슨〉

아아카디아의 목자의 생활이나, 궁중(宮中)의 연애생활이나, 모두가 어리석고 부자연한 것이었다. 다소 매혹적이었을 지는 모르나 부자연한 것이었음은 틀림 없다.

만족 자체가 만족이 되어있는 곳에는 진정한 만족이 있을 수 없다. 오직 일하는 도중의 휴식——그것만이 건전하고 진정한 만족이다, 〈칸 트〉

정신상태를 건강하게 유지하려면, 피곤할 때까지 일하라. 정신의 건강상태는 흔히 태만으로 인하여 파괴된다.

29일 건강(健康)

병은 인생에 있어서 인간이 가지는 어떤 상태의 하나이다. 즉 인간의 힘이 그가 처해 있는 상태에서 빠져 나오기 위하여 쓰이는게 아니라, 그가 있는 그 상태를 가장 좋은 의미에 있어서 계속해 있도록 하기 위한 상태이다.

우리는 건강할 때에만 신에 대하여 봉사할 수 있는 것이며, 또 타인을 위하여서도 일할 수 있다고 생각한다. 이것은 거짓이다. 사실은 이와는 반대다.

그리스도는 십자가에 못박히어 숨을 거두면서도 자기를 죽이는 자들을 용서함으로써, 신에 대한 가장 훌륭한 봉사를 하였으며, 사람들에게 행복을 계시해 주었던 것이다. 모든 병든 사람도 그와 같이 할 수 있을 것이다.

건강한 상태와 병든 상태와 어느 편이 신과 사람들에 대한 봉사를 하기에 편리한가 하는 것은 결코 말할 수 없는 것이다. 〈톨스토이〉

만약 우리가 사후(死後)의 불멸(不滅)을 다소라도 의심치 않는다면, 모든 병은 공포의 대상이 될 수가 없을 것이다. 즉 병은 인생의 어떤 한 상태에서 다른 상태로 옮겨가는 하나의 조건으로서 인식되는 것이다. 그것은 그가 바라지 않는 상태에서 바라는 상태로 옮겨가는 하나의 과정이라고도 할 수 있다. 〈존·러스킨〉

병자를 간호할 때 죽음이 가까워졌다는 사실을 숨길 것이 아니라, 병자의 본성인 신의 세계로 되돌아오도록 의식을 회복시켜 주는 것이 중요하다. 그러나 그 본성은 죽음에도 회복에도 관계되는 것은 아니다. 〈소크라테스〉

병은 육체적인 힘을 죽이는 한편 정신적인 힘을 해방한다. 정신적인 생활을 하는 인간에게는 병은 차라리 행복을 더욱 크게 해 주는 것이다.

30일 진의(眞意)

무엇 때문에 살고 있는지를 모르고 지낼 수는 없다. 인간이 명백히 하지 않으면 안되는 것은, 이 인생의 제일의의(第一意意) 그것이다.

인생이란 것은 인식을 통해서 열리어지는 것이며, 그것은 언제 어디에서나 열릴 수 있는 것이다. 인생이 우리에게서 감추어진 곳에 있다고 생각함은 우리의 커다란 착오이다.

〈세네카〉

인간은 무엇 때문에 살고 있는지를 알지 못한다. 그러나 우리는 산다는 것이 얼마나 중대한 일인가를 알지 않고 지낼 수는 없다.

큰 공장에서 일하는 노동자는, 자기가 하고 있는 부분적인 일에 대해서 그 목적을 알지 못한다. 그러나 보다 훌륭한 노동자라면, 자기가 하고 있는 일의 목적을 반드시 알고 있을 것이다.

〈존 • 러스킨〉

모든 것이 믿기 어렵고 단명(短命)하게 보이고 변화하기 쉬운 것으로 보일 때에도, 오직 도덕만은 확고한 뿌리를 뻗치고 있다. 어떠한 힘도 이 뿌리를 뽑아버릴 수는 없다.

〈시세로〉

무엇보다도 중요한 것은 인생의 의의를 알고서도 사람이 어떠했으며, 또 현재 어떠한가 하는 점이다.

그런데 학문이 있는 사람이라고 자처하는 인간 중에는 아주 높은 결론에 도달한 것이라고 자랑하는 사람이 있는데, 그 결론에 의하면, 인생에는 아무런 의의도 없다는 것이다.

〈톨스토이〉

모든 존재는 이 세상에 있어서의 자기의 존재이유를 해명하는 기능을 가지고 있다. 인간에게 있어서의 이 기능은 이지이다,

만약 이지가 우리에게 이 세상에서의 우리의 위치와 사명을 표시해 주지 않는다면, 그것은 그대의 이지(理知)와 그 이지에 그대가 준 그릇된 방향의 죄임을 알라.

5월의 장

《에르니 그림》

1일 신념(信念)

높은 법칙(신의 법칙)을 알며, 그것을 완수하기 위하여 노력하는 사람에게는, 아무런 공포도 없다.

「어떠한 일이 일어나더라도 낙심해서는 안된다. 이미 매장되어버린 과거의 일에 애태우지 말라」 그렇게 성자(聖者)들은 말한다.

해야만 할 일을 하라. 할 일을 한 이상은 강력하고 남자답게 되라. 별과 같이 잠자지 말고 쉬는 일 없이. 〈게즈디〉

그 누가 나를 모욕한다면, 그 사람은 그런 성질을 타고난 것이다. 나에게도 나 자신의 성질이 있다. 그것은 자연에서 받은 성질이다. 그러고 나는 자신의 성질에 따라 행동하고 있는 것이다. 〈에머슨〉

무릇 어떠한 슬픔일지라도, 슬픔에 대한 공포보다 더 큰 슬픔은 없다. 〈고오케〉

하지 않으면 안될 줄 알면서 하지 않는 것 그것이 비겁이란 것이다. 〈존 • 러스킨〉

자기가 한 일은 사정 없이 규탄하라. 그러나 절망해서는 아니된다. 〈세네카〉

인간의 사나이다움이 용기나 힘으로 된다고 생각지 말라. 만약 그대가 노여움을 억제할 수 있고 남을 용서할 수 있다면, 그대의 용기나 힘보다도 그것이 훨씬 사나이다운 것이다. 〈페르시아 속담〉

모든 인간은 자기 자신에게 대한 존경을 요구할 수 있다. 그와 마찬가지로, 모든 사람은 그 이웃을 사랑하지 않으면 아니된다. 〈칸 트〉

위해(危害) 속에 있는 죽음보다도, 위해 밖에 있는 죽음을, 우리는 두려워하여야 한다. 〈파스칼〉

육체에다 생활의 기반을 둘 때에, 그대는 두려움을 느끼게 될 것이다. 생활에 대한 의식을 정신에다 둘 때, 모든 공포심은 사라질 것이다.

2일 이론(理論)

사람들은 진리가 나타나더라도, 그 나타나는 방법이 자기들의 마음에 들지 않으면, 결코 그 진리를 승인하려 하지 않는다.

어떤 사람이건 칭찬 받을만한 가치가 있을 때는, 그 칭찬을 부정하지 않도록 조심하라.

그렇지 않으면, 그대는 그 사람이 당연히 가야 할 길에서 옆길로 빗나가게 하여, 그가 필요로 하는 지지와 시인(是認)을 빼앗을 뿐만 아니라, 제자신의 올바른 특권까지를 제거하여, 당연히 보수를 지불해야 할 의무를 이행하지 않게되고마는 것이다.

〈존 • 러스킨〉

남과 싸울 때 성내기 시작하면, 그때는 이미 진리를 위한 싸움이 아니라, 자기를 위한 싸움이 되고 만다. 〈카알라일〉

사람들 사이의 싸움은, 둘이 뚝을 터트리는 것과 흡사하다. 한번 뚝이 터지면, 다시는 도저히 막아낼 수가 없는 것이다.

〈탈무드〉

악덕(惡德)을 범한 사람들을 선도함에는, 그 사람의 결점을 말할 필요는 없다. 말하지 아니해도, 그것은 그들 마음 속에 깊은 인상을 남기고 있는 것이다. 그러므로 그들의 내부에 있는 덕성에 대해서만, 말할 필요가 있는 것이다.

〈루시 • 말로리〉

이론을 말할 때에는, 말투는 얌전하게, 그러나 논지는 확실하게 진술하도록 노력하라.

상대방을 노하게 하지 말라. 설복시킴이 이론의 목적임을 잊지 말라.

〈위리킨스〉

그대가 진리를 터득하고 있으며, 또는 진리를 깨닫고 있을 뿐이라고 생각될 때라도, 그것을 가장 단순한 방법으로, 상대방의 의견을 공격하지 않는 방법으로, 남에게 전하도록 하라.

3일 학예(學藝)

우리의 사명과 행복이 어디에 있다고 생각하든, 과학은 이 문제에 대한 연구이어야 하며, 예술은 그 연구의 표현이 되지 않으면 아니된다.

현인은 알기 위해서 배운다. 우매한 자는 타인에게 알려지기 위해서 배운다. 〈석 가〉

도덕적 완성에 도달하기 위해서는, 무엇보다도 먼저 정신이 결백하도록 마음을 써야 한다.

정신의 결백은 마음이 진실하기를 요구하며, 의지가 신성을 향하여 나아갈 때에 얻을 수 있다. 이는 그가 참된 지식을 가지고 있는지 없는지에 달려 있다. 〈공 자〉

죄악은 어떻게 하면 알 수 있느냐 묻거든, 자기의 진실된 마음을 알으켜 준 것에 의하여 알 수 있는 것이라고 대답하라.
〈페르시아 성언〉

자기 자신을 위한 학문을 할 때, 그 학문은 소득이 있다. 타인에게 학자라는 자랑을 하기 위하여 할 때에는 아무리 박식하더라도, 그 학문은 소용이 없다. 〈공 자〉

현재 우리들이 과학이니 예술이니 부르고 있는 것은, 유한적인 두뇌나 감정의 소산에 불과한 것이다. 유한적인 두뇌나 감정의 기분전환을 목적 삼고 있기 때문이다.

이같은 과학이나 예술은, 민중에게 있어서 불가해(不可解)한 것이며, 아무것도 주지 못한다. 그 속에서는 민중에게 대한 행복의 지표 같은 것을 결코 찾아볼 수가 없다. 〈톨스토이〉

인간에 있어서의 모든 인간의 목적은 동일하다. 그것은 선에 있어서 완전하려는 이념이다. 그러므로 오직 그같은 이념을 향하여 인도해 주는 지식만이 우리에게 필요한 것이다.

4일 언어(言語)

말로 표현된 모든 사상은 그 힘이 크다. 그 영향에는 한계가 없다.

좋은 범례가 우리에게 이로운 것과 같이, 어떤 사람의 심중에서 나온 교훈도 유익하다. 〈세네카〉

그대가 품고 있는 사상, 또는 그대의 행위가 결국은 선 혹은 악을 행하는 그대의 능력이 되는 것이다.

그것은 성장 발전하여 선 또는 악을 싹트게 한 사람에게로 돌아간다. 〈루시 · 말로리〉

말은 뿌려 놓은 씨와 같은 것이어서, 사물을 계시하는 것이다. 이 점을 우리는 너무나 잊어버리고 있다. 하나 하나의 말의 결과는 측량할 수 없는 영향력을 가진다. 언어가 가진 의의는 참으로 깊다.

그러나 우리는 어리석다. 왜냐하면 우리는 육체적 존재이기 때문이다. 우리는 길거리의 돌이나나무를 볼 수 있다. 물질적인 것은 무엇이나 다 볼 수 있다.

그러나 우리는 눈에 보이지 않는 사상의 부피를 알아내지 못한다. 그것은 공중에 가득차 있으며, 우리의 주위에 떠돌고 있는 것이다. 〈아미엘〉

사상은 합법적인 인생의 힘이다. 그것은 인간의 내부에 싹트는 것이며, 그 내용 여하에 따라서 저주를 받기도 하며, 혜택을 받을 수 있는 결과를 초래하기도 한다. 〈톨스토이〉

사상의 영향력은 도덕적인 방향타(方向舵)에 의함으로써 위대하고 확고하게 되는 것이다. 〈세네카〉

친근한 사람들의 사상을 섭취하도록 노력하라. 그러나 그대가 보다 나은 사상으로서 보답할 수 없다면, 적어도 애매모호한 까닭으로 거짓된 사상을 퍼뜨리지 않도록 삼가야 한다.

5일 교육(教育)

정의는 어디서나 찾아볼 수 있다. 그러나 특히 교육 여하에 따라서 그 정의의 질의 고하가 결정된다.

칸트의 사고나 리프텐벨그의 사고는, 동일한 것이다. 아이들에게는 그들이 자란 후에 어떠한 것이라도 첨가할 필요가 없을 정도로 잘 이해할 수 있는 것만을 가르치라는 것이 그들의 사상이다. 〈톨스토이〉

항상 행동을 바르게 가져라. 특히 아이들 앞에서 바르게 가져라. 아이들에게 약속한 일은 무슨 일이 있더라도 지켜야 한다. 그렇지 않으면 결국 아이들에게 허위를 가르치는 결과 밖에 아니된다. 〈탈무드〉

어디서나 흔히 볼 수 있는 일로 전세대의 믿을 수 없는 미신에 그 무슨 근거라도 있는 양 아이들에게 가르치는 것은 옳지 못한 일이다. 그러한 가르침을 받은 아이들은 명확하지 못한 흐리멍텅한 지식으로 인하여, 잘 모르는 것까지도 아는체 하게 된다. 〈리프텐벨그〉

교육의 기초는 종교적 신념이다. 즉 인생의 의의와 사명을 명확하게 가르치는 사상적 태도이다. 〈톨스토이〉

우리가 유년시절에 너무 일찌기 그리고 너무 많은 것을 배운 것은, 자라서 아무런 도움도 되지 않는 것이다. 그리고 자기의 지식이 확고한 것인 양 꾸미는 사람은, 결국 유년시절의 착오에 대한 궤변자로 타락하고 말게 되는 것이다. 〈칸 트〉

그대가 옳다고 믿지도 않으며, 확고한 근거를 가졌다고도 보지 않는 지식을, 신성하고 반대할 수 없는 진리라고 아이들에게 말하는 일이 있어서는 아니된다. 더우기 그렇게 가르침은 큰 죄악이다. 어린이의 교육에 있어서는 확실한 것만을 가르치도록 하라.

6일 지각(知覺)

우리는 우리의 영혼 속의 죽음에 속하지 않는 그 무엇이 존재함을 인정하고 있다.

세계가 존재하기 시작한 것은 이지(理知)가 그 모체였던 것이다. 그 모체를 알며 자기가 그 아들임을 자각하는 사람은, 모든 위험에서 벗어날 수 있다. 인생의 종국(終局)에 있어서, 입을 닫고 감정의 문을 닫는 자는, 어떠한 불안도 느끼지 않는다.

〈노 자〉

창 앞을 지나가는 사람의 모습이 나의 시야에서 빠르게 사라지건 느리게 사라지건, 마찬가지 사실이 아니냐고 생각한다. 그가 내 눈에 보이고 있을 동안 존재하고 있음을 알며, 내 눈에서 사라진 후에도 존재하고 있음을 나는 안다. 그것은 추호도 의심할 수 없는 사실이다.

〈톨스토이〉

인간은 신(神)의 그 어떤 속성(屬性)으로 태어나서 이 세상을 살아 나간다. 신 없이 인간은 여하한 의의도 가질 수 없다.

그렇기 때문에 인간은 멸망하지 않는다. 우리가 불가시적(不可視的) 존재는 될지라도 결코 멸망하지는 않는 것이다.

〈칸 트〉

신은 영원한 인생이며, 무한한 시간과 공간 속에 편재하는 우주적인 존재이다. 신은 존재하는 것의 전부이며 신 없이는 다른 여하한 생명체도 존재할 수가 없다.

모든 것은 신 속에 존재하며, 신 밖에서는 존재할 수가 없다. 만물의 생명은 불가시적(不可視的)인 신에게서 생겨난 것이며, 죽음으로써 끝나는 것이 아니다. 죽음에 의하여 신의 영원성에 참가하는 것이다.

〈안판탄〉

생명은 불멸이다. 그것은 시간과 공간을 초월한다. 죽음은 이 세계에 있어서의 생의 변형일 따름이다.

7일 자득(自得)

자기 자신을 떠나서 행복을 찾으려하는 사람은 그릇된 사람이다. 현재나 미래의 생활에 있어서, 행복은 자기 자신 속에서 찾지 않으면 아니된다.

그대의 육체는 하나의 왕국이다. 거기에는 선과 악이 충만되어 있다. 그대는 그 왕국의 군주, 그대의 의지는 그 왕국의 수상(首相)이다. 〈세이프 · 무르크〉

우리는 자기 자신에게서 구원을 받으며, 또한 자기 자신으로 인하여 멸망을 당한다. 외부적인 것은 무엇이나 인간에게 대한 악(惡)의 원인이 될 수가 없다.

그가 자기 존재의 법칙에 따라서 살고 있다면, 가령 물질계가 파괴되고 이 세계가 파멸에 빠진다 하더라도, 그는 결코 악으로 타락하는 일이 없을 것이다. 〈루시 · 말로리〉

그대 자신이 죄악을 생각하고 범하기도 하며, 또한 그대 자신이 죄악을 꺼리고 회피하여 깨끗한 삶을 살기도 하는 것이다. 죄악 또는 청백(淸白)은 그대 자신에 의하여 결정된다. 그대 자신 이외에 그대를 구원할 사람은 아무도 없다. 〈쟈마파다〉

나는 나를 인도해줄 광명을 찾아서, 이 지상을 방황하였다. 낮이나 밤이나 쉴새 없이 돌아다니었다. 그리하여 마침내 모든 진리를 계시해주는 가르침을 만날 수 있었다.

나는 나 자신의 마음 속을 다시 들여다 살펴본 것이다. 내가 바라고 있던 광명은, 바로 나 자신 속에 숨어 있었던 것이다. 〈페르시아 우화〉

운명에 우연은 없다. 인간은 어떤 운명에 마주치기 전에, 자기 자신이 그 운명을 만들어내는 것이다. 〈위리멘〉

자기 자신의 노력 이외의 것에서 구원과 행복을 얻으려고 할 때만큼, 인간의 마음이 연약해지는 때는 없다.

8일 공순(恭順)

공순은 사랑을 불러 일으킨다. 선(善)을 동반한 공순은, 이 세상에서 가장 사람의 마음을 이끄는 것이지만 제 힘으로 찾지 않으면 안된다. 저절로 나타나는 것은 아니기 때문이다.

어떤 때 그들 사이에 누가 가장 크냐 하는 문제때문에 싸움이 벌어졌다. 『그리스도』는 말하였다. 「군주는 사람들을 지배하고 소유자는 은주(恩主)라 불리우고 있다. 그러나 그대들은 그렇지 않다. 큰 자는 작은 자와 같이 하라. 위에 서는 자는 섬기는 자와 같이 하라. 왜냐하면 가장 큰 자는 섬기는 자이기 때문이다. 그리고 나는 그대들을 섬기는 자로서 있는 것이다.」

〈성 서〉

물의 흐름이, 제 마음대로 흐르기 위하여 골짜기 전부를 지배하려면, 물은 그 골짜기보다 낮게 될 필요가 있다. 마찬가지로 성자가 사람들보다 높게 처하려면, 말에 있어서 겸손해야 한다.

사람들을 인도하려면, 사람들의 앞에서가 아니라, 뒤로부터 하지 않으면 아니된다. 그러므로 성자는 사람들보다 높은 곳에 있더라도, 사람들은 그것을 느끼지 않는다. 실은 자기들 보다 훨씬 앞서 있는 것이지만, 사람들은 그것을 거북하게 생각지 않는다. 성자는 누구하고도 다투지 아니하므로 이 세상의 아무도 그와 다투지 않는다.

〈노 자〉

기독교를 신봉하는 사람에게 대해서는 그 모든 완성의 단계가 한층 더 높은 단계로 올라갈 것을 요구한다. 그 단계로 올라가면, 다시 한층 더 높은 단계가 열리어 온다. 기독교를 신봉하는 사람은 자기의 불완전을 느낀다. 자기가 걸어온 길을 뒤돌아 보지 않고, 앞으로 가야 할 길만을 바라보는 것이다.

〈톨스토이〉

자기 자신을 판단하지 말라. 더욱이 남과 비교하지 말라. 자기 자신은 오직 「완성」 그것과만 비교하라.

9일 개과(改過)

인생은 끊임없는 변화이다. 즉 육체적 근력은 약해지고 정신적 생활은 커가는 변화이다.

우리들 속에 빛이 비쳐옴에 따라서, 우리는 그 이전에 생각하고 있었던 것보다 자기 자신이 옹졸한 것임을 알게된다. 빛이 비쳐옴에 따라서 자기가 그 이전에 얼마나 맹목적 이었던가에 대하여 놀라게 된다. 그리하여 진심으로 부끄러운 감정이 물밀듯 솟아 오름을 안다.

우리는 자기 속에 이같은 것이 숨어 있으리라고는 꿈에도 생각지 못했던 것이다. 그러기 때문에 우리는 공포감을 가지고 그것을 보게 된다. 그러나 놀랄 필요는 없다. 절망할 필요도 없다. 우리는 그 이전보다 이미 나아진 것이다. 〈페느론〉

무엇보다도 우선 어리석은 사상에서 벗어남이 필요하다. 신(神)은 시간이 경과됨에 따라, 우리의 큰 과오를 바르게 인도해 줄 것이다. 그러나 스스로 자연의 법칙을 깨달으면 그 흐름에 따라 작은 과오부터 없애버리도록 함으로써 그렇게 되는 것이다.

자기는 아무렇게나 식사준비를 해놓고서 신께서 좋은 맛을 넣어 주기를 기다려서는 아니된다. 어리석은 일생을 그나마 허위로서 보내면서, 신께서 은혜를 베풀어 자기를 바로잡아 주시고 모든 것을 바로잡아 주실 때를 기다려서는 아니된다.

〈존 · 러스킨〉

어디에 있을지라도 항상 선을 향하여 모든 힘을 경주하라. 이윽고 신께서 우리들 모두를 하나로 결합시킬 날이 올 것이다. 〈코 란〉

자기완성의 도상에 있어서 결코 멈춰 서서는 아니된다. 만일 그때 자기의 마음보다도 외부적인 세계에 대하여 더 흥미를 느끼게 되는 일이 있다면, 바로 그때 그대는 걸음을 멈추고 서 있는 것이라 생각하라. 세계는 그대 곁을 스쳐서 지나간다.

10일 실존(實存)

참으로 존재하는 것은 정신적인 것 뿐이다. 모든 육체적인 것은, 그저 눈에 보일 따름이다.

인간은 두 가지 생활을 영위할 수 있다. 진정한 내면적인 생활과, 허위적이며 시각적(視覺的)인 외면적인 생활이 그것이다.

내면적인 생활이란 사람이 이미 인상(印象)속에서만 생활하지 아니하고, 모든 것을 통하여 하나의 항구, 하나의 해안(海岸)을, 즉 신을 봄을 의미한다.

그리고 신의 이름으로 주어진 자기의 재능을 일하는데 쓰도록 노력하며, 그 일을 완수하며, 그 일을 땅에 매장해 버리는 일이 없이, 인생은 자기 자신의 만족을 위해서 주어진 것이 아님을 안다는 것을 의미한다. 〈고골리〉

의무는 현실세계의 실상태를 느낄 것을 우리에게 강요하는 그러한 성질을 갖고 있다. 그리고 동시에 거기서부터 우리를 떼어 놓으려 하는 것이다. 〈아미엘〉

진실로 실재하는 것은 다만 눈에 보이지 않는 것, 만질 수 없는 것, 정신적인 것, 그리고 우리가 우리의 내부에 스스로 인식할 수 있는 것 뿐이다.

눈에 보이는 모든 것, 손에 만질 수 있는 모든 것은, 우리 감각의 산물이며, 그렇기 때문에 다만 겉껍데기만 있는 것이다. 〈존・러스킨〉

정말 배우지 않으면 안될 대상물은 하나밖에 없다. 그것은 정신이다. 정신의 여러 양상과 그 변화에 대해서이다. 모든 다른 대상물은 이와 연결되는 가지와 같은 것이다. 모든 다른 학문도 이와 연결되는 가지이다. 〈아미엘〉

사물의 극단은 일치한다. 우리에게는 항상 가장 명료한 것, 가장 이해하기 쉬운 것, 가장 실재적인 것은 모두 육체적인 것이며 우리 감각으로 알 수 있는 것이라 생각되고 있다. 그러나 이런 것은 모두다 가장 명료하지 못하며, 가장 이해하기 어려우며 가장 모순이 많은 것이다.

11일 탐구(探求)

이상은 우리로부터 아주 멀리 떨어진 곳에 서 있어서, 우리의 생활이 여러 모로 다른 것이라 할지라도, 같은 하나의 이상이 우리들 모두의 앞에 서 있는 것이라고 말할 수 있다.

이상을 갖지 않은 인간은 현실적인 것에 만족한다. 그는 현실과 투쟁하지 않는다. 현실은 그에게 있어서 정의와 행복과 미의 동의어이다.

그러나 어찌하여 신의 광명이 온전히 넘쳐 흐르지 못하고 있는가? 그것은 이후도 넘쳐흐르는 것이기 때문이다.

〈아미엘〉

어떤 개인을 대함과 같이, 민족에 대해서도 모든 완성된 것을 향해 움직이는 힘은, 있는 그것에 대한 지식이 아니라, 있을 수 있는 그것에 대한 사색이다. 〈마르치노〉

「하나님이신 아버지의 완전하심과 같이, 그렇게 완전하라」

신과 같은 완전 곧 가장 높은 선에 있어서의 완전은 모든 인간의 앞에 서 있는 이상이다. 〈죤·러스킨〉

민족은 이미 그 신(神)이 소멸했을 때에만 멸망할 수 있다. 즉 그 도덕상의 이상은 보다 나은 것으로 향하는 노력이 소멸할 때에만 멸망할 수 있다. 〈탈무드〉

그대가 신앙을 가지고 있지 않음을 깨달았을 때, 그때는 이 세상에 있어서 인간이 빠질 수 있는 가장 위험한 상태에 있음을 알라. 〈에머슨〉

모든 다른 것은, 하루 아침에 소멸되도록 운명지워진 것처럼, 죽어 없어지고 말 것이다. 진리는 이 세상의 기초에 존재하며, 그 종국까지 존재해 있을 것이다. 〈카알라일〉

인간이 타락할지라도, 언제나 자기가 그것을 향해 걸어가며 또 걸어가야 할 이상은 볼 수 있다.

12일 착오(錯誤)

인생에 있어서의 가장 큰 착오는 육체적 생활이 시간마다 죽음으로 가까와지고 있다는 사실을 잊어 버리고 있는 그것이다. 사람들이 젊으면 젊을수록 이 착오의 짐은 크다.

마치 쇠사슬에라도 결박되어 있는 것 같은 많은 사람들의 경우를 생각해 보라. 그들은 모두 죽음 앞으로 가까이 다가가고 있는 것이다. 그리고 매일 그들의 일부는 다른 사람들의 눈 앞에서 죽어가고 있는 것이다.

자기들의 차례를 기다리면서, 뒤에 남은 사람들은 자기의 운명을 똑바로 보고 있는 것이다. 많은 사람들의 생활이 대개 이러한 것이다. 〈파스칼〉

인간은 주먹을 쥐고 이 세상에 태어난다. 그것은 마치 「이 세계는 내 것이다」라고 말하는 것과도 같다.

그리고 이 세상에서 떠날 때 그는 주먹을 벌린다. 그것은 마치 「나는 아무것도 안 가지고 가네」 하는 것과도 같다.

〈탈무드〉

육체나 두뇌가 건전하며 자신이 있을 때에는, 우리는 여러 사람들과의 귀찮은 관계에도 마음을 쓰며, 하잘 것 없는 괴로움에도 머리를 쓴다. 그리고 신(神)을 생각지 않는다.

우리는 이미 건전한 건강도 두뇌도 가질 수 없게 되었음을 이성이 인정하게 되었을 때에, 비로소 신에 대하여 생각하는 것이, 예의가 되고 습관이 된 모양이다. 〈라·부류이엘〉

다른 장면에 있어서는 아무리 아름다운 희극일지라도, 마지막 장면에서는 반드시 피가 흐를 것이다.

우리가 머리에 흙을 쓰게 되는 것은 최후의 날이다. 그리고 그것은 언제 닥쳐올는지 모르는 것이다.」 〈파스칼〉

우리는 이 세상에 살아 있는 것이 아니라, 이 세상을 지나가고 있을 뿐이라는 것을 기억하라.

13일 의문(疑問)

모든 사람에게 있어서, 인생과 죽음의 의의에 대한 자신의 의문에 결정을 버리는 것이 가장 필요하다.

영혼은 배워서 알 것이 아니다. 영혼은 오직(배워서가 아니라), 자신이 알고 있는 것만을 항상 알고 있다.

〈다우드 · L · 가필〉

정치상의 승리, 수입의 증가, 병자의 회복, 오래 만나지 못했던 친구와의 재회, 이러한 일이 있으면 행복감이 마음을 기쁘게 하여, 자기에게 좋은 날이 왔다고 생각하게 된다.

그러나 그런 것은 믿지 말라. 자기 자신을 제외하고는 아무것도 평화를 가져오지 못한다. 〈에머슨〉

정신의 사명에 관한 그대의 많은 의무의 해답을, 외부세계에서 찾더라도 소용이 없을 것이다.

그대의 여러 가지 의문에 대한 대답은, 그대 자신속에서 찾아낼 수 있다. 그러나 그것은 초보적인 형식에 있어서만 그러하다.

그대는 그 해답을, 생활의 조화 속에 성장시키지 않으면 아니된다. 이것이 예지(叡智)에 대한 유일한 길이다.

〈루시 · 말로리〉

지혜 깊은 사람은 모든 것 속에서 자기 자신에 대한 도움을 발견한다. 왜냐하면 그의 선물이란 것은 모든 사람과 자기 자신에게서 선을 이끌어내는 그 속에 성립되기 때문이다.

〈존 · 러스킨〉

동지를 찾아 헤매는 사람에게 슬픔이 있으라. 남을 찾아 헤매는 사람에게는, 자기 자신도 자기의 동지가 될 수 없는 것이다. 〈토 로〉

생과 사에 대한 문제의 해답을, 자기 이전에 살아있던 지혜로운 사람들에게서 얻는다 할지라도, 그 모든 해답의 선택과 인정은, 그 사람 자신에게 달려있는 것이다.

14일 자주(自主)

신(神)의 정신을 인식함은, 이 세상의 모든 불행에 대하여 공포를 품는 일이 없도록 하는 그것이다.

영혼은 모든 것을 알고 있다. 어떠한 새로운 사건도 영혼을 놀라게 할 수는 없다. 영혼보다 위대한 것은 아무것도 없다. 영혼은 그 자체의 왕국에 살고 있는 것이며, 모든 공간보다 넓고 모든 시간 보다 오랜 것이다. 〈에머슨〉

무엇을 하든, 못된 인간은 그대를 해칠 수 없는 것이라 생각하라. 누가 무엇이라 하더라도 아무도 그대의 정신을 해칠 수는 없다. 무엇을 난처해하는가? 〈에피크테타스〉

이 세상의 모든 물질은, 나에게 속한 것이다. 그것을 만들어내거나 파괴하거나 다 내 마음에 달려 있다.

이 세상은 한낱 껍데기에 지나지 못하며, 나는 그 알맹이다. 나는 흙덩이가 아니다.

신(神)을 섬기고 살라. 이성(理性)은 「어떻게 하여」 또 「어째서」라고 묻는다. 사랑은 모든 것을 신(神) 속에서 생각한다. 〈페르시아 성언〉

신은 모든 인간들 속에 살아 있다. 그러나 모든 인간이 당신 속에 살아 있을 수는 없다. 램프가 불없이는 켜질 수 없는 것 처럼, 인간은 신 없이는 생활할 수 없다. 〈바라문의 교전〉

육안(肉眼)이 아니라 심안(心眼)을 가지고, 참된 자기를 바라보라.

자기 자신을 알지 못하는 자가 어찌 신을 알 수 있을 것인가? 참된 자기인식은 신을 아는 길이다. 〈세네카〉

아무도 그리고 아무 것도 두려워하지 말라. 그대 속에 있는 가장 귀중한 것은, 누구 때문에도 또 무엇에 의해서도 괴로움을 받지 않는다.

15일 진가(眞假)

진리는 언제나 행복을 준다.

외부로부터 주입된 진리는 다만 우리의 외면에 붙어 있을 따름이다. 그것은 인공적인 늑골이나 의치나 또는 다른 살로 만든 융비술(隆鼻術)의 코와도 같은 것이다.

자기 자신의 사색으로써 얻은 진리는, 우리의 참된 늑골이다. 오직 그것만이 실제에 있어서 우리에게 속하고 있다.

〈쇼펜하우엘〉

진리에 배반되는 모든 의견은, 다만 진리를 어둡게 할 따름이다. 그러나 그것은 진리와 충돌하면 거품과 같이 꺼지고 만다.

참된 진리는 모든 것을 청산하고, 자기의 참된 힘을 밀접하게 결합시키어, 가장 강한 힘을 발휘하게 하는 것이다. 이것은 언제나 그러했다.

모든 세계를 남김 없이 보라. 그러나 그 눈은 빛을 두려워하는 올빼미의 눈이 되어서는 안된다. 그때에 그대는 진리만이 영원히 살아 있으며 번영하는 것임을 알 것이다.

〈카알라일〉

어떠한 비웃음도, 결코 진리를 손상할 수는 없다. 그러나 진리의 성장은 비웃음 때문에 정지되는 수가 있다.

〈루시·말로리〉

인간에게 있어서 진리가 자기를 설복함을 두려워 하는 것보다 더 불행한 일은 없다. 〈파스칼〉

착오로 인도하는 길은 몇천 갈래 있다. 그러나 진리로 인도하는 길은 단 하나 밖에 없다. 〈룻 소〉

진실을 회피해도 좋은 경우가 있다고 생각하는 것은 아주 일반적인 착오이다.

어떤 일의 결과로서의 내면적 또는 외면적인 가장 작은 허위일지라도, 진실을 밝히기 위해서 생기는 불쾌나 염오에 비교한다면, 몇배나 더해로운 것이다.

16일 인류(人類)

어떠한 경우에 있어서도 종교 없이 인류는 생존하지 못하며 또 생존할 수 없는 것이다.

모든 종교의 본질은, 다만 다음의 의문에 대한 해답 속에만 성립된다. 즉 무엇 때문에 나는 살아 있는가. 나의 주위에 있는 무한한 세계와 나의 관계는 어떤 것인가, 거기에 대한 해답 속에서만 성립된다.

가장 높은 종교로부터 가장 원시적인 종교에 이르기까지 그 구성의 기초에, 인간의 주위에 있는 세계 혹은 인간의 제일원인(第一原因)에 대한 관계를 포함하지 않은 여하한 종교도 있을 수 없다. 〈마드지니〉

종교를 갖지 않는 인간에게는, 세계에 대한 어떤 관계도 있을 수 없다. 그것은 심장이 없는 인간이 살 수 없듯이 불가능한 일이다.

인간은 자기에게 종교가 있음을 의식하지 않을지도 모른다. 마치 인간이 자기에게 심장이 있음을 의식하지 못하는 때가 있듯이 그러나 종교를 갖지 않는 인간은, 심장을 갖지 않는 인간과 같이 생존하지 못하는 것이다. 〈에머슨〉

그릇된 신념 때문에 생명까지도 희생하는 사람을 가끔 볼 수 있다. 예를 들면 결투라든지 자살 등이다.

그러나 참된 진리를 위하여 목숨을 버리는 사람은 극히 드물다. 그 원인은 발작이나 충동 때문에 확고한 신앙이 없어 목숨을 내놓기는 쉬우나, 진리를 위하여 목숨을 버릴 수 있을 만큼, 확고한 신앙을 갖게 된다는 것이 아주 어려운 일이기 때문이다. 〈톨스토이〉

만일 어떤 사람이 불행하다면, 그 원인은 신앙의 결핍에 있는 것이지 다른데 있는 것은 아니다. 사회 일반에 대해서도 역시 그와 같다고 할 수 있다.

17일 비난(非難)

성(聖)「프란치스」의 말에 의하면, 완전한 기쁨이란 이치에 닿지 않은 비방을 참고 견딘다는 것, 그 때문에 겪어야 할 육체적인 고통을 참고 견딘다는 것, 그리고 그 비방과 고통의 원인에 대해서 대적하지 않는다는 것이다.

그것은 사람들의 악이나 자기의 고통이 파괴하지 못하는 참된 신앙과 사랑을 의식하는 기쁨이다.

사람들과 이야기할 때, 그 사람들로부터 칭찬이나 달콤한 말을 기대하여서는 아니된다.

그 반대로 그대에게 대한 비난이나 경멸이나 싫은 의견을, 항상 기다릴 수 있게끔 그대 자신을 훈련하라. 〈톨스토이〉

남들이 비방하고 욕할 때, 기뻐하라. 반대로 남들이 칭찬할 때 슬퍼하라. 〈시세로〉

남에게 바보라는 멸시의 말을 듣는 것은, 선(善)의 훌륭한 나타남이다. 〈석 가〉

착한 일을 하고 사람들에게서 비방을 받을 때, 그대에게는 무엇보다도 행복된 때이다. 〈오레리아스〉

타인이 그대를 우러러 보기를 목적으로 하는 선(善)은 베풀지 말라. 그런 선에 대해서 신은 그대를 돌보지 않으실 것이다. 〈성 서〉

이름도 없고 남들이 자기의 행위를 이해하여주는 일도 없으나, 그것을 슬퍼하지 않는 사람이 정말 덕이 높은 사람이다. 〈공 자〉

어떤 행위를 미친 짓이라 하여 비난 공격하는 것은 옳지 못한 일이다. 나쁜 행위를 하면서도, 그것이 신과 인인(隣人)에게 대한 참된 사랑의 표현이라 생각하며, 또 그것이 사랑이 되기를 원하는 경우가 있기 때문이다. 그러므로 덮어놓고 비난 공격 해서는 아니된다.

18일 근원(根源)

신께 속하는 정신의 근원을 의식함은, 우리에게 큰 힘을 주는 것이다.

사람은 힘찬 존재이다. 자기의 정신력을 알며, 또 자기 이외의 것으로부터 어떤 힘을 얻고자 할 때에, 인간은 힘을 잃는다는 것을 아는 사람——육체를 통어하여 정신을 참된 지배자로 하려는 사람은, 진실한 길을 걸으며, 기적을 행하는 사람이다. 그는 자기 발로 딛고 서서 넘어지지 않는 사람이다.

〈에머슨〉

그대가 신과 더불어 있을 때, 누가 그대에게 악한 일을 할 수 있을 것인가? 누가 그대보다도 힘이 강할 것인가? 그리하여 그대는 신과 더불어 있을 수 있게 되는 것이다.

〈톨스토이〉

우리가 그것을 알고 있는가, 또는 알려고 하면 알 수 있을 것인가 하는 것은 어느쪽이나 다 마찬가지다.

그러나 인간의 정신과 양심은 다 신께 속한다는 것, 악을 부정하고 선을 인정함에 있어서, 인간 자신이 신의 구체화로서 나타난다는 것, 인간의 기쁨은 사랑에 있으며 인간의 고통은 분노에 있다는 것, 인간의 괴로움은 부정이 나타날 때에 일어나며, 인간의 행복은 자기희생에 있다는 것——이러한 사람들은 인간이 지상의 신과 결합되어 있다는데 대한 영원하고 의심할 수 없는 증명이 되는 것이다. 〈존·러스킨〉

어떻게 하여 신을 알고 있느냐, 그대에게 묻는 사람이 있거든, 신은 내 마음 속에 있기 때문이라고 대답하라. 만일 신이 인간의 마음 속에 있다는 것이 진실한 것이 아니라면, 인간은 힘이 없게 될 것이다. 〈세네카〉

자기의 정신이 신께 속함을 의식하며 그 의식 속에 살고 있는 사람은, 자기 행복을 위하여 원하는 것은 다 이룰 수 있는 사람이다.

19일 섭리(攝理)

신의 법칙은 모든 종교속에 표현되어 있다.

신의 의심할 수 없는 하나의 나타남은, 선의 법칙이다. 그것은 이 세상에 존재하는 것이며, 인간이 자기 자신 속에서 느끼는 것이며, 그리고 그것을 의식 함으로써 인간은 다른 사람들과 의식적으로 혹은 무의식적으로 결합하는 것이다.

〈톨스토이〉

인간이 상업·계약·전쟁·과학·예술 등 일에 종사하고 있음은 다만 그렇게 보일 따름이다. 인간에게는 단 하나만이 중요하며, 또 오직 그 하나만을 행하고 있는 것이다. 즉 인간은 자기 자신이 지켜야 할 도덕상 임무를 확실하게 하며, 또 그렇게 함으로써만 생존하는 것이다.

그 도덕상 임무를 확실하게 한다는 것은 다만 중요할 뿐만 아니라, 모든 인간에게 있어서 오직 하나의 임무로 되는 것이다. 〈시세로〉

그대 의지의 규범이 항상 변함없이, 인간 일반의 입법의 근원에 복종하도록 행위하라. 〈칸 트〉

어떤 성자를 향하여 사람들이 묻기를, 「자기의 행복을 위하여 일평생을 내걸만한 규범이 있겠습니까」하였다. 성자가 대답하기를,

「있다. 그 규범의 뜻은 다음과 같다. 즉 자기가 바라지 않는바를, 타인에게 바라지말라는 그것이다」 〈공 자〉

자기 자신의 의무를 다하라. 그리고 그 결과는 그대에게 의무를 과한 신께 맡기라. 〈탈무드〉

사람들과 상종할 때마다 상호부조(相互扶助)의 규칙을 생각하라. 타인이 나에게 해주듯, 내가 하고자 하는 것을 타인에게 행할 것을 생각하라. 그러면 나중에는 그것이 습관이 될 것이다.

20일 맹목(盲目)

동물적인 존재로서의 인간에게, 「자유」란 말은 있을 수 없다. 그 사람의 생활의 전부는 다만 「원인」의 계속 속에 조건지어져 있다.

그러나 정신적인 실재로서 자기 자신을 알고 있는 사람에게 「부자유」라는 말은 있을 수 없다. 「부자유」를 느낀다는 것은, 이지나 사랑이나 양심으로서는 불가능한 일이다.

다음의 것을 명심하라. 즉 인생에 있어서 그대의 자유를 육욕의 봉사에만 쓰지 않는다면, 그대는 이지의 빛을 얻게 되며, 그 빛을 흐리게 하는 정욕에서 벗어난 정신은, 참으로 강한 것이 될 것이다. 또한

그 이상으로 신뢰할만하며, 또한 악에서 벗어나는 길은 달리 없을 것이다.

이런 사실을 모르는 자는 장님이며, 알면서 실행하지 않는 자는 불행한 인간이다. 〈오레리아스〉

자유로운 인간이란 자기에게 있을 수 있는 것을 바라며, 그것과 동감할 수 있는 방법을 배우는 사람이다. 인간에게 일어나는 모든 일은, 다만 세계를 인도하고 계신 신의 의지에 의하기 때문이다. 〈에피크테타스〉

높은 덕성을 갖는다는 것은, 자유로운 정신을 갖는다는 것을 의미한다.

끊임없이 화를 내며 언제나 무엇을 두려워하며, 정욕에 사로잡혀 있는 사람은, 자유로운 정신을 가질 수 없다.

자기 자신에게 전심하지 못하는 사람, 무슨 일이나 골몰하지 못하는 사람은 보아도 보지 못하는 사람이며, 들어도 듣지 못하는 사람이며, 먹어도 맛을 모르는 사람이다.

〈공 자〉

자유가 없다고 하는 사람은, 색채가 없다고 말하는 장님과도 같다. 그들은 그 안에서 자유로울 수 있는 세계를 깨달아 갖지 못하는 자들이다.

21일 일선(一善)
선을 믿기 위해서는 선을 행하지 않으면 아니된다.

지나가는 하루 하루를 선한 행동으로써 장식하라.
〈시세로〉

하루의 생활을 다음과 같은 일로써 시작함은, 무엇보다도 좋은 일이다. 즉 눈을 떴을 때, 오늘은 단 한 사람에게라도 좋으니, 그가 기뻐할만한 무슨 일을 할 수 없을까 그렇게 생각하란 말이다. 〈니이체〉

선은 우리의 의무이다. 선에 대한 의지가 어떻게 실현되는가를 살펴보는 사람은, 마침내 선을 행한 사람을 진정으로 사랑할 수 있게 된다.
「너 자신을 사랑하듯 이웃을 사랑하라」고 한 말씀은 처음 그대가 그를 사랑하고 그런 다음에, 그 사랑의 결과로서 그 사람에게 선을 행해야 한다는 것이다. 그러한 사랑이, 그대 자신 속에, 사람들에게 대한 사랑을 불러 일으키게 한다.
〈톨스토이〉

선한 의지는, 그것이 원인이 되어 성취하는 일 때문에 좋은 것이 아니다. 선한 의지는 그 의지 자체로서 좋은 것이다. 오직 그 의지 자체로서 좋은 것이다. 〈니이체〉

선을 행하지 않는 동안은, 아무도 선에 대한 이해를 가질 수 없다. 또한 가끔 선을 행할 뿐이며 희생적으로 선을 행하지 않는 동안은, 아무도 참된 선을 사랑할 수 없다.
그리고 항상 선을 행하지 않는 동안, 아무도 선을 통하여 평화를 찾을 수는 없다. 〈마르티노〉

사냥꾼이 짐승을 찾듯이 늘 선을 행할 기회를 찾는 습관을 갖지 못한다 하더라도, 적어도 선을 행할 기회를 얻거든, 그 기회를 놓치지 않도록 명심(銘心)하라.

22일 성장(成長)

자연 속에 일어나는 가장 큰 변화는 아무도 모르게 진행되는 법이다. 그것은 끊임 없이 서서히 성장하는 것이지. 별안간 돌발적으로 일어나는 것은 아니다. 정신생활에 있어서도 이와 마찬가지이다.

병아리가 다 된 달걀을, 그 병아리의 생명을 다치지 않고 깨뜨릴 수는 없다. 그와 같이 어느 한 사람이, 다른 사람을 해방시킨다는 것은, 그 사람의 정신생활에 대한 위험을 무릅쓰지 않고는 불가능하다. 〈루시 · 말로리〉

인생은 끊임없는 기적(奇蹟)이다. 만물의 성장이란 어떠한 것인가를 알므로써, 우리는 자연의 비밀 속에서 가장 깊은 비밀을 알게 된다. 〈루시 · 말로리〉

모든 참된 사상——살아 있는 사상은, 끊임없이 자양(滋養)을 섭취하여 변화해가는 상태를 가지는 법이다.

그러나 그것은 구름이 변화하듯 급격한 것이 아니라, 수목이 변화하듯 서서히 변화해 가는 것이다. 〈죤 · 러스킨〉

완전이란 결코 어느 시대에나 다 있는 것은 아니다. 왜냐하면 모든 시대는 각각 다른 완전을 가지고 있는 것이므로. 〈루시 · 말로리〉

무릇 참으로 위대한 것은 서서히 눈에 보이지 않는 성장 속에서 성취된다. 〈세네카〉

자기가 진보하고 있는지 어떤지를 걱정하는 것만큼, 덕성상의 완성을 위해서 해로운 것은 없다.

행복한 일로서 참된 덕성상의 개선은 서서히 진행되는 것이며, 인간은 오랜 시일이 지난 뒤가 아니면, 자기의 진보를 볼 수 없다는 것이다.

만일 그대가 자기의 완성을 스스로 인정하였다면 그것은 잘못이다. 정지하여 있거나 또는 후퇴하여 있는 것이라 알라.

23일 결핍(缺乏)

우리가 결핍에 빠지면 빠질수록, 더욱더 상실에 대한 근심 걱정은 적어진다.

절제란 정력을 질식시킨다든지 그 발달을 방해함을 의미하는 것이 아니다. 또한 선(善)의 정지상태, 다시 말하면 사랑이나 신앙의 정지 상태를 의미하는 것도 아니다.

반대로 그것은 사람이 악(惡)이라고 생각하는 바 힘과 정력을 의미한다. 〈존·러스킨〉

연기가 벌집에서 벌을 쫓아 내듯이 탐욕은 정신적인 선물과 지(智)의 완성을 방해한다. 〈와시리·웨리키〉

원하는 것을 소유함은 커다란 행복이다. 그러나 그보다 더 행복한 것은, 우리가 갖고 있지 않는 것은 어떤것도 원하지 아니함이다. 〈메네뎀〉

어린 불나비는 아픔도 모르고 불속으로 날아든다. 물고기는 위험한 줄도 모르고 낚시 미끼를 문다.

그러나 우리는 불행의 그물이 쳐 있음을 알면서도, 관능적인 향락에서 벗어나지 못한다. 인간의 어리석음에는 한이 없다. 〈인도 이언〉

어떤 사람을 가리켜 현명한 사람이라 하는가? ——모든 것에서 배움을 얻고자 하는 사람을 말한다.

어떤 사람을 굳센 사람이라 하는가? ——자기 자신을 억제하는 사람을 말한다.

어떤 사람을 풍부한 사람이라 하는가? ——자기 소득에 만족을 느끼는 사람을 말한다. 〈탈무드〉

요구를 더 많이 가짐이 완성되는 길은 아니다. 그 반대이다. 인간이 요구를 제한하면 제한할수록, 그가 지닌 인간으로서의 존엄에 대한 의식이 더욱 커진다. 그리고 그는 더욱 자유로와지며, 원기를 얻으며 신과 사람들을 위하여 노력하는 힘을 더 많이 갖게되는 것이다.

24일 규범(規範)

사랑이란, 규범을 완수하는 것이 아니다. 사랑은 오직 자기 인생의 의의를 인식하는 것이다.

신은 사랑이 아니다. 사랑은 오직 신의 한 모습에 지나지 않는다. 그러나 인간은 사랑이다.

사람을 사랑하는 덕성은 먼 곳에 있는 것이 아니다. 그것은 다만 우리가 사람을 사랑하기를 원할 때 나타난다. 그때 그것은 제발로 우리에게로 오는 것이다.」 〈톨스토이〉

선이란 실질적이며 현실적인 그 무엇이다. 인간에게 선이 있으면 있을수록 생활이 있을 수 있다. 이 법칙 속의 법칙을 인식함은, 우리 마음 속에 어떤 감정을 눈뜨게 한다. 그 감정을 우리는 종교라고 부른다.」 〈존·러스킨〉

향락주의는 결국 사람을 멸망으로 이끌어 넣는다. 의무를 설명하는 철학은 훨씬 더 큰 기쁨을 가져온다. 구원은 의무와 행복의 일치에서 비로소 나타난다.

개인의 의지와 신의 의지가 결합되었을 때 비로소 나타난다. 그리고 그 높은 의지는, 사랑에 의하여 인도된다는 신념 속에 내포되어 있는 것이다.」 〈세네카〉

신을 사랑하며 신의 가르침을 지킬 때, 우리는 신의 아들마저 사랑하고 있음을 깨닫는다.

신의 아들을 사랑함은 신에 대한 사랑이며, 동시에 우리가 신의 가르침을 지키고 있음을 증명한다.」 〈에머슨〉

자기 자신의 마음을 어둡게 하는 모든 것을 깨끗이 쓸어버려라. 그때에 나타나는 것은, 사랑 그것 뿐일 것이다.

사랑은 상대를 찾는다. 사랑은 그대 자신만으로서는 만족하지 못한다. 사랑은 생명을 가진 모든 것을 상대로 택한다. 그리하여 가장 높게 사는 것——신을 상대로 택하게 될 것이다.

25일 언동(言動)

인간의 덕성은, 그의 말에 대한 관계 속에서 볼 수 있다.

사람을 비난하거나 해치는 말을 입에 담지 말라. 남의 결점을 아는 사람에게도 알지 못하는 사람에게도 말하지 말라.

남의 행위에서 나쁜 점을 발견하더라도, 떠들고 다니지 말라. 사람이 남의 욕을 함을 듣거든, 그것을 막도록 힘써라. 그렇게 한다고 해서 그대가 파멸에 떨어지는 일은 결코 없을 것이다. 〈에머슨〉

타인의 결점이 눈에 띄게 되는 것은, 자기 자신을 잊어 버렸을 때 일어나는 현상이다. 가끔 우리는 남을 비난함으로써, 그저 무의미하게 그를 해치는 과오를 범한다.

자기를 건지려 하지 않고, 또 바르게 살려는 노력도 하지 않는 사람은, 유혹에 빠지며 못된 일을 본받기 쉬운 사람이다.

〈시세로〉

신앙이 두터워 그 정신에는 매혹되나, 말에 조심성이 없는 사람, 그의 신앙은 공허한 것이다. 〈성 서〉

타인의 결점을 보더라도, 그것을 아무에게도 전하지 말라.

〈공 자〉

타인의 결점을 숨겨주며 그 장점을 말해 주는 것은 사랑의 표현이며, 동시에 사랑을 얻는 가장 좋은 방법이다. 〈석 가〉

좋은 신앙은 가장 은혜로운 기쁨이다. 〈렛 싱〉

말하고자 하는 것이 있거든 말하기 전에 다시 한번 생각해 보라. 제자신이 냉정하고 선량하고 사랑 깊은 사람이라고 느낄 때에는, 그렇게 하지 않아도 좋다. 그러나 냉정을 잃고 악(惡)을 느끼며 마음이 흔들릴 때에는 마음이 흔들릴수록, 말로 인하여 죄를 범하는 일이 없도록 조심하라.

26일 파멸(破滅)

죽음이란 말은 우리 생활의 파멸을 의미하며 동시에 평화를 얻는 순간을 의미한다. 죽음은 우리의 힘이 미치지 못하는 곳에 있다. 그러나 평화는 인생에 있어서의 최후의 그리고 가장 중요한 임무이다.

정력이 완성할 때는, 그대가 이 세상을 위하여 살고있는 때이다. 그러나 병에 걸렸을 때는, 그대는 죽음을 향하고 있는 때이다. 즉 사후의 세계를 위하여 살기 시작하려는 때이다.

전자의 상태에 있어서나, 후자의 상태에 있어서나 임무를 가지지 않으면 아니된다. 이 두가지의 경과는 다 마찬가지로 보편적이며, 그 각각에 다 적응할 임무는 있는 것이다.

〈톨스토이〉

『그리스도』의 가장 위대한 말은, 죽음을 앞에 하고, 자기를 창조하신 주(主)를 모르는 사람들에 대한 기도였다.

〈죤·러스킨〉

죽은 것은 이미 영혼의 일부분이 된 것이며, 무덤 저쪽에서 우리에게 이야기하는 것인듯 생각된다. 그 이야기는 우리에게 신의 말처럼 지상명령으로 들린다.

생(生)이 다하고 무덤이 앞에 열려짐을 확실하게 깨닫는 자에게는, 뜻깊은 때가 찾아 오는 것이다. 그때 그의 천성적인 본질은 그 모양을 나타내지 않을 수 없게 된다. 그에게 발견되는 신도 그 모양을 나타내지 않을 수 없게 되는 것이다.

〈아미엘〉

죽음의 준비를 하지 않으면 안되겠다. 그 준비란 보통 생각하는 것과는 다르다. 제사 의식이나 이 세상의 여러가지 번잡한 일의 끝수습을 해둠을 말하는 것은 아니다.

죽음의 순간은 승리적인 순간이다. 죽는 사람의 말과 행위는, 살아남은 사람들에게 말할 수 없는 큰 영향력을 가지기 때문이다. 그 순간이 이롭도록 준비하여야 한다.

27일 재판(裁判)

재판은 가끔 죄악의 노예가 된다. 죄악을 바로잡고자 하는 것이나, 그만 죄악에로 이끌리고 마는 법이다.

재판이란 다만 사회를 현재 있는 그대로의 상태로서 유지해 나가려는 목적을 갖고 있는 것이다.

그결과 표준보다 높은데 있는 사람, 그리고 일반의 표준을 향상시키고자 애쓰는 사람을, 일반 표준보다 낮은 곳에 있는 사람과 같이 벌하게 되는 것이다. 〈톨스토이〉

인간은 온갖 것을 다 할 수는 없다. 그러나 무슨 일이든 해야만 한다. 인간이 모든 것을 할 수 없다는 것은, 그 사람이 나쁜 일을 하지 않으면 안된다는 말은 아니다. 〈토로오〉

인류는 이지적인 존재로서 존재하기 시작한 때부터 선악의 구별을 세워왔던 것이다. 그리고 이전에 선인들이 세운 규범을 이용해 왔던 것이다.

악과 싸우며, 참되고 가장 착한 길을 추구하여, 천천히 끊임 없이, 이 길을 걸어온 것이다. 이 길을 막는 그 무엇이 인류의 앞길을 가로막았던 것이다. 그것은 여러가지 기만이며, 전과 다름 없는 생활을 함이 좋다고 사람들에게 가르칠 목적을 가지고 있는 것이었다. 〈존·러스킨〉

어째서 이런 기묘하고 어리석은 상태를 유지하고자 하는가, 이점에 우리는 가끔 놀라운 마음을 가지게 될 것이다.

그것은 종교·정치·학문, 어느 부분에 있어서나 볼 수 있는 일이다. 그러나 자세히 본다면, 그것은 자기 자신의 상태를 보수(保守)하려는데 불과한 것임을 알 것이다. 〈룻 소〉

어떤 행위가 복잡한 논의를 일으킨다면, 그것은 나쁜 행위라고 믿어도 좋다. 양심이 내리는 결정은 바르며 단순하다.

28일 행위(行爲)

우리 행위의 결과는, 결코 우리가 도달할 수 있는 것이 아니다. 왜냐하면, 행위의 결과는, 한없는 세계에 있어서의 한없는 것으로서 우리 앞에 나타나는 것이기 때문이다.

인간의 근로에는 일정한 조건이 있다. 그 하나는 다음과 같은 것으로 성립된다. 즉 우리의 목적이 먼곳에 있으면 있을수록, 그리고 자기 근로의 결과를 보고 싶다는 생각이 적으면 적을수록 성공의 정도는 더욱 크고 넓은 것으로서 성립되는 것이다. 〈죤·러스킨〉

성스러운 인간은 내면적인 것에 마음을 괴롭히지만, 외면적인 것에 대해서는 냉정하다. 그는 외면적인 것은 소홀히 하며 내면적인 것은 소중히 한다. 〈노 자〉

우리의 행위는 우리의 것이다. 그 결과는 신의 것이다. 〈세네카〉

신의 비밀 속으로 들어 가고자 노력하더라도, 그것은 소용없는 일이다. 사람의 할일은 다만 신의 법칙을 지키는 것이다. 〈에머슨〉

그대는 날품팔이 일군이다. 하루 하루 일하고 그날 그날의 보수를 얻으라. 〈토 로〉

그대가 하는 일의 결과가 어떻든 간에 그것은 딴 문제이다. 다만 그대 자신의 마음이 깨끗하고 바르게 되도록 힘써라. 〈죤·러스킨〉

결과가 어떻게 될 것인지는 전혀 생각지 않고, 오직 신의 의지를 완수하려는 일념에서 하는 행위, 이것이 인간이 할 수 있는 최선의 행위이다. 〈시세로〉

만일 자기가 하는 일의 결과를 남김 없이 볼 수 있다면, 그 일은 아무런 의의도 갖지 못한 것임을 알라.

29일 존엄(尊嚴)

어떤 인간이 다른 인간을 굴종시키거나, 뒤를 돌봐 주거나, 또는 은혜를 베풀거나 하는 것 만으로써, 그 인간의 존엄이 자신과 타인에게 인정되는 것은 아니다.

여하한 인간일지라도, 단순히 어떤 도구가 된다든지, 목적이 될 수는 없다. 이 점에 그 인간의 존엄이 성립되어 있다. 그리고 여하한 인간도 어떤 댓가로나 자기 자신을 팔아 버릴 수는 없다.(그것은 참으로 그의 존엄에 배치(背馳)되는 일이기 때문이다.)

그와 같이 그는 모든 사람들에게 평등한 의무로서의 존경을 거절할 권리는 없는 것이다. 그는 모든 사람들 속에, 인간이란 그 이름에 합당한 존엄을, 참으로 인정하지 않으면 안되는 의무를 갖고 있다. 그런 까닭으로 그 존경을, 모든 사람들과의 관계 속에 표현하지 않으면 아니된다. 〈칸 트〉

대중에 대한 애고주의(愛顧主義)는 항상 전제주의(專制主義)를 보수하기 위한 것이었다. 왕권이나, 귀족은 다른 특권을 정당화하기 위한 것이었다.

그러나 세계역사를 통하여, 가령 그것이 전제제도 이건 공화제도이건, 근로대중에게 대한 애고주의가 도리어 대중에 대한 압박을 의미하지 않은 예가 있는가?

근로대중에게 보인 애고주의는, 자기 손에 입법권(立法權)을 유지하려는데 이용되었던 것이다. 그 가장 좋은 경우에 있어서도 애고주의는 사람들을 가축화하였다. 그 노력과 살을 얻기 위하여 대중에게 애고주의를 편 것이었다. 〈헨리·죠지〉

타인에게 봉사하고 있는 사람은, 굴종하고 있다거나, 또는 사랑과 은혜를 받고 있다고 생각해서는 아니된다. 그는 자기의 의무를 실행하고 있을 따름이다.

30일 매매(賣買)

토지는 매매(賣買)의 대상물이 될 수 있는 것이 아니다. 그 것은 인간의 개성이 매매될 수 없음과 같다.

토지를 매매함은 숨은 개성을 매매하는 것이나 다름없다.

토지는 자연이 인간에게 준 위대한 선물이다. 이 토지 위에 생(生)을 얻은 우리들 인간은, 토지를 공유할 권리를 갖고 있다.

이러한 공유권리는, 어떤 아이들이 어머니의 젖에 대하여 갖고 있는 바 권리와 마찬가지로, 자연스러운 것이다.

〈마르몬테엘〉

나는 대지를 위하여 태어난 자이다. 그러므로 토지는 나의 일과 거주를 위하여 필요한 것을, 그 속에서 얻을 수 있도록 주어진 것이다. 나는 나의 몫을 요구할 권리를 가지고 있다.

〈에머슨〉

사람은 숙박소에 대한 지불을 하지 않고, 잠을 잘 수는 없다.

공기·물·태양은, 다만 저 넓은 길 위에 있어서만 인간에게 속하여 있다. 규칙에 의하여 인정된 인간의 유일한 권리는 저 넓은 길을 걸어가는 것뿐이다. 피로때문에 다리가 잘 움직이지 않을 때는 더욱 많이 걸어가야 한다. 인간은 한곳에 머물러 있을 수 없기 때문이다. 〈그란트·아렌〉

남자의 육체이건 여자의 육체이건 매매할 수는 없다. 더욱이 그들의 영혼을 매매할 수는 없다. 또 그와 마찬가지로 땅·물·공기를 매매할 수는 없다. 인간의 육체나 정신을 유지해 나감에 있어서 이러한 것들은 없어서는 아니될 조건이기 때문이다.

〈존·러스킨〉

지금 사람들은 이 세상에 있어서 좋은 일이라 생각되는 것을 지향하여 노력하고 있는 것이 아니다. 될 수 있는대로 많은 것을 자기 소유로 하기 위하여 노력하고 있는 것이다.

31일 낙천(樂天)

이러한 인간을 가끔 볼 수 있다. 사치도 호강도 할 줄 모르면서, 남에게 자랑하기 위하여 사치를 하며, 나는 이렇게 사치에도 놀라지 않는다는 태도를 보일 뿐만 아니라, 다른 사람들의 사치를 흉보는 듯이 꾸미는 인간들이다.

이와 꼭 같은 어리석은 인간이 있다. 즉 인생의 기쁨을 경멸하는 것이 훌륭한 인생관인줄 알며, 인생은 귀찮은 것이므로 자기는 그러한 인생보다 더욱 훌륭한 것을 생각할 수 있다는 듯이 꾸미는 인간이다.」

행복하기 위해서는 행복하게 될 수 있는 것을 믿지 않으면 아니된다.

인생의 법칙, 신의 법칙을 파괴하는 인간에게 그 인간이 원하고 있는 가장 큰 행복을 주어보라. 그는 곧 불행한 인간이 될 것이다.

법칙을 따라서 모든 것을 수행하는데 자기의 행복이 있다고 생각하는 인간에게서, 세상 사람들이 행복이라 생각하고 있는 것을 제거해 보라. 그는 곧 행복하게 될 것이다.

〈헨리·죠지〉

시험해 보라. 아마 그대도 자기 운명에 만족하고, 사랑과 선행에 의하여 내면적인 세계를 얻고 있는 사람들과 같이 살 수 있을 것이다.

〈오레리아스〉

모든 사람들에게 타고난 착오와 같은 것이 하나씩은 있다. 그것은 우리가 행복을 얻기 위하여 태어난 것이라고 믿는 그 일이다.

〈쇼펜하우엘〉

행복하기 위해서는 행복하게 될 수 있는 것을 믿지 않으면 아니된다.

〈토 로〉

인생에 대하여 불만을 품을 아무런 권리도 우리는 갖고 있지 않다.

만일 우리가 인생에 대하여 불만을 느끼는 것 같이 생각된다면 그것은 오직 우리가 자기 자신에 대하여 만족할 수 없는 무슨 근거를 갖고 있음을 의미함에 지나지 않는다.

6월의 장

〈마티스 그림〉

1일 불원(不遠)

불원(不遠)에 죽으리라는 의식은, 목전의 할 일 중에서 신(神)의 뜻에 맞는 일을 선택하도록 가르쳐 준다.

공포를 느끼지 않고 죽음을 생각하려면, 전력을 다해 경주하는 사람의 태도를 보고 일생 동안 그것을 본받도록 하라. 그들은 언제 죽음이 닥쳐올지 모른다는 것을 잘 알고 있다. 남달리 수명이 길어 여러 죽음을 본 사람들도 결국은 죽고 마는 것이다.

인생은 짧다. 그 속에는 많은 슬픔과 죄악이 깃들어 있다. 생명이란 약하기 짝이 없는 것이다. 이같이 덧없는 생명에 대하여 더 무슨 말을 할 필요가 있으랴.

다만 그대의 앞날에 열려져 있는 영원을 생각하라. 그리고 현재 그대에게 주어져 있는 영원을. 이 두 무한 사이에서 사흘을 사는 것과 3세기를 사는 것과 무엇이 다르랴.

〈오레리아스〉

장벽은 자유를 방해한다. 빗길로 나가므로 우리는 그 장벽에 부딪치게 된다.

미리 준비해둘 것을 안다는 것은, 일을 훌륭히 끝맺는 방법을 알고 있음을 말한다. 우리가 끝마치지 못한 것은 이윽고 우리 앞에 나타나서 장애물이 되고 만다.

하루 하루의 생활을 일체의 관계 속에 있어서, 바르고 결백한 것이 되도록 힘쓰라. 그리고 최후의 날을 위하여 마음준비를 하도록 하라. 마음준비를 할줄 안다는 것은, 본질적인 의미에 있어서 죽음을 알고 있음을 말하는 것이다. 〈아미엘〉

정신적인 생활을 할 때에만 우리는 자유롭다. 거기에는 죽음이 존재하지 않는다. 〈톨스토이〉

죽음은 우리가 진행 중에 있는 일에 대하여 불원 종말(終末)이 올 것임을 가르쳐 준다. 모든 일 중에서 신(神)의 가르침에 대하여 충실된 것은 오직 사랑, 그것 뿐이다.

2일 남녀(男女)

남자나 여자나 그 임무는 매한가지다. 임무란 신(神)께 봉사함을 말한다. 봉사의 방법에는 남녀가 서로 다르며 제한이 있다.

여자의 특별히 중요한 임무는, 인류의 생활과 완성을 위하여 절대로 필요한 것인데, 아이를 낳고 기르고 교육하는 그것이다. 그러므로 그 일에 대하여 여자는 모든 힘을 경주하여야 한다.

여자는 남자가 하는 일을 무엇이나 다 할 수 있지만, 남자는 여자가 하는 일을 할 수 없다. 즉 아이를 낳고 기르는 일 같은 것은 남자로서는 할 수 없는 일이다. 그러므로 여자는 여자만이 할 수 있는 일에 있는 힘과 주의를 다 바치어야 한다.

인류에 대한 봉사는 두 부분으로 나누어서 생각할 수가 있다. 그 하나는 현재있는 인류의 행복을 더욱 증대 시키는 일이요, 또 하나는 인류의 종족 보존이다. 전자는 주로 남성의 임무요, 후자는 여성의 임무이다. 〈톨스토이〉

여기 무익한 존재가 하나 있다.

이러한 남자야 말로 수치스러운 존재라 하지 않을 수 없다. 즉 몸이 연약한 여자가 피곤을 무릅쓰고 있는 힘을 다하여 음식을 짓고, 빨래를 하고, 아이를 보고 할 때에, 쓸데 없는 일에 시간을 보내고, 혹은 하는 일 없이 그저 놀고 있는 남자가 있으니 말이다. 〈괴 테〉

가정을 좋게 꾸미지 못하는 여자는, 절대로 행복할 수가 없다. 가정에서 행복하지 못한 여자는, 어디를 가나 행복할 수가 없다. 〈리프텐벨그〉

이 세상의 모든 여자들이여. 아직 결혼하지 않은 동안은, 아직 아이를 낳지 않은 동안은, 남자가 하는 일은 무엇이든 해보아도 좋다.

그러나 아무도 그대들을 대신하여 할 수 없는 일이 있음을 아는가. 그것은 곧 아이를 낳고 기르는 그 일이다.

3일 오성(悟性)

불멸에 대한 신앙은 인간으로 하여금 향상된 생활을 영위케 한다.

만일 인간의 영혼이 형태가 없는 것이라면, 육체가 죽은 후에도 그것은 존재할 것이다. 만일 인간의 영혼이 육체가 죽은 후에도 존재하는 것이라면, 신의 존재는 설명할 수 있는 것이다.

인간은 이 세계에서 그 생활의 반을 사는 것이요, 그보다 높은 영혼의 생활은 죽음과 더불어 시작되는 것이다.

그러나 그 생활이 어디를 가면 찾을 수 있는 것인지 나는 모른다. 나의 두뇌는 제한되어 있으며, 무한 사상을 도저히 이해할 수가 없다.

나는 무엇을 믿으며, 무엇을 부정할 수 있는가? 나는 나의 영혼이 육체가 죽은 뒤에도 살아 있을 것임을 알고 있다. 또한 나의 사색적 실재(思索的實在)도 깨뜨려지지 않는다는 것을 믿고 있다. 사색적 실재가 어떻게 시들어지는지를 알지 못하는 까닭에, 그것의 불멸(不滅)도 역시 믿지 않을 수가 없는 것이다. 〈룻 소〉

인간은 다음과 같은 때에만 자기의 불멸을 의식하게 된다. 즉 자기는 탄생한 것이 아니라, 항상 존재하고 있었던 것이며, 또 존재하고 있는 것이며, 그리고 존재하고 있을 것이라는 점을 의식할 때이다.

또한 인간은 다음과 같은 때에만 자기의 불멸을 믿게 된다. 즉 자기의 생명은 물거품 같은 것이 아니라, 이 세상의 생활만이 그 물거품이나 다름없는 것임을 이해할 그 때이다.

법칙에 배반되는 일을 하는 인간은, 죽음과 동시에 자기의 존재도 끝나는 것이라고 믿는다. 〈석 가〉

생명은 탄생과 동시에 시작되는 것이 아니며, 또한 죽음과 동시에 끝나는 것도 아니다. 이 점을 깨달은 사람은, 깨닫지 못한 사람에 비하여 월등한 생애를 보낼 수가 있다.

4일 사교(邪教)

기만적인 신앙과 기독교의 사악 때문에, 우리의 인생은 사교도(邪教徒)의 인생보다 못한 것이 되고 있다.

이 세상의 죄악의 대부분은「믿으라, 그렇지 않으면 비방을 하라」는 그러한 천박한 관념으로 인하여 일어나는 것이다.

그같은 관념 속에는 죄악의 중요한 원인이 내포되어 있다. 두뇌 속에서 잘 분석해 보지 않으면 안될 일을 덮어놓고 받아들이며, 조금도 자기의 판단을 가하지 않는 것이다. 그리하여 저주(呪咀)를 사게되며, 남을 죄악의 구렁 속으로 몰아넣고 만다.

그같은 사람에게 대해서는, 타인을 돕는 방법이 깊은 사려에 의한 것이어야만 한다는 것을 가르쳐 주는 도리 밖에 없다. 또 그것이 자신의 행위를 바로잡는 길이 된다. 〈에머슨〉

현대에 있어서의 참혹성은 여러가지 가르침으로서 한층 더 커지게 된다. 그 가르침이란 죄악으로 생각되는 모든 것이 결국은 행복으로 전환될 수 있는 것이라고 말하여, 사람들의 이기주의를 미묘하게 자극하는 것이다.

그 가르침은 실제적으로는 다음과 같은 결과를 가져오게 한다.

가령 우리가 불쾌한 일을 직접 가져오는 모든 것을 피하기 위하여 진심으로 노력하고자 하더라도, 다른 사람들이 그러한 짓을 하는 바람에, 곧 손쉽고 안이하게 그 죄악의 결과를 따르게 되는 것이다. 〈존 · 러스킨〉

각종 물건 · 습관 · 법칙이 존경을 받고 있을 때에, 우리는 그런 것에 과연 존경할 가치가 있나 없나를 주의 깊게 살펴볼 필요가 있다. 〈톨스토이〉

이 세상의 죄악을 바로잡기 위해서는 허위의 종교를 폭로하고 그 대신 인간의 마음에다 참된 종교를 심어 주도록 하는 이외에는 도리가 없다.

5일 외계(外界)

이 외부세계의 모든 것은 오직 우리가 보고 있는 형태로서, 우리들에게만 존재하고 있는 것이다. 말하자면 이 세계는 우리가 보고 있는 그러한 형태로서만 실재한다는 것이다. 우리의 외부적 감각에 의해서만 존재한다는 말이다.

모든 물질은 비실재적인 것이라고 말해도, 사람들은 믿으려 하지 않는다.

하여튼 책상은 존재하고 있다.

내가 그 방에서 나가더라도, 책상은 존재한다고 사람들은 말한다.

그러나 책상은 나의 감각에 대해서만 하나의 존재일 수 있다. 그것은 반개(半個)의 책상일 수도 있고, 백개의 책상일 수도 있다. 또한 전연 다른 물체일 수도 있는 것이다. 〈칸 트〉

두 가지 방법에 의하여 물체가 실재함을 알 수가 있다. 그 하나는 처소와 시간의 상호관계 속에서 그 물체를 성찰(省察)한다는 그것이오.

또 하나의 방법은 그러한 물체가 신에 의하여 지지를 받으며, 신의 본질에서 필연적으로 생겨난다고 생각하는 그것이다. 〈스피노자〉

나는 어떤 선(線)을 보게 되면, 그것을 나의 머리속에 존재하는 형식 속에다 몰아넣고 만다. 수평선 위에 흰 것을 보면, 부지중에 교회의 형상을 생각하고 만다.

이리하여 우리가 이 세상에서 보는 모든 것은, 우리 이전의 생활(관념)에서 온 것이며, 우리의 머리(의식) 속에 존재하는 형식을 가지는 것이 아닐까 나는 생각한다. 〈톨스토이〉

이 세상에 있는 일체의 물질적인 것은 중요한 것이 못된다. 그러면 무엇이 중요한 것인가? 어느 곳에 있어서나 믿을만하며, 모든 존재에 대하여 항상 동일한 것, 즉 선이 있을 따름이다.

6일 인과(因果)

한 사람의 죄악은 그의 마음을 상하게 하며, 그에게서 참된 행복을 빼앗을 뿐만 아니라, 항상 응보로서 되돌아오는 것이다.

위로 던진 돌은 머물지 않는다. 반드시 다시 땅으로 떨어진다. 이와 마찬가지로 다음의 사실 또한 명백하다. 즉 아무리 훌륭한 태도를 가지고, 또 훌륭한 세계에 산다 하더라도, 그가 행한 일의 선악(善惡)에 의하여, 그의 본심이 원하는 바를 짐작할 수 있는 것이다. 〈석 가〉

악인도 자기가 범한 악이 탄로나기까지는 행복할 수가 있다.

사람들이여, 어떠한 악일지라도 자기와 관계 없는 것이라 생각지 말라. 한방울 한방울의 물이 물통을 가득차게 하는 것이다. 조그만 악이 쌓이고 쌓이면, 악의 소굴이 되고 마는 것이다.

악은 바람에 불리는 먼지와 같이, 악을 범한 본인에게로 되돌아간다. 하늘·바다·골짜기——이 세상의 그 어느 곳에서나 인간은 자기가 범한 악에서 벗어날 수 없다. 〈쟈마파다〉

성자는 악을 범할까 하여 밤낮으로 두려워 한다. 악에서 악이 생겨난다. 그러므로 악은 불보다도 무서운 것이다.

적에 대하여 악을 행하지 않음은 가장 높은 도덕이다. 정의는 타인을 멸망 시키려고 하는 인간을 멸망 시킨다.

악을 범하지 말라. 아무리 불행하다 하더라도, 그 때문에 악을 범해도 좋다는 구실은 못된다. 만일 악을 범한다면 그로 인하여 더욱 불행하여질 것이다. 슬픈 일에 부딪치기가 싫다면, 타인에게 대해서도 악을 행하지 말아야 한다. 〈인도 성전〉

악을 행함은 야수(野獸)를 희롱하는 것이나 다름없이 위험하다. 이 세상에 있어서 악은 가장 고약한 결과를 초래하여 악을 범한 자에게로 되돌아오고 마는 것이다.

7일 미덕(美德)

자기에게 만족하는 교만한 인간은, 결코 겸양의 미덕을 맛볼 수 없다.

그대가 이전에 성현을 존경하지 않고, 그들과 같은 생활태도를 가지지 않았음에도 불구하고, 누가 그대에게 성현에게와 같은 명예를 주었다고 하자. 그리하여 이전의 과오를 회상함으로써 그대의 자존심이 괴로움을 느낀다 할지라도 결코 슬퍼하여서는 아니된다.

사람들이 그대를 성현으로 잘못 보지 않는다면 그것은 더욱 좋은 일이다. 그대가 양심의 명하는 바를 좇아서 생활할 수 있다면, 그 이상 큰 만족은 없을 것이다. 〈오레리아스〉

행복하게 되기 위하여 무엇보다도 먼저 배우지 않으면 안될 정신수양의 제일과(第一課)는, 겸허라는 그것이다. 교만·권력·허영 등은 친절과 겸허로서 대치(代置)되지 않으면 아니된다.

교만한 인간은 아무 소득도 못갖게 된다. 그는 무엇이나 모르는 것이 없다고 생각함으로써 새로운 노력을 하지 않기 때문이다. 〈톨스토이〉

자기의 모든 것을 언제라도 희생할 각오를 가진 사람에게는 평화가 있다. 평화에 대한 가장 큰 장애물은 우리 심중의 교만함 그것이다.

비난 중상을 받고 오해를 받을지라도, 항상 공손하며 겸손하리라는 마음준비가 되어 있을 때만, 우리는 타인과의 관계 속에서 평화를 맛볼 수가 있다. 〈존·러스킨〉

자기에게는 엄격하게 대하라. 붕우(朋友)들에게는 겸손하게 대하라. 그때에 그대의 적은 사라질 것이다. 〈공 자〉

겸손함으로써 당하게 되는 멸시를 두려워 하여서는 아니된다. 겸손의 뒤에는 참된 행복이 깃들어 있다. 우리는 겸손을 주고 행복을 사는 것이다.

8일 보답(報答)

정의 없는 곳에, 선이 있을 수 없다. 선 없이는 진실을 얻을 수 없다.

증오에 대하여 선으로 보답하라. 아직 쉬울 때, 노역을 시작하라. 아직 적을 때, 많은 것을 처리하라.

이 세상에서 가장 곤란한 일은, 아직 그것이 쉬울 때부터 싹트고 있는 것이다. 이 세상에서 가장 위대한 일은 아직 작을 때부터 생겨나는 것이다. 〈노 자〉

그대들은 나를 「주여, 주여」하고 부르면서도, 왜 내가 말한 바를 행하지 않는가?

내 가까이 와서 나의 말을 들으며, 그것을 행하는 사람은 어떤 사람과 같은가를 말해 보자. 그는 집을 지음에 있어서, 반석 위에 터를 닦은 지혜로운 사람과 같다. 홍수가 그 집을 휩쓸지라도, 그 집은 움직이는 일이 없을 것이다. 그 집은 튼튼히 서있기 때문이다.

그러나 내 말을 듣고도 행하지 않는 자는, 터를 잡음이 없이 모래 위에 집을 세우는 자와도 같을 것이다. 흐르는 물이 그 집에 부딪치면, 그 집은 곧 무너지고 말것이며, 그 파손은 클 것이다. 〈성 서〉

가끔 줄거리만 자라고, 꽃이 피지 않을 때가 있다. 또 꽃만 피고 열매가 열리지 않을 때가 있다.

진실이란 것을 알고 있는 사람은, 진실을 사랑하고 있다고 말해도 좋다. 그러나 진실을 사랑하고 있다 하더라도, 사랑으로서 진실을 행하고 있다고는 말할 수 없다. 〈공 자〉

완성된 덕성으로 통하는 길은 두 가지 있다. 올바르게 할 것과 모든 것에 대하여 악을 행하지 않을 것 그것이다.

〈마 누〉

선을 가장(假裝)하는 것 보다, 더 나쁜 일은 없다. 선을 가장함은 노골적인 악보다 더욱 배척 할 일이다.

9일 제도(制度)

이 세상에 존재하는 제도는 어리석기 짝이 없는 것이다.

인간은 골머리를 썩히고 있다. 그러나 그 노력은 거의 다 노력하고 있는 자들의 노력을 가볍게 하는 것이 아니라, 태만하게 놀고 있는 자들의 그 태만을 더욱 장식하는데 쓰이고 있다. 〈헨리 · 죠지〉

우리는 도덕적 또는 생리적으로 인간의 본성에 배반된 생활을 하고 있다.

또한 갖은 지혜를 다하여, 이것이야 말로 진정한 삶인양 사람들이 믿도록 하기에 노력하고 있다.

우리가 문화라고 부르는 모든 것——

우리의 과학이나 예술이나, 생활 향상를 위한 여러 설비나, 모두가 다 인간의 도덕적 요구를 기만하기 위한 속임수에 지나지 않는다.

뿐만 아니라 우리가 위생학이라고 부르는 모든 것은, 인간의 생리적 요구를 기만하기 위한 속임수다. 〈톨스토이〉

우리는 사회생활에 있어서 다음과 같은 이상을 목표로 하여 나아 가야만 할 것이 아닐까? 즉 사회가 진보하면 할수록, 거기에 비례하여 선량한 사람을 위협함이 없고 예속함이 없는 상태를 이상으로 하여야 한다는 것이다. 〈존 · 러스킨〉

현대의 모든 자선(慈善)제도, 법, 그리고 또한 우리가 죄악을 미연에 방지하고 소멸시키기 위하여 애써서 만든 여러 가지의 제한이나 금지까지도, 그 가장 좋은 경우에 있어서도 다음과 같은 어리석은 점이 있지나 않을까?

즉 나귀등에 달린 광주리 속에다 짐을 잔뜩 싣고 가다가, 그 불행한 동물을 무거운 짐에서 벗어나게 해주기 위하여, 다른 한편에 또 하나의 광주리를 달고, 균형을 잡아 준다고 그 속에 같은 무게의 돌을 실어주는 어리석은 점이 있다는 말이다.

〈존 · 러스킨〉

현존의 법칙에 의하여, 자기 행위를 시인할 수는 없다. 현존의 법칙은, 영구 불변의 것은 아니다.

10일 동물(動物)

동물에 대한 동정심은, 우리가 가지고 있는 극히 자연적인 감정이다. 우리가 다른 동물의 괴로움이나 죽음에 대하여 냉정하게 대할 수 있는 것은, 다만 외부에서 시사될 때에만 있을 수 있는 것이다.

다른 동물에 대한 동정심은, 그 사람의 성질의 선량성과 밀접한 관계가 있다. 그러므로 동물에 대하여 잔인한 사람은, 선량한 사람일 수 없다는 것은 확실한 사실이라 할 것이다.

〈쇼펜하우어〉

신을 두려워 하라. 동물을 괴롭히지 말라. 동물이 자진하여 일을 할 때에는 이용하라. 그리고 지쳤을 때에는 놓아 주라. 잠자코 자유로이 물이나 먹이를 먹게 하라. 〈마호메트〉

육식은 동물을 죽이지 않고는 할 수 없는 일이다. 동물에 대한 살생은, 행복으로 가는 길을 곤란하게 하는 것이다. 그러므로 인간에게 육식을 하지 못하게 한다. 〈마누우〉

동물을 괴롭히는 일은 참으로 무자비한 짓이다. 그것은 사람이 만물의 영장이라 해서가 아니라, 사람은 모두 생명 있는 것들과 괴로움을 같이 하지 않으면 안되기 때문이다.

〈석 가〉

우리들과 한가지로 공기를 호흡하며 물을 마시고 살아가는 목숨 있는 동물, 그리고 죽음을 당할 때에는 무서운 소리를 질러 우리를 괴롭히며, 우리들이 하고 있는 일을 부끄럽게 생각하게 하는 동물에게 위해(危害)를 가할 아무런 권리도 우리에게 없는 것이다. 이 점에 관하여 잠시라도 생각해 봄이 없는 사람은 잔인한 사람이다. 〈에머슨〉

동물에 대한 동정은 사람에게 기쁨을 가져온다. 그 기쁨은 사람이 사냥과 음식을 끊기 때문에 잃어버리는 만족을, 백배나 더 갑절하여 보답하여 주는 것이다.

11일 심혼(心魂)

우리 생활의 외부적인 변화를 모두 우리의 사상 속에 일어나는 변화와 비교한다면, 참으로 우스울만큼 가치없는 것이다.

위대한 사상은 심혼에서 탄생한다. 〈워웨날그〉

개인으로서의 생활 또는 인류로서의 생활에 있어서의 모든 위대한 변화는, 다만 사상 속에서만 시작되고 섭취되는 것이다.

감정이나 행위의 변화를 일으키기 위해서는 무엇보다도 먼저 사상의 변화를 일으키지 않으면 아니된다. 〈톨스토이〉

우리의 생활은 우리 자신의 의사에 의한 행동, 예컨대 결혼·취직, 그밖의 일에 의하여 하나 하나의 시대를 구분하는 것이다.

우리가 그것을 깨닫지 못하더라도, 소풍갈 때나 잠잘 때나 또는 밥 먹을 때 일어나는 사상에 의하여 그 시대 시대는 구분되는 것이다. 특히 우리 과거의 모든 것을 성찰하는 사상에 의함이 크다.

그 사상은 「그대는 그렇게 하였으나, 이렇게 하는 편이 더욱 좋았을 것이다」 이렇게 우리에게 가르쳐 준다. 그리고 그 사상 뒤에 우리의 행위는 노예처럼 복종하는 것이다.

〈토로오〉

질서 없는 사상은 우리의 두뇌를 혼란하게 한다. 난잡한 사람들을 유숙시켰을 때 집안이 지저분해지는 것과 같이.

〈에머슨〉

돈이 많이 든 주머니를 잃어버렸을 때, 우리는 울면서 슬퍼한다. 그러나 우리가 생각하고, 남에게서 듣고, 책에서 얻은 좋은 사상——만약 이것을 기억하여 인생에 적용한다면, 허다한 선을 행할 수 있을 그러한 사상은 잃어버려도 대수롭게 생각지도 않는다. 몇 백만금의 황금보다 더 귀중한 것을 잃어버려도 대수롭게 생각지 않는 것이다.

12일 대지(大地)

토지를 제가끔 분할하여 부분적으로 사유함은 폭학(暴虐)이다.

우리는 누구나 이 세계의 순례자이다. 북으로 가나 남으로 가나, 혹은 서로 또는 동으로 가나——어디로 가든 그대는 「여기는 내땅이다」하고 그대를 쫓아내는 사람을 만날 것이다.

그리하여 온 세계를 두루 돌아다닌 끝에, 결국은 다시 처음 떠난 곳으로 돌아올 것이다.

그 때, 그대의 아내는 아이를 낳고, 그대의 가족은 자리를 잡고 농사를 지으며, 그대의 아들들은 그대의 시체를 묻을 수 있는 작은 땅도 마련하지 못하고 있다는 사실을 알게 될 것이다. 〈라메에〉

대서양의 한가운데에다가 사람을 던져 놓고 「저쪽 언덕까지 건너 가라」고 한다면 그것은 말할 수 없는 심한 조롱일 것이다.

이와 마찬가지로 사유표(私有標)가 엉뚱하게 박혀 있는 대지의 한복판에 사람을 세워놓고, 「너는 자유로운 사람이다. 여기서 자유롭게 일을 하고 자활하라」고 한다면, 이 역시 지독한 조롱일 것이다. 〈헨리 · 죠지〉

빠져 나갈 수 없는 섬 속에 사람 백명을 살게 한다음, 그중 한 사람을 나머지 99명에게 대한 절대권력자로 만드는 것과, 또는 그 섬의 토지 전부에 대한 절대권력을 주는 것과, 그 사이에는 전연 다름이 없다. 〈헨리 · 죠지〉

토지의 사유는 일류의 대다수로 부터 자연의 혜택을 입은 상속권을 빼앗아가는 것이다. 〈토마스 · 페인〉

자기와 자가 가족을 부양하기 위하여 필요한 토지 이상의 토지를 사유하는 사람은, 인류의 대다수가 그 때문에 괴로움을 받고 있는 결핍, 불행, 그리고 사악의 도당일 뿐만 아니라 실로 그러한 것의 원인인 것이다.

13일 이성(理性)

이성(理性)은 모든 사람들에게 있어서 동일하며 공통된 재산이다.

진실한 인간이 되려면 이 세상에 대한 허식(虛飾)을 버리지 않으면 아니 된다. 참된 생활을 알려면, 자기에 대하여 핑계 좋은 선으로만 쏠리지 말고 참된 선이란 무엇인가를 그리고 어디 있는가를 정성껏 찾지 않으면 아니된다. 〈톨스토이〉

자기 자신의 마음 속에서 우러나는 탐구심만큼, 신성하고도 좋은 열매를 맺는 것은 다시 없다. 〈에머슨〉

우리는「인간」이란 이름 속에 어떤 존엄을 의식한다. 그리고 그것은 우리로 하여금 인간을 존경할 의무를 느끼게 한다. 특히 그 이성을 사용할 때, 정당한 추단(推斷)을 할줄 아는 인간에게 있어서 그렇다.

인간은 자기의 반대자를 반대한다는 이유만으로서 비난하여서는 아니된다. 어떤 인간에 대해서도, 그의 도덕적 각성을 부정하여 버릴 수는 없다. 덕성을 회복하는 것이 불가능하다고 생각하여서는 아니된다. 그렇게 생각함은 인간이라는 것을 이해하는데 방해가 된다. 왜냐하면 인간은 도덕적 존재며, 그의 선한 의지는 어떤 경우에도 잃어버릴 수 없는 존재이기 때문이다. 〈칸 트〉

나는 그 사람 자신 속에 존재하고 있는 선의 잔재물로서만 그를 선한 사람이라고 단정할 수 있다.

또 그 사람 자신 속에 존재하고 있는 이성의 잔재물로서만 그를 현인이라고 단정할 수 있다. 〈칸 트〉

이성은 모든 사람들 속에 있는 동일한 것이다. 사람들의 교제나 상호관계는 이성 위에 기초를 잡고 있는 것이다. 모든 사람들에게 있어서, 모든 인간 속에있는 유일한 것인 이성을 적용함은 의무이다.

14일 과오(過誤)

성자의 생활은 다음과 같은 이야기를 생각나게 한다.

어떤 노인이 꿈 속에서 생활에 지쳐 죽게 된 중(僧)이 극락과 같은 곳에 와 있는 것을 보았다. 그래서 「이렇게 기진맥진한 중은 아무런 가치도 없을 것인데, 어째서 이같은 굉장한 행복을 누리는 것이냐」고 물어보았다.

그랬더니 이 중은 살아있는 동안 어느 한 사람에게도 비방의 행위를 한 일이 없기 때문이라고 대답하더라는 것이다.

모든 사람들이여, 다른 사람을 심판하는 자는 용서 받을 수 없다. 왜냐하면 아무리 심판한다 할지라도, 그 심판에 의하여 그대 자신도 비방을 받을 것이기 때문이다. 사람을 심판하는 자는 그 자신도 심판을 받을 것이다. 〈톨스토이〉

타인의 행위를 비방하지 말라. 남을 비방하는 것은 쓸데 없이 자기 자신을 피로하게 하며, 큰 과오를 범하게 하는 것이다. 자기 자신을 성찰하라. 그때에 그대가 하는 일은 전혀 헛되지는 않을 것이다. 〈에머슨〉

사람은 항상 남의 죄를 비난하려는 경향을 가지고 있어 남의 과오에만 눈을 밝힌다.

그러나 자기 자신의 좋지 못한 정념(情念)을 더욱 키워갈 뿐, 참되고 착한 사람이 되는 길에서는 더욱 멀어져 가는 것이다. 〈석 가〉

남을 모함하거나 자기의 영예를 구하지 말라. 마음이 거룩한 사람은, 자기를 중상한 사람의 부끄럼까지도 감추어 주려고 한다. 뉘우쳐 고치는 자에게는 이전의 죄를 생각나게 하지 말라. 〈탈무드〉

남의 욕을 하지 말라. 그때 그대는 마음 속에 사랑의 힘이 커진 것을 느낄 것이며 살아가는 행복이 커짐을 깨닫게 될 것이다.

15일 완전(完全)

신을 사랑함은 선을 사랑함을 의미한다.

사람이 그 마음 속에서 자기 자신을 어떻게 느끼고 있는가에 따라 신은 존재하며 또 존재하지 않기도 한다.

그 사람이 선량하며, 사랑에 가득차 있으며, 정의를 좋아하는 사람인지, 또는 원수를 잊지 않으며, 짜증을 내기 쉬우며, 사악한지에 따라서, 신은 존재하기도 하고, 존재하지 않기도 한다. 〈루시 · 말로리〉

정성껏 신을 사랑하라. 그리고 신이 그대의 마음을 맞아들일 때, 그대는 신의 성스러운 이름을 축복하기 위하여 전 생명을 희생시키기를 주저하지 말라. 〈탈무드〉

그대의 아버지이신 영원한 신을 두려워 하라. 그리고 사랑으로써 봉사하라. 왜냐하면 신을 두려워 함은 죄를 범치않을 것을 가르치기 때문이다.

또한 신을 사랑함은 진심으로 신의 계율을 수행할 것을 가르쳐 주기 때문이다. 〈탈무드〉

신에 대한 참된 사랑은 완성의 높은 이상을 명확하게 이해하는데 기초를 둔 도덕적 감성이다. 그리하여 신에 대한 사랑은 도표(道標) · 정의 · 선에 대한 사랑과 완전히 일치한다. 〈존 · 러스킨〉

신에 대한 사랑이란 어떤 것인지 알 수 없다는 사람들을 본다. 그들에게는 다음과 같이 말해줌이 좋을 것이다. 「나는 신에 대한 사랑 없이는 어떤 사랑도 이해할 수 없다」고. 〈시세로〉

가치 있는 사랑은 오직 완전한 사랑 그것 뿐이다. 완전한 사랑을 경험하기 위해서 우리는 사랑의 대상의 불완전성에 대하여 완전성을 부여하거나, 또는 완전한 것 즉 신을 사랑하거나 해야 할 것이다.

16일 향상(向上)

이 세상의 모든 제도를 향상하게 하는 것은, 오직 사람들의 도덕적 완성에 의해서만 가능하다.

국가의 목적은 올바른 사상 속에서 우러난 완전한 정의의 이름 아래 다스려지는 형태를 수립하는 것이라 할 것이다. 그러나 국가의 목적과 진정한 사상 속에서 우러나오는 정의와는 같을 수 없으며, 그 내면적 본질과 내면적 결과는 전혀 다른 것이다.

다음과 같은 말을 명백히 할 수 있다. 후자의 경우에는 누구 하나 부정의를 범하는 것을 원하지 않는 것이나, 전자의 경우에는 누구 하나 부정의를 참고 견딤을 원하지 않는다는 것이다. 그리고 여러가지로 선택된 방법은 이 목적에 응하는 것이다. 이리하여 동일한 목적을 갖는 사명이 서로 다른 두 가지 방향을 향하여 추진되고 있다.

아무리 횡포한 야수일지라도 굴레를 씌워 버리면 풀을 먹인 가축처럼 온순해질 수 있다. 〈쇼펜하우어〉

노동자와 자본가는 자기들 사이의 관계를 올바르게 하기 전에, 「모세」가 말한 「눈에는 눈으로, 이에는 이로」하는 율법을 이해할 필요가 있다.

서로의 생활 속에 사상의 가르침을 실현할 필요가 있다. 다른 사람들에게 자기가 바라는 일을 먼저 해주어야 할 필요가 있다. 〈루시·말로리〉

악한 조직에 대하여서는 폭력으로 대항할 수가 없다. 선한 조직으로서도 대항할 수는 없다.

노동을 조직할 수는 있는가? 있다. 그러나 그것은 노동 자체의 능률과 생산을 높일 뿐, 인류의 행복에 기여할 수는 없다는 것을 알아야 한다. 〈표돌·스트라호프〉

이 세상의 악과 싸우려면 단 하나의 수단 밖에 없다. 그것은 자기 자신을 도덕적으로 완성 시킨다는 것이다.

17일 참화(慘禍)

전쟁의 참화(慘禍)와 막대한 군비를 변호하기 위하여 여러 가지 이유가 나열된다.

그러나 그런 이유는 전부 잘못일 뿐만 아니다, 그 대부분은 반박할 생각조차 들지 않을 만큼 어리석은 것이다. 그리고 그것은 전쟁 때문에 생명을 잃지 않으면 안되는 사람들 자신에게는 전연 불가해한 일이다.

「문명한 여러 나라 사이에 전쟁은 아직도 필요한가」하고 묻는 사람이 있다면, 나는 이렇게 대답하겠다「이제는 벌써 필요하지 않을 뿐만 아니라, 이제까지도 결코 필요하지 않았던 것이다」라고.

전쟁은 언제나 죄없고 선량한 인류의 발달을 파괴하고, 정의를 짓밟고 진화를 방해해 왔던 것이다.

간혹 전쟁의 결과가 일반 문명에 대하여 이익을 가져온 때가 있었다 하더라도, 그 해독은 그 몇배나 더 컸던 것이다.

〈가스튼 · 모프〉

때로 한 사람의 권력자가 다른 권력자로 하여금 자신을 공격하지 못하도록 하기 위하여 먼저 공격을 가하기도 한다.

전쟁이란 적이 너무 강하기 때문에 일어나기도 하며, 약하기 때문에 일어나기도 한다.

때로는 우리의 이웃나라가 갖지 못한 것을 우리가 갖고 있는 수가 있고, 때로는 우리가 갖지 못한 것을 그들이 갖고 있는 수도 있다. 전쟁은 여기에서도 싹튼다.

그들의 원하는 것을 그들이 소유하든지, 또는 우리가 그것을 내어던져 주든지 할 때까지 전쟁은 계속되는 것이다.

〈죠나단 · 스위프트〉

정부에 의하여 포고되는 전쟁과 군비(軍備)의 필요에 대한 이유는——

참으로 혼란스러울 정도이다.

그 때문에 사실상의 사악한 동기는 감추어지고 만다.

18일 신성(神性)

의무의 의식은 우리 영혼속의 신에 속하는 성질을 의식하게 한다. 그리고 우리 영혼 속의 신에 속하는 성질을 의식함은, 다시 의무를 의식하게 한다.

인간의 가치는 이성이라 이름지어지고, 양심이라 불리워지는 정신적 본원 속에 존재하는 것이다.

그 본원은 시간과 공간을 초월하고 영원의 진리와 불변의 진실을 가진다. 모든 불완전 속에서 그것은 완전한 그 무엇을 발견한다. 그것은 항상 공평한 것이며, 인간 속에 있는 정념적(情念的)인 것과 이기적인 것의 일체에 반대한다.

그 본원은 힘찬 목소리로 우리를 향하여 외친다. 우리의 이웃은 우리와 똑같이 가치 있는 존재며, 그 원리는 우리의 권리와 똑같이 신성한 것이라고. 또한 그것은 우리에게 진리를 받아들이도록 외친다. 비록 올바른 것이 우리의 이익이 되지 못한다 할지라도. 그 모든 본원은 인간 속에 존재 하는 신의 빛인 것이다. 〈챠 닝〉

인간의 마음이 덕성에 눈뜰 때, 새롭고 신비롭고 즐겁고 초자연적인 아름다움이 그의 앞에 나타난다.

그때 그는 자기 속에 자신보다 더욱 높은 존재가 있다는 것을 깨닫게 된다. 그리고 그때, 그 존재는 무한하다는 것도 깨닫게 된다. 또 지금은 아무리 천한 신분일지라도, 자기는 선을 위하여 태어난 것임을 깨닫게 된다. 〈에머슨〉

우리의 영혼 속에는 그 무엇인가 존재하고 있다. 그것은 다만 우리가 그것에 대하여 정당한 주의만 한다면, 언제나 놀랄만큼 위대한 것임을 알 수가 있다.

이 무엇인가는—— 우리의 정신 속에 들어있는 근원적인 도덕성이다. 〈칸 트〉

양심의 소리는, 신의 소리다.

19일 양심(良心)

양심은 자기 자신의 정신적 본원에 대한 의식이다. 그리고 그것은 인간생활의 신뢰할만한 지도자가 될 수 있는 것이다.

눈에 보이는 정신적 본질의 나타남을 우리는 보통 양심이라고 부른다. 그것은 나침(羅針)에 비교할 수 있다. 그 한 끝은 항상 옳은 것을 가리키고, 다른 한 끝은 항상 그릇된 것을 가리킨다.

신은 그대에게 모든 인류의 인식과 그대 개인에 대한 인식의 능력을 주셨다. 인류의 인식은 전통이라고 할 수 있다. 그대 개인의 인식은 양심이다. 이것은 두개의 날개와 같은 것이다. 〈마드지니〉

사람들은 도덕상의 가르침이나 종교상의 전통과 양심을 전연 색다른 인생의 지도자인 것처럼 말하고 있다.

그러나 사실에 있어서는 단 하나의 지도자가 있을 뿐이다. 그것은 양심이다. 양심이 전통과 도덕상의 가르침이나 종교를 승인하느냐 승인하지 않느냐 하는 문제 뿐이다. 〈톨스토이〉

그대는 젊고 정념과 욕망의 시절에 처해있다. 이 때에는 무엇보다도 먼저── 자신의 양심의 소리를 들으라. 그리고 그것을 무엇보다도 존경하라. 정념 때문에, 욕망 때문에, 양심에서 어긋나는 일이 없도록 하라.

다른 사람들의 꾀임 때문에, 또는 법률이라는 습관 때문에, 양심에서 멀리 떨어지는 일이 없도록 하라. 늘 자기의 행동이 양심과 일치하고 있나 없나를 자문하라. 〈게 엘〉

자신의 내면적 인식에 의하여 확인되지 않는 외부에서 들어오는 모든 것에 대하여 조심하라.

「자기 양심 같은 것은 믿지 말라」고 남들이 말할 때, 그들은 그대를 기만하려고 한다는 것을 알라. 그리고 절대로 그 말을 따르지 말라.

20일 결합(結合)

이성은 사람들을 결합시키는 근본이다. 사랑은 사람들을 결합하도록 한다. 이성은 그 결합을 완성시킨다.

「나는 생각한다. 그러므로 나는 존재한다」 이것은 참으로 옳은 말이다. 인간이 총명하게 생각하지 않으면 안된다 함은 명백한 사실이다. 총명하게 생각하는 사람은 무엇보다도 먼저 어떤 목적을 위하여 살지 않으면 안되는가를 생각한다. 그리고 자기 정신에 대하여 또 신에 대하여 생각한다.

그러나 속세의 사람들은 과연 무엇을 생각하고 있는가? 그저 자기에게 좋도록 생각하고 있는 것이다. 그들은 춤에 대하여, 음악에 대하여, 노래에 대하여, 또는 그와 비슷한 만족에 대하여 생각하면서, 부자나 왕자의 처지를 부러워 하고 있다.

그러나 자기가 인간다움을 나타내는 것에 대해서는, 결코 생각하려 하지도 않는 것이다. 〈파스칼〉

인간의 가장 중요한 의무의 하나는, 우리가 하늘에서 선물받은 이성을 어느 정도로 빛나게 하는가에 있다. 〈공 자〉

그것 자체에 모든 것을 포함하고, 하늘과 땅에 앞서서 존재하는 것이 있다. 그 속성을 이성이라고 부른다. 그것은 조용하다. 동시에 형태가 없다.

만약 그것에 무슨 이름을 붙여야 한다면, 나는 그것을 위대한 불가달(不可達)의 무한한, 그리고 편재적인 진리라 하겠다.

〈노 자〉

무엇이거나 이성이 결정한 것을 변동시킬 수는 없다. 우리는 모든 것을 다만 이성을 통해서만 알 수 있다. 그러므로 이성에 따를 필요가 없다고 말하는 사람들의 말을 믿어서는 아니된다. 그런 말을 하는 사람은 하나 밖에 없는 등불을 끄라고 권한 다음, 우리를 어둠 속으로 끌어 넣을려는 사람들인 것이다.

21일 고난(苦難)

어리석은 생활 때문에 겪은 고통은 총명한 생활이 필요로 하는 지식을 갖게 한다.

나는 저 도둑놈들과 같이 내가 처참한 생활을 해왔으며, 또 지금도 하고 있다는 것을 알았으며, 내 주위의 많은 사람들도 나와 같은 생활을 하고 있는 것이라 생각했다.

그래서 이와 같은 상태에서 벗어나기 위해서는 죽음 이외에 도리가 없다고 생각했다. 그리고 이 세상에는 무의미한 고생과 죄악이 가득차 있으며, 이 다음에는 무서운 죽음의 암흑이 우리를 기다리고 있는 것이라 생각했다.

이런 점에서 나는 아주 그 도둑놈들과 꼭 같았다. 그러나 한가지 다른 점은, 그들은 죽어버렸지만 나는 아직 살아있다는 것이다. 그들은 구원이 무덤 저편에 있는 것이라 믿고 있었으나, 나는 무덤 저편의 생활 이외에 아직 이 세상의 생활이 있음을 믿었기 때문이다. 그러나 나는 아직 이 세상의 생활을 이해하지 못했다. 그것은 나에게 커다란 공포를 주었으나, 나는 『그리스도』의 말을 듣고 비로소 그 생활을 이해하게 되었던 것이다.

그 후부터는 생활도 죽음도 나에게 있어서는 악이 되지 못했다. 나는 절망 대신에 생활의 기쁨과 행복을 경험하게 되었던 것이다. 〈톨스토이〉

세가지 길로서 우리는 예지(叡智)를 알 수 있다. 그 하나는 사색이다. 이것은 가장 고귀한 길이다.

다른 하나는 모방이다. 이것은 가장 용이한 길이다. 최후의 하나는 경험이다. 이것은 가장 괴로운 길이다.

〈고골리〉

모든 인류와 개인의 불행이 무익한 것은 아니다. 그것은 가까운 길은 아니지만, 인류와 개인을 언제나 하나의 목적으로 인도한다. 그 하나의 목적이란 우리에게 부과된 인간적 완성 그것이다.

22일 차이(差異)
진실한 종교는 오직 하나 뿐이다.

사람들이 신을 모른다는 것은 악이다. 그러나 최대의 악은 사람들이 신이 존재하지 않는다는 것을, 하나의 종교로서 인정한다는 그것이다. 〈락탄츠이〉

종교의 차이란──얼마나 괴상한 말이냐. 결국 역사상의 여러 사상(事象)가운데서는, 신앙의 차이가 존재할 수도 있다. 그러나 그것은 종교를 얻는데 있어서 종교자체로서가 아니라, 역사로서의 차이이다. 또한 그것은 학구적 방법의 영역에 관한 차이이다.

그리고 확실히 종교 서적에서의 차이는 있을 수 있다. 예컨대 「조로아스터 교전」, 「페타교전」, 「코란」 등과 같이. 그러나 참된 종교는 모든 시대를 통하여, 오직 하나 뿐이다. 모든 신앙의 차이란 종교에 대한 보조적 수단의 의미 밖에 갖지 못한다. 〈칸 트〉

믿는다는 것은 그 존재가 틀림 없는 것에 대해서만 있을 수 있는 일이다. 그리고 이지의 힘으로 포착할 수 없는 것에 대해서만 가능한 것이다. 〈존·러스킨〉

그대는 허위 속에 있으나, 나는 진실 속에 있다는 것을 확실히 증언하는 것은, 사람이 타인에게 말할 수 있는 가장 잔인한 말이다. 〈톨스토이〉

사교도의 세계에 있어서는, 인간이 가진 물건의 다소에 의하여 그 가치가 결정된다. 기독교도에게 있어서는 완성에 가까워져 있는 정도에 의하여 인간으로서의 존엄에 차이가 생긴다. 그래서 어떠한 기독교도도 그 도덕적 의의에 있어서 자기가 타인보다도 높다고, 혹은 낮다고는 생각하지 않는 것이다. 〈에머슨〉

의혹을 두려워하지 말라. 이성으로써 용감하게 신앙 상태를 검토하라.

23일 신종(信從)

신을 섬기면, 그대는 사람들 앞에서 자유롭게 된다.

평화란 어떠한 형태로 나타나든 아름다운 것이다. 그러나 평화와 예속 사이에는 큰 차이가 있다.

평화란 무엇에 의하든 파괴되지 않는 자유이다. 그러나 예속은 악 중에서도 가장 해로운 것이다. 우리들은 이것에 대하여 죽을 때까지 힘닿는데로 싸워야 한다. 〈시세로〉

이런 것을 기억하라. 즉 자기 의견을 변경하게 하고, 자기 과오를 바로잡게 해준 사람을 따르는 것은, 자기 과오를 고집하는 것보다 훨씬 자유에 가까운 것이라는 점을.

〈오레리아스〉

나는 자유로이 받아들일 수 있는, 그러나 보이지 않는 본원의 내면적 동기에 따라서만 행동하는 사람을, 자유인이라고 부르고 싶다.

또한 습관에 예속되지 않고, 낡은 세대의 도덕에 만족하지 않으며, 양심의 소리에 귀를 기울이고, 새롭고 보다 높은 문제로 나아감에 즐거움을 느끼는 사람을 자유인이라 부르고 싶다. 〈챤 닝〉

자기의 처지에 만족하고 있는 노예는, 이중으로 예속되어 있다. 왜냐하면 그는 육체 뿐만아니라 정신도 예속되어 있기 때문이다. 〈볼 케〉

자기의 자유를 잃은 인간은 자기 자신의 본성에 배반하고, 신의 면령에도 배반한 인간이다. 〈톨스토이〉

신의 가르침을 사랑으로써 지켜라. 신께 대한 사랑으로써 그 가르킴을 지키는 것과, 신께 대한 두려움으로써 가르침을 지키는 것과는 같지 아니하다. 〈탈무드〉

중간은 있을 수 없다. 신께 신종(信從)하든지 그렇지 않으면 사람의 노예가 되든지 그들 중 하나이다.

24일 휴식(休息)

자기가 부지런하다는 것을 자랑하는 사람은, 흔히 횡포한 사람이 되기 쉽다.

무엇을 하는 것보다도 아무것도 하지 않음이 훨씬 좋을 때가 있다. 〈에머슨〉

일이 대단히 나쁘다고 하면서 노는 일은 무엇이나 거절하는 것을 자랑삼는 사람들을 가끔 본다.

그러나 옳고 즐거운 놀음은 많은 일을 하는 것보다 필요하며 중요하다. 그리고 또 그 사람들이 바쁘게 하고 있는 일은, 하지 않는 편이 훨씬 좋은 결과가 되는 일이 흔히 있다.

〈톨스토이〉

많은 사람들은 자기의 만족을 잃게 되는 것을 아주 슬픈 일이라고 생각한다.

그러나 기쁨을 아는 동시에, 그 기쁨의 이유가 없어질 때 슬퍼하지 않는 사람만이 옳은 사람이다. 〈파스칼〉

죽은 자로 하여금 죽은 자를 묻게 하라는 말의 의미를 기억하지 않으면 아니된다. 〈괴 테〉

마차를 끄는 말이 앞으로 전진하지 않을 수 없듯이, 사람도 늘 무슨 일이든 하여야 한다.

그러므로 인간은 일한다는 그 자체 속에 보수를 가진다. 인간의 호흡 자체 속에 보수를 갖는 것이다. 중요한 점은 인간은 일을 해야 한다는 그것이다. 〈찬 닝〉

흔히 볼 수 있는 우리의 착오는 만족과 기쁨이 중요한 것이 아니라는 것, 나아가서는 악한 일이라고 생각하는 그것이다. 마호멧트교나 청교도들은 그렇게 생각한다.

만족이란 근로와 같이 중요한 것이다. 그것은 보수이다. 필요한 휴식은 가장 아름답고 자연스러운 만족이다. 〈세네카〉

일과 만족이 번갈아 오게 되는 생활만이 기쁜 것이다. 일이 없는 곳에는 만족도 있을 수 없다.

25일 허영(虛榮)

신께 봉사하기 위하여 마음을 쓰는 일이 많으면 많을수록, 그 사람은 모든 사람들에 대한 아첨과 허영에서 비방될 수 있다.

남의 잘못에 대해서는 고통을 느끼고, 참을 수 없을만큼 마음을 조리는 법이다. 그러나 자기 자신이 범한 똑같은 과오에 대해서는 아무런 주의도 하지 않는다.

사람들은 남의 잘못을 말하며, 그것을 무서운 것이라는 생각은 하나, 그것이 자기의 그림자가 된다는 것은 깨닫지 못한다.

만약 우리가 자신의 결점을 보며, 남을 통하여 자기를 돌이켜볼 용기를 가지고 있다면, 자기의 결점을 고치기가 얼마나 쉬울 것인가. 〈라·부류엘〉

인간이란 아무래도 깨뜨릴 수 없는 관념을 가지고 있다. 그것은 어린애들이 숨으려고 생각할 때 제 눈을 가리우는 것같이, 제가 보지 않을 때면 남들도 자기를 보지 않을 것이라는 그러한 관념이다.

그러나 우리의 생활, 우리의 행위가 다른 사람들에게 끼치는 인상에 대하여 생각해보는 것은 아주 유익한 일이다.

〈톨스토이〉

덕(德)이 높은 사람이 되기 위한 가장 빠르고 틀림없는 방법은, 그렇게 되기 위하여 전력을 다하여 자기 수양을 쌓는 것이다.

덕이 높은 모든 사람들을 볼 때, 그들은 전부 자신의 노력에 의하여 그와같이 위대하게 되었음을 알 것이다.

〈소크라테스〉

가장 선량한 행위 속에도 허영과 속세의 칭찬을 바라는 마음이 섞여 있다.

이 마음은 자기 자신이 그 행위 때문에 칭찬을 받는게 아니라 도리어 공격을 받게 되더라도, 그 행위를 변경할 수 없다고 단언할 수 있을 때에만 무해한 것이다.

26일 이해(理解)

이성(理性)이란 우리에게 인생의 의의와 사명을 밝혀주는 것이다.

태양은 끊임없이 그 빛을 온 세상 구석 구석까지 비친다. 이 태양의 빛과 같이 그대의 이성의 빛도 모든 방면으로 비쳐 나가지 않으면 아니된다.

그 빛은 방해물을 만나더라도 겁내지 않고 성내지 않고 조용하게 비친다. 그러면 그 빛을 거절하는 것만이 혼자 어둠 속에 남게 된다. 〈오레리아스〉

어떤 사람은 이성의 성장을 바라지만, 대다수의 사람은 이성을 멸시하고 있다. 그들은 자기를 가축보다 높게 하여주려는 것에서 떨어지고 있는 것이다. 〈공 자〉

이성이 가리키는대로 행동하는 자는 큰 행복을 얻는다. 그 행복은 모든 사람들에게 공통된 것이다. 모든 사람이 다같이 그 행복을 누릴 수 있는 것이다.

가령 이 행복으로 통하는 길이 아주 곤란한 것같이 생각되더라도, 그 길은 찾을 수 있다. 그러나 그것은 손쉽지 않다. 따라서 그 길을 찾는 사람은 극히 드물다.

만약 구원의 길이 모든 사람들의 눈앞에 있으며, 힘들이지 않고 참을 수만 있다면, 도리어 사람들은 그것을 그다지 대단하게 여기지 않을 것이다. 무릇 아름다운 것은 다같이 곤란하다. 그리고 흔한 것이 아니다. 〈스피노자〉

주위에 존재하는 것과 비교하여 볼 때, 인간은 약한 갈대에 지나지 않는다. 그러나 그것은 이성이라는 혜택을 받은 갈대이다. 〈칸 트〉

만약 인간에게 이성이 없다면, 인간은 인생의 의의를 이해하지 못할 것이다. 인생의 의의를 이해하지 못하면, 인간은 선과 악을 구별하지 못할 것이다. 따라서 그것을 소유하지도 못할 것이다.

27일 비밀(秘密)

신의 가르침을 지키기 위하여 사는 사람은, 다른 사람들이 무엇이라 말하든 마음이 혼란해지는 법이 없다.

우리가 마음 속에서 무엇을 생각하고 있는가를, 언제나 또 누구나 환하게 들여다 볼 수 있다고 생각하지 않으면 아니된다. 〈세네카〉

나쁜 행동을 숨기는 것은 좋지 못하다. 그러나 그것을 자랑하듯이 드러내는 것은 한층 더 좋지 못하다. 〈시세로〉

사람들 앞에서 부끄러워 하는 것은 선한 감정이다. 그러나 자기 자신 앞에서 부끄러워 하는 것은, 더 한층 아름다운 감정이다. 〈톨스토이〉

남이 갖지 못하는 부끄러움(뉘우침)을 갖는 것만큼, 그 사람의 도덕적 완성의 단계를 확실하게 나타내는 것은 없다. 〈존·러스킨〉

부끄러워 해야할 일을 말하며, 말하지 못할 일에 대해서 후회나 속죄를 말하는 것은, 도리어 그런 부끄러운 일을 되풀이하여 변명하는데 지나지 않는다.

질문을 받았을 때에는 조금도 숨기지 말라. 그러나 아무 필요도 없을 때에는 자기의 악을 말하지 말라. 〈존·러스킨〉

사람들이 숨기고자 하는 것은 거의 다 악한 것이다. 그러므로 자신의 선한 일을 감추는 것만이 선이다. 〈톨스토이〉

숨겨진 것이 나타나지 않음이 없고, 비밀이 알려지지 않음이 없는 법이다. 〈노 자〉

아무것도 숨길 필요가 없도록 살라. 또 남에게 자랑하거나 보이거나 할 생각을 갖지 말고 살라.

28일 가정(家庭)

가정적인 결합, 그것이 종교적 결합에까지 발전했을 때, 그 식구들이 신과 신의 가르침을 믿을 때에만, 확고한 것이 되며, 또한 사람들에게 행복을 가져오는 것이 된다.

이렇게 되지 않고는 가정은 기쁨의 원천이 될 수 없다. 도리어 고생과 걱정의 원천이 될 것이다.

가정으로서의 이기주의는 개인으로서의 이기주의 보다 잔인한 경우가 있다. 자기 한사람 때문에 남의 행복을 희생함을 부끄러워 하는 사람도, 가정의 행복을 위해서는 남의 불행과 결핍을 이용함은 거의 당연한 것으로 생각하고 있다.

〈세네카〉

가정도 족보도 인간의 영혼을 제한할 수는 없다. 인간은 그 탄생의 날로부터 일정한 소수의 사람을 그의 주위에 갖고 있다. 그 사람들의 온유함이 인간에 대한 애정을 그 마음 속에 불러 일으킨다.

그러나 가정적인, 그리고 민족적인 결합이 예외적인 계급적인 것으로 되고, 그로 인하여 전 인류로서의 요구를 제외하는 것으로 된다면── 그것은 우리의 영혼을 기르는 대신, 우리의 무덤이 되고말 것이다.

〈챤 닝〉

어떤 사람들은 권력에서, 어떤 사람들은 학문에서, 또 어떤 사람들은 향락에서 행복을 찾는다.

세 가지 모양의 욕망이 세 가지의 다른 학파를 만들고, 모든 철학자들은 이 세 가지 중 어느 하나를 따르고 있다.

그러나 다른 사람보다도 한층 참된 철학에 도달한 사람은 다음과 같은 점을 이해하고 있다.

가정에 대한 애착에는 자기 개성에 대한 애착과 같이 선도 악도 없다. 이것은 어느 것이나 다 자연의 현상이다. 그러나 가정에 대한 애착이 정도 이상으로 한계를 넘어설 때에는 죄악이 될 수 있으며, 덕성이 될 수는 없다.

29일 우울(憂鬱)

우울이란, 인간이 자기 자신의 생활이나 모든 세상의 생활 속에서 의의를 발견하지 못했을 때의 마음의 상태이다.

온 세계가 더러워 보이고, 사람들이 불쾌하게 생각되고, 모든 것이 어리석고 못나게 보이는 상태, 그러한 상태를 잘 이용하지 않으면 아니된다.

그럴 때 자기 자신을 주의해 보라. 그러면 그 전에 보지 못한 것을 볼 것이다.

그리고 그 때 그대 자신 속에서 발견한 그 더러움은, 그대를 위하여 결코 무용(無用)하지는 않을 것이다. 〈톨스토이〉

내주 예수여, 정결과 공손과 사랑 속에 주의 계시를 수행하여 끊임 없는 기쁨 속에 있을 수 있도록 저를 인도하여 주소서. 〈에머슨〉

모든 것이 캄캄하게 보이고, 죄있는 것으로 생각되며, 아무에게나 욕을 하고 좋지 못한 짓을 하고 싶을 때에는, 결코 자신을 믿지 말라.

이런 상태에 빠졌을 때는, 자신을 정신 잃은 주정뱅이로 생각하라. 이런 상태가 아주 지나갈 때까지 가만히 기다리라.

이런 때에는 꾹 참고 가만히 있으면 있을수록, 정신이 빨리 회복되는 법이다. 그것은 술취했을 때의 꿈과도 같은 것이다. 〈토 로〉

우울이나 그밖에 재미있지 못한 정신의 상태는, 주위의 사람들을 괴롭게 할 뿐만 아니라, 가장 전염하기 쉬운 것이다. 〈룻 소〉

주위의 모든 것에 대해서 또 자기 자신의 처지에 대해서 불만을 느낄 때에는, 달팽이가 껍질 속으로 들어가듯 죽치고 들어앉아있는 것이 좋다.

이 세상에서의 사명을 잊어버리지 말고, 그대를 그런 기분으로 떨어뜨린 상태가 지나갈 때까지 기다리는 것이 좋다. 그러면 다시 이 세상을 위하여 일하지 않으면 안되겠다는 마음이 생길 것이다.

30일 해결(解決)

만약 사람이 외면적 세계에 대한 문제의 해결에만 마음을 쓰지 않고, 인간으로서의 유일한 내면적 세계의 문제에만 골몰 한다면, 그 사람의 생활은 얼마나 향상될 것인가? 그러면 그 때, 모든 외면적인 문제도 가장 좋게 해결될 것이다.

많은 사람들은 세계보다도 자기 자신을 구원할 것을, 인류보다도 자기 자신을 구원할 것을, 인류보다도 자기 자신을 해방할 것을 바라고 있다.

그럼에도 불구하고 세계를 구원하기 위하여, 또는 인류를 해방시키기 위하여, 얼마나 많은 노력이 경주되고 있는 것일까?

〈겔 첸〉

우리는 모든 사람의 행복이 어떤 것에 있는지를 모른다. 그것은 도저히 알 수 없다. 그러나 이런 점은 확실히 알고 있다.

즉 모든 사람이 행복에 도달하는 길은 오직 인간에게 주어진 선의 가르침을 지킴으로써만 가능하다는 그점이다.

〈톨스토이〉

참된 생활이란 외부세계에 대 변혁이 일어났을 때 또는 여러 사람이 동원되고 출동하고, 싸우고, 죽이고 하는곳에 있는 것이 아니다.

참된 생활은 오직 눈에 보이지 않는 어떤 변화가 일어났을 때에만 시작되는 것이다. 〈헨리 · 죠지〉

「마르다여, 마르다여, 그대는 여러가지 일에 마음을 번거로이 하고 있다. 그러나 그대가 해서 안될 일은 단 하나 있을 뿐이다. 마리아는 좋은 일을 선택하였다. 그것은 그로부터 빼앗을 수 없을 것이다.」

〈성 서〉

인생을 향상 시키기 위해서는 의리의 바깥에 존재하는 외면적인 것에 노력하여야 한다고 생각할 때에 그것은 더욱 곤란하게 된다.

7월의 장

〈마르케 그림〉

1일 본원(本源)

인간의 마음은 신에 속한 것이다.

모든 진리는 그 본원(本源)에 신을 지니고 있다. 진리가 인간 속에 나타날 때에도, 그 나타난 진리는 인간 속에서 생겨난 것이 아니다. 그것은 다만 인간이 진리를 나타낼만한 투명성을 지니었음을 증명할 따름이다. 〈파스칼〉

신의 힘에서 독립하여 자기 자신의 정신력을 세우려 함은, 노자의 가르침에 따르면, 공기를 통과시킬 따름인 풀무가, 한 개의 기구가 아니라 공기의 원천이라고 믿음과도 같다. 또한 그것은 풀무가 진공 속에서도 공기를 뿜어낼 수 있다고 믿는 어리석음과도 같다. 〈존 · 러스킨〉

일순간이라도 좋다. 극히 작은 아욕(我慾)에서라도 떠날 수만 있다면, 그때 우리는 누구에 대해서나 악을 행하고자 하지 않으리라. 악한 일을 꾀하지 않게 되리라. 빛을 반사하는 유리 같이 되리라.

빛은 있다. 그럼에도 불구하고 우리는 함부로 그것을 반사하지 않을 따름이다. 만일 우리가 반사하기만 한다면, 그 때 주위의 만상은 찬란하게 열리어질 것이다. 〈토로오〉

빗물이 물통을 넘쳐 흘러 내리면, 우리는 빗물이 물통에서 솟아나오는 듯이 생각한다. 사실은 하늘에서 떨어지는 것이다.

이와 꼭같은 일을 독실한 신도들과 성스럽다는 종교 속에서 볼 수 있다. 자칫하면 그 신도들에게서 훌륭한 가르침이 흘러나오는 것처럼 느끼게 된다. 그러나 그 가르침은 신으로 부터 계시된 것임을 우리는 알아야만 한다. 〈톨스토이〉

신의 힘이 그대의 속을 통과할 수 있도록 깨끗함을 가지라. 신의 힘이 통과한다는 것은 가장 큰 행복이다.

2일 창조(創造)

어떠한 방면에 있어서나, 하나의 창조의 평가, 특히 창조를 가장(假裝)하는 것에 대한 평가로서 쓰이는 예술이란 말만큼 악용되는 말은 없다.

예술이란, 대자연이 내포하고 있는 사상을 부각 추출하는 정신적 창조이다, 영감의 붙 밑에서 다감(多感)한 묵즙(墨汁)에 의하여 회화(繪畫)가 나타난다.

비밀이 선명해지고, 막연하여 포착하기 어렵던 것이 명백히 드러나며, 끝없이 복잡하던 것이 일목요연(一目瞭然)하게 단순화되어 표출된다.

한마디로 말하면, 예술은 대자연의 숨은 목적을 표현하며, 그것을 폭로하는 것이다. 그리고 위대한 예술가는 그 모든 것을 항상 단순화한다.

〈아미엘〉

과학과 예술은 폐와 심장과 같이 밀접한 관계를 가진다. 그러므로 만일 한쪽 기관이 파괴된다면, 나머지 기관도 올바른 활동을 못하게 된다.

진정한 과학은 항상 연구를 게을리 하지 아니하며, 그 시대 그 사회의 사람들에게 가장 중요하다고 인정되는 지식상의 진리를, 사람들의 의식 속에 도입하는 것이다.

또한 예술은 이들 진리를 지식의 영역에서 감정의 영역으로 옮겨 놓는 것이다.

〈톨스토이〉

예술작품을 대할 때 이해할 수 없는 그 무엇을 느낄 때, 우리는 그것이 가져오는 흐뭇한 인상(印象)을 맛보게 되는 것이다.

〈쇼펜하우어〉

예술에 종사한다는 것은, 그것에 종사하는 사람들이 생각하고 있는 것만큼 가치 있는 일은 아니다. 그것이 사람과 사람을 융합시키며, 착한 감정을 불러일으킬 수 있을 때에만 예술은 유익한 것이다. 그러나 권력층에 대한 아첨으로 시종하는 예술에 종사함은 무익할 뿐더러 유해하기 까지 한 일이다.

3일 칭찬(稱讚)

허영심이 강한 인간은 무엇보다도 타인의 칭찬을 바란다. 그러나 칭찬을 받자면, 남이 좋다고 인정하도록 되지 않으면 아니된다.

세상사람들은 자기 마음에 드는 것이면 좋다고 생각한다. 그런데 남에게 좋게 보이려면, 그들의 마음에 들도록 해야 한다. 그러므로 허영심을 만족시키는 것만큼 어리석은 일은 없다.

어떤 사람이 다른 사람에게 묻기를, 왜 제마음에 없는 일을 하느냐 하였다.

「남들도 모두 그렇게 하고 있지 않느냐」하는 것이 그의 대답이었다.

「남들이 모두가 그렇게 하고는 있지 않다」고 반박하면서 「그 증거로 지금 나는 그런 일을 하지 않고 있네. 또 나 이외에도 하지 않는 사람을 찾아낼 수 있지 않은가?」

「그러나 전부는 아니지만 인류의 대부분이 하고 있거든」

「누구란 말인가? 말해 보게. 세상엔 못난 사람이 많은가? 똑똑한 사람이 많은가?」

「물론 못난 사람이 많겠지!」

「그럼 자네는 많은 사람의 흉내를 내고 있으니까, 결국 못난사람이지, 무엇인가」 〈톨스토이〉

필요없이 부끄러워 하는 사람, 마땅히 부끄러워할 일에도 태연한 사람, 이러한 사람은 그 어느 쪽이나 모두 허위의 관념에 사로잡히어 파멸의 빗길로 끌리어 들어가는 사람들이다. 〈석 가〉

「타인이 하는대로 하라」라는 훈계는 위험한 것이다. 그것은 언제나 나쁜 것을 하라고 가르치는 것이나 다름이 없다.

〈라·부류이엘〉

세상의 영예나 칭찬을 받으려고 고심함은 어리석은 일이다. 세상사람들은 나 자신과 동일한 것을 선으로 믿지 않을 뿐더러, 때로는 내가 가장 선으로 믿는 것을 정반대로 악으로 믿기까지도 하기 때문이다.

4일 죄벌(罪罰)

타인을 처벌한다는 것은, 틀림 없는 심판에 의하는 것도 아니며, 또 정의감에 의하는 것도 아니다. 그것은 타인에 대하여 악(惡)으로써 앙갚음 하려는 불순한 감정에 의하는 일이 많다.

거의 예외없이 다음과 같이 말할 수 있다. 감옥에 갇힌 자, 교수대의 이슬로 사라지는 자의 모두가 불행한 인간이라는 것, 그리고 그들을 처벌한다는 권리를 중개하는 법률의 죄악에 의하여, 그들은 육체적으로나 정신적으로나 압박받은 인간들이라는 그것이다.

〈헬벨트 · 붜드쥬로〉

교육을 위하여, 사회질서를 위하여, 혹은 종교상의 이해를 위하여 존재한다고 생각되는 형벌이, 일찌기 사회나 우리들의 자녀나 신앙 있는 사람들을 착하게 하기에 도움이 된 적은 없다.

그것은 자녀들에게 냉혹함을 가르치고, 사회사람들을 타락시키고, 지옥이라는 거짓된 약속으로써 사람들의 덕성을 빼앗고,——이루 헤아릴 수 없는 불행을 조성하였던 것이다.

〈톨스토이〉

현대의 모든 형벌은, 앞으로 올 시대의 경악의 표적이 될 것이다. 「어째서 그들은 그같은 불합리와 잔인과 참혹을 깨닫지 못했을까 ?」하고 우리의 자손들은 의심스러워할 것이다.

〈죤 · 러스킨〉

벌을 과한다는 것은 불을 뜨겁게 함과도 같다. 무릇 죄악은 인간이 과할 수 있는 처벌보다도, 훨씬 가혹하고 지혜롭고 적당한 벌을 그 자체가 갖고 있는 법이다.」 〈세네카〉

사람에게 벌을 주고자 하는 욕망은, 가장 저급하고 동물적인감정이라는 점을 이해하고 기억하지 않으면 아니된다. 그 감정의 요구에 따른다는 것은, 지혜로운 행동이라고 할 수 없다. 그것은 자신의 질식을 의미한다.

5일 불행(不幸)

죄악을 범할 수 있는 것은 오직 인간 뿐이다. 인간의 의지에 의하지 않는 행위는 무엇이든지 선이다.

그대는 언제쯤이면 육체적인 것을 벗어나서 정신적인 인간이 될 수 있겠는가? 그대는 언제쯤이면 만인이 사랑하는 행복을 깨달을 수 있겠는가?

그대는 언제쯤이면 자기 행복을 위하여 타인이 생사(生死)로써 그대에게 봉사하기를 요구하지 않고, 인생에 대한 높은 이해에 의하여 자기 자신을 비애나 육욕(肉慾)에서 해방할 수 있겠는가?

그대는 언제쯤이면 참다운 행복이 항상 그대 힘 속에 있으며, 그것이 자연의 아름다움이나 타인과의 관계속에 있는 것이 아님을 깨달을 수 있겠는가. 〈오레리아스〉

생생하고 무한한 정신력을 얻으려 함이 인간의 본성이다. 외면적인 물질상의 행복만을 추구한다면, 우리는 인간 자신에게 또는 단순한 우연한 일에, 노예와 같이 종사하지 않으면 아니 될 것이다. 〈에머슨〉

솔로몬과 욥은 인간의 어리석음, 즉 한 사람은 행복의 절정에 있는 반면, 다른 한 사람은 불행 속에서 허덕이며, 한 사람은 향락에 진절머리가 날 지경일 때, 다른 한 사람은 비참한 환경에서 울고 있다는 것을, 누구보다도 잘 알고 있었으며, 누구보다도 잘 이야기 하였던 것이다. 〈파스칼〉

신께서 보내어 주시는 모든 것 뿐만 아니라, 그것이 보내어지는 그 때도 똑같이 여러 사람에게 은혜로운 것이어야 한다. 〈오레리아스〉

악은 다만 자기 자신의 행위 속에만 있다고 생각하는 사람이 있는데, 그것은 잘못이다. 그에게 닥쳐오는 모든 외면적인 불행은, 그가 경험하는 평화와 자유의 행복에 비한다면, 참으로 아무것도 아닌 것이다.

6일 말세(末世)

전쟁의 그 처절한 실황묘사(實況描寫)도 역시 인간을 전쟁에서 벗어나게 하지는 못한다.

그 이유의 하나는 다음과 같다. 즉 모든 사람이 그같은 무서운 사실이 존재하며, 그것이 허용되고 있는 이상, 거기에는 어떠한 피할 수 없는 원인이 존재하여 있을 것이라는, 괴이하고도 막연한 상상을 가지게 되기 때문이다.

그리고 이 상상은 번번히 선량한 사람들에게, 전쟁이란 이 세상에 반드시 있어야 할 현상인 것처럼 착각하게 하며, 그들의 가장 좋은 면을 이용하여 전쟁을 변호하는 결과를 초래하고 있는 것이다.

이 세기의 종말에 있어서 우리를 기다리고 있는 불가피한 재앙이 있다. 이 거대한 사실 앞에 우리의 사상은 그 전진을 멈추고 말았다.

우리는 이 위협에 대하여 충분히 준비함이 있어야 한다. 최근 20년 간에 걸쳐, 과학상의 많은 노력이 파괴무기의 고안을 위하여 받쳐졌다.

얼마 후면 모든 무력을 일거에 분쇄해 버릴 수 있는 새 무기가 제조될 것이며, 그리하여 새 전쟁은 민족 대 민족의 싸움에까지 그 범위를 확대하게 될 것이다. 〈에 · 로드〉

대포의 탄환을 자신의 몸으로써 만들지 않으면 안되는 불행한 사람들은, 반대할 권리가 있는 것이다. 그러나 불행히도 그들은 자신의 신념을 주장할 용기를 갖지 못한다.

모든 악은 여기서 일어난다. 그들은 문제를 이해할만한 능력을 갖지 못했기 때문에, 오랜 옛날부터 오직 자신을 죽음의 구렁텅이에 몰아넣기에만 익숙해졌으며, 그가 바라는 사회를 별처럼 그려보기만 하다가 죽어가는 것이다. 〈칼도웰〉

전쟁의 필연성을 증명할만한 아무런 방법도 있을 수 없다.

7일 부정(否定)

신을 부정함은, 정신적이며 이지적인 존재로서의 자기 자신을 부정함을 의미한다.

나는 말로서 정의하는 방법에 의해서가 아니라, 전혀 다른 방법에 의하여 신과 영혼의 존재를 인식한다. 정의는 이 인식을 파괴하는 것이다.

나는 의심할 바 없이 신의 존재, 영혼의 존재를 인식한다. 이 인식은, 내가 어쩔 수 없이 인식한다는 그 이유로서, 의심할 수 없는 것이다. 〈톨스토이〉

신은 존재한다. 우리는 그것을 증명할 수 없으며, 또 증명해서는 아니되는 것이다. 신의 존재를 증명하려는 모든 방법은 차라리 신을 모독하는 것밖에 아니된다. 신을 부정함은 광인의 행위이다.

우리의 양심 속에, 인류의 의식 속에, 그리고 우리를 둘러싸고 있는 전 세계에 신은 존재하고 있다. 우리의 양심은 비애와 희열의 가장 엄숙한 순간에 있어서, 신을 향하여 기원하는 것이다. 〈마드지니〉

가장 완고하고 결정적인 부정론자(否定論者)라 할지라도, 자기가 원하든 안든간에 신(神)을 인식하지 않을 수는 없을 것이다. 자신의 생활법칙이 존재하고 있음을 부정할 수는 없을 것이다.

그 법칙은 복종할 수도 있고, 회피할 수도 있다. 그러나 무엇보다도 높고 인간의 힘이 미치기 어려운 것임에도 불구하고 그것은 존재하고 있다는 사실 때문에, 그 불가피한 생활법칙을 인식한다는 것은, 이미 신의 법칙인 것이다. 〈토로오〉

이 세상의 생활이 그의 뜻에 의하여 행하여지는 주체를 우리는 신이라고 부른다. 〈존・러스킨〉

사람이 신을 믿지 않음은, 신의 법칙에 배반된 허위를 믿기 때문이다.

8일 몰아(沒我)

인간 생활의 모든 모순을 해결하고, 인간의 가장 큰 행복을 가져오는 감정을 모든 인간은 알고 있다. 이 감정은──사랑이다.

성실의 길에 서라. 그리고 선을 행하도록 하라. 그대 비록 모든 종교의 교의(敎義)를 터득했다 할지라도, 선만이 다름 없이 그대의 행복을 가져올 것이다. 마음 속에 선이 살고 있는 자, 결코 어두움이나 슬픔의 나라로는 떨어지지 않을 것이다.

어떠한 악도, 선량하며 만 사람에게 봉사하는 사람을 범치는 못한다. 가난한 사람은 때만 오면, 부자가 될 수도 있다.

그러나 마음이 악한 자에게는 그런 변화도 있을 수 없다. 그들은 영원히 가난해야 하는 것이다. 〈석 가〉

사랑은 죽음을 소멸 시키며, 죽음을 공허한 환영으로 바꾸어 버린다. 사랑은 무의의(無意義)한 삶을 의의있는 것으로 바꾸어 놓으며, 불행에서 행복을 만들어낸다. 〈톨스토이〉

만약 그대들이 모든 사람에게 의식적으로 선량하지 않게 대한다면, 많은 사람들에게 무의식적으로 냉혹하게 대할 것이다. 〈존·러스킨〉

사랑은 인간에게 몰아(沒我)를 가르친다. 그러므로 사랑은 인간을 고통에서 구출해준다. 사랑을 모르는 인간에게서 우리는 아무런 가치도 찾아볼 수 없다. 〈세네카〉

사는 것이 고생스러울 때, 사람을 두려워하며 자기 자신을 두려워할 때, 또는 판단이나 일에 대하여 망서릴 때, 그대는 그대 자신 「나와 같이 살고 있는 사람들을 사랑하자」 그렇게 말해 보라.

그리고 그것을 실행하도록 노력하라. 그러면 아무것도 바라지 않으며 아무것도 두려워하지 않게 될 것이다.

9일 박학(博學)

많은 지식 즉 박학이 가치있다고 생각함은 잘못이다. 중요한 것은 지식의 분량이 아니라, 그 질(質)이다.

「소크라테스」는 우둔은 명지(明知)와 대립하기 어려운 것이라고는 생각하였으나, 무지(無知)가 곧 우둔이라고는 말하지 않았다.

그러나 제 자신을 모르는 것, 제 자신이 모르는 것을 알고 있는양 망상(忘想)하는 것 그러한 자들을 광인(狂人)이라 불렀다. 〈톨스토이〉

대단치 않은 지식을 가지고 무엇이든 알고 있는 것같이 생각하는 사람들과 비교하여, 전연 아무 것도 모르는 사람, 그리고 극히 드물게 밖에 볼 수 없으나 자신의 무지를 자각하는 사람은 얼마나 커다란 우월을 가진 것일까?

진정 얼마나 커다란 은혜를 가진 것일까? 〈토로오〉

우리는 스스로 사색에 잠김으로써, 많은 무익한 독서를 하지 않아도 무방하게 된다.

「독서」와 「배움」은 같은 것일까? 어떤 사람은 다음과 같이 단언했는데, 근거 없는 말은 아니다. 즉 서적의 출판이 함부로 증가할 때, 그 질과 내용은 저하한다고.

만일 세상 사람들이 무엇을 사색할 것인가 하는 것 뿐만 아니라, 어떻게 사색할 것인가 하는 점을 아울러 배운다면, 모든 거짓된 지식은 소멸할 것이다. 〈리프텐벨그〉

도덕상의 완성에 도달하기를 원한다면, 먼저 마음이 깨끗해지도록 노력하라. 마음의 순결은, 마음이 바른 것을 희구하고 의지가 신성으로 향할 때에만 나타난다. 〈에머슨〉

논쟁(論爭)을 일으키는 지식은 반드시 의심스러운 지식이다.

10일 속론(俗論)

현세에서는 참된 신앙이 속론(俗論)에 대용되고 있다. 사람들은 신을 믿지 않고 있다. 그들은 신께 봉사하는 대신 허례를 믿고 있다.

신의 존재를 부정하는 중요하고 상투적인 수단은, 신의(神意)에 아무런 의의도 주지 않으며 무조건으로 세론(世論)을 인정하는데 있다.

〈존·러스킨〉

신은 인간에게 진리와 안일 중 어느 것이나 마음대로 택할 수 있는 권리를 주시었다. 이 중 어느 것이고 택하라.

그러나 둘 다 함께 가질 수는 없다. 사람들은 이 두가지 사이를 방황하고 있다. 안일을 사랑하는 자는, 그가 처음으로 접한 신앙, 철학, 정당── 즉 그의 아버지가 가르친 것으로 기울어질 것이다.

그는 안일과 이득과 사회의 존경 같은 것을 얻을 것이다. 그러나 그는 권리에 대해서는 아무 것도 얻음이 없을 것이다.

〈에머슨〉

「신은 존재하지 않는다」라는 관념을 토대로 하는 사회는, 예기치 못한 결과에 이르고 만다.

왜냐하면 그런 사회에 있어서의 질서는, 끝없는 우연성의 연결로 밖에 생각되지 않으며, 또한 그러한 우연성은, 그 사회에 아무도 이미 놀라게 할 수 없기 때문이다.

무슨 일이든 그렇다. 이를테면 괴상망칙한 소리를 지르고 돌아다니는 망령(亡靈) 일지라도, 만일 그것이 제일 먼저 우리의 눈앞에 나타난다면, 나중에는 누구하나 놀라지 않게 될 것이다.

〈카알라일〉

오늘날 사람들이 이처럼 고생을 하게 된 악의 원인은, 현대의 대다수 인간들이 종교를 갖지 않았다는 그 점에 있다.

11일 자비(慈悲)

참된 자비심은, 자기 노력으로써 약한 자에게 봉사하는 강한 자의 자비심 그것 뿐이다.

자선이 선일 수 있음은, 그것이 노고의 소산일 때에만 그렇다.

속담에도 「땀 없는 손은 물건을 더럽히고, 땀 있는 손은 물건을 더럽히지 않는다」는 말이 있다. 이와 같은 말이 12 사도의 가르침 속에도 있다. ──자선은 땀 있는 손으로 하라.

인간에게 힘이 부여되어 있는 것은, 약한 자를 학대하기 위해서가 아니라, 약한 자를 지원 해주기 위해서이다.

〈존 · 러스킨〉

무릇 선한 일이란 자선을 말한다. 목마른 자에게 물을 주는 것──이것도 자선이다. 길가에 있는 돌을 치우는 것──이것도 자선이다. 남에게 좋은 사람이 되도록 타이르는 것──이것도 자선이다. 길가는 나그네에게 길을 가르쳐 주는 것──이것도 또한 자선이다. 남의 얼굴을 보면서 미소를 띠우는 것──이것도 역시 자선이다. 〈마호메트〉

그대에게 바라는 모든 자에게 베풀어주라. 그리고 그대의 것을 빼앗아간 자에게, 다시 돌려줄 것을 요구하지 말라. 타인이 그대에게 해주기를 원하는 그 일을 타인에게 해주라.

〈성 서〉

참으로 자비로운 사람이 되고자 한다면, 부자는 곧 부자이기를 그만 두어야 할 것이다. 〈톨스토이〉

양심이 명하는대로 용감하게 행동하라. 그리고 항상 헌신적으로 행동하여, 세상 사람들에게서 떨어지는 일이 없도록 조심하라. 〈게 엘〉

자선을 모르는 인간에게서 무슨 가치를 찾을 수 있을 것인가? 자선은 진정한 은혜이다. 선인이 되느냐 악인이 되느냐, 이는 그 사람의 마음하나에 달려 있다.

12일 동포(同胞)

살아 있는 모든 것 속에, 그 생명을 부여한 동일한 정신적 근원을 우리는 본다.

무릇 사람과 사람을 융합시키는 것은 선과 미이다. 사람과 사람을 서로 배반하게 하는 것은, 악과 추(醜)이다.

사람은 누구나 다 이 진리를 알고 있다. 그것은 우리의 마음 속에 새겨져 있다. 〈세네카〉

산이 무너졌거나 「박테리아」가 침식(侵蝕)한 것도 아닌데, 서로 사랑해야 할 것임에도 불구하고, 나를 미워하고 괴롭게 하는 동포들 때문에, 내가 괴로와해야 하며 생명을 잃어야 한다는 것은, 얼마나 무섭고 괴로운 일이냐?

이것은 자살을 강요 당하는 것과도 같다. 나는 이와 같은 괴로움을 도저히 견디어낼 수 없다. 나는 자진하여 자살할 것이다. 〈고골리〉

우리가 하는 일은, 마치 자기 자식과도 같다. 그것은 우리의 의지를 떠나서 살고 있으며, 행동하고 있는 것이다.

〈죠오지·엘리오트〉

인간은 당연한 일인 것처럼, 자기 이익 만을 위하여 일하는 동물이다.

그것은 마치 육체가 살기 위하여 관능이 필요함과 같이, 이 세계를 위하여는 관능이 없어서는 안된다고 믿는 것과도 같다.

우리는 천명의 사람을 불행에 몰아넣고 자기 이익만 취할 수는 없다. 〈톨스토이〉

우리는 밖으로는 서로 떨어져 있지만, 안으로는 모든 존재와 결합되어 있다.

우리는 정신적인 세계에서 오는 그 어떤 진동을 느끼고 있다. 그것은 아직 우리에게까지는 미치지 않고 있다.

그러나 먼 별에서 빛이 흘러 오듯이, 그것은 결국 우리가 있는 곳까지 닥쳐 오고 말 것이다.

13일 교의(教義)

기독교의 교의(教義) 속에 설명된 신의 계율을 실천함은 아주 쉬운 것같이 생각된다. 그러나 우리는 아직 그 실천에서 멀리 떨어진 곳에서 있다.

옛사람의 말에 「살생하지 말라, 살생하는 자는 심판을 받으리라」는 말이 있음을 너희는 들었으리라. 〈出埃及記〉

종교운동이 끊임없이 계속됨은, 종교를 도덕에 가까이 하려는 생각에서이다.

신학에 관한 설(說)에 변동이 일어날지라도, 인간이 해야할 일에 대한 신념에는 변화가 있을 수 없다. 〈에머슨〉

사람들은 이 오계를 따르지 않으면 아니된다. 그때에 신의 나라가 지상에 세워질 것이다.

현대의 교육으로 인하여 비뚤어진 우리 일지라도, 이 오계를 따름은 쉬운 일이다. 하물며 모든 어린이가 이 계율에 의하여 교육됨은 얼마나 쉬운 일이겠는가. 〈톨스토이〉

모든 시대를 통하여 만인을 지배하는 영겁불변(永劫不變)의 법체는 단 하나 밖에 없다. 그 법체에 따르지 않는자는, 자기 자신을 거부하며 인간의 본성을 멸시하는 자이다.

그는 그 때문에 소위 형벌은 받지 않을망정 자기 자신은 가장 무거운 벌을 등에 지게 되는 것이다. 〈시세로〉

지혜로운 자에게도 인생의 법체는 이해되기 어렵다. 그러나 그가 그 법체를 지켜감에 따라서, 차츰 확실하게 이해될 것이다.

인생의 법칙은 범인(凡人)에게도 이해된다. 그러나 그가 그 법체를 지키지 않음에 따라서 차츰 이해될 수 없게 될 것이다. 〈공 자〉

신의 법칙을 실현하기 위해서는 노력이 필요하다. 그 노력만 계속한다면, 걸음은 아무리 느리더라도, 우리는 그 실현에 가까와질 수 있을 것이다.

14일 천국(天國)

신의 계율이 사람들 사이에 지켜져 있는 그 정도에 따라서, 신의 나라는 사람들 사이에 실존하는 것이다.

모든 사람들이 무엇보다도 먼저 신의 나라, 신의 정의를 찾는다면, 빈곤은 사라지고 말 것이다. 다시 말하자면 모든 사람이 기꺼이 신의 계율을 따르면서 그 계율에 의하여 설정된 의무를 성실하게 지켜 나간다면, 우리는 빈곤에서 구출될 것이다. 〈라무네에〉

우리로부터 까마득하게 멀리 천국이 떨어져 있다 할지라도 확실히 이 원리 속에는 싹이 트고 무수히 번식해 가는 씨앗과 같이, 세계를 정화(淨化)하며 지배하는 그 무엇이 그속에 내포되어 있는 것이다.

우주의 운행에 있어서는, 천년도 하루에 지나지 않는다. 우리는 천국을 실현하기 위하여 끈기있게 노력하고 기다리지 않으면 아니된다. 〈칸 트〉

시같은 말과 세련된 의식만으로써, 우리의 마음을 끌려고 하는 「종교」를, 우리는 없어서는 안될 것인 것처럼 생각하고 있다. 그러나 전제적인 「사회조직」이, 생활에 대한 참된 이지(理知)에 의하여 쫓겨날 때는 가까와 오고 있다.

천국 즉 신의 나라가, 지상에 나타날 때, 우리의 생활이 자의식적인 신에 대한 신앙으로 가득차며, 신의 가르침을 실천하며, 이웃을 도우며, 멸망해가는 자를 건져주며, 『그리스도』의 사랑의 성약(聖約)을 다하며, 그리하여 양심으로 이루어지는 참된 종교적 시정(詩情)으로 가득할 때는 오고 있다. 하나의 중대한 일, 즉 진실한 의미에서 종교를 이해할 것이 요구되고 있는 것이다. 〈톨스토이〉

신의 나라는 그대 마음 속에 있다. 신의 나라는 자기 자신 속에서만 찾으라. 그 때에 그밖의 모든 일은 자기 뜻대로 될 것이다.

15일 육체(肉體)

나의 육체 생활에는 고통과 죽음이 달려있다. 아무리 노력하더라도, 이 육체의 고통과 죽음에서 벗어날 수는 없다.

그러나 나의 정신생활에는 고통도 죽음도 없다. 그러므로 정신적 자아 속에 자기의 의식을 옮겨 넣을 것, 자기의 의지를 신의 의지에 융합시킬 것, 이 한가지 일을 함으로써, 나는 고통과 죽음에서 나 자신을 해방할 수 있는 것이다.

……내 뜻이 아닌 주님의 뜻대로 하옵소서. 〈누가傳〉

……그러하오나 나의 원하는 바를 하려는 것이 아니오니, 주님의 뜻대로 하옵소서. 〈마르코傳〉

……내가 나의 마음대로 하려는 것이 아니오니 주님의 뜻대로 하옵소서. 〈마태傳〉

도덕적인 고뇌란 무엇인가? 모든 것은 재빨리 지나가버리는 것이 아닌가? 우리는 무엇에, 그리고 어떤 이유로 관심을 가져야 할 것인가.

시간은——헛된 것이다. 그러나 그대가 오늘이란 시간에 신을 발견한다면, 그대가 쌓은 만족으로 충만되고, 오늘 하루는 백년의 가치를 나타내게 될 것이다. 〈아미엘〉

신은 만 사람들 속에 살고 있다, 그러나 만인이 신 속에 살고 있다고는 할 수 없다. 여기에 인간 고뇌의 원인이 있는 것이다.

불이 없으면 등잔을 밝힐 수 없는 것과 같이, 신이 없으면 인간은 살아갈 수 없다. 〈바라문 교전〉

우리가 동물적인 자아의 행복 또는 불행이라 부르는 것은, 우리의 의지 밖에 있는 것이며, 신의 의지 여하에 달린 것이다.

그러나 정신적인 자아의 선과 악은, 우리가 신의 의지를 좇고 있는가 어떤가에 달려있다.

16일 다변(多辯)

부질없는 잡담만큼 태만을 찬란하게 꾸미는 것은 없다. 사람들은 잠자코 있을 수 없는 법이다.

태만 때문에 생기는 답답증을 풀기 위해서는 쓸데없는 잡담이라도 해야지, 그렇지 않고서는 견디지 못하는 것이다.

먼저 생각하라. 그 다음에 말하라. 그리고 사람들이 싫증내기 전에 그치라.

인간은 말을 함으로써 동물보다 훌륭한 것이다. 그러나 만약 그 말에 이익되는 점이 없다면, 동물보다 못한 것이다.

〈페르시아 성전〉

말이 많은 자는 실천이 적다. 현자(賢者)는 항상 그 말에 실천이 따르지 않을까 하여 걱정한다.

그 행동이 그 말과 일치되지 않음을 두려워 하기 때문에, 현자는 헛된 말을 절대로 하지 않는다. 〈공 자〉

어리석은 자를 닮지 않기 위해서는, 어리석은 자의 말에 대꾸 하지 말라. 〈세네카〉

항상 침묵 속에 있는 자는 신에게 가까이 가기가 쉽다. 그러나 입이 가벼운 자는 그 입을 쓸대없이 놀리고, 그 뒤에 고독과 초조를 느낀다. 〈톨스토이〉

말로 하는 천번의 참회는, 침묵 속에 하는 한번의 참회만 못하다. 〈에머슨〉

어리석은 자는 천사(天使)도 두려워서 못들어가는 곳을 밀고 들어가는 법이다. 〈괴 테〉

부끄러워 하지 않아도 좋은 일을 부끄러워 하며, 부끄러워 해야 할 일을 부끄러워 하지 않는 사람은, 남들의 진실치 못한 의견에 좌우되는 사람이다. 그리고 그는 파멸의 길을 재촉하는 사람이다. 〈석 가〉

사람들에게 말하는 것이 적으면 적을 수록 기쁨은 더 많아진다.

17일 모멸(侮蔑)

옛사회의 근저(根底)는, 폭압과 상호부조(相互扶助)에 대한 모멸이었다.

현대사회의 근저는, 현명한 협동과 폭압에 대한 부정이 아니면 안된다.

「눈에는 눈으로, 이에는 이로」라는 말을 그대는 들었으리라. 그러나 그대에게 말하노니, 악에 대항하지 말지어다. 누가 만약 그대의 오른 뺨을 때리거든 왼뺨을 내밀라.

〈성 서〉

타인의 이익을 위하는 자는 언제나 공손하다. 그것은 소위 무저항주의(無抵抗主義)이며 하늘과의 화합을 의미한다.

〈톨스토이〉

타인의 지능을 무시하고, 폭압 이외의 수단으로는 그들을 지도할 수 없다고 생각하는 자는, 말(馬)의 눈을 가리우고 순순히 차바퀴 속을 걷게 하려는 것과 같이, 사람들을 취급한다.

〈에머슨〉

사람들이 폭압에 의해서만 움직이게 된다면, 그들의 이성은 아무짝에도 쓰지 못할 것이다.

〈세네카〉

여하한 폭압적인 계획일지라도 악을 바로잡을 수는 없다. 사람들이 오늘과 같은 상태에 머물러 있을 때, 그것은 불가능하다. 그러므로 예지(叡智)는 폭력에 대신되어야 한다.

〈에머슨〉

현존의 사회제도는 항상 변화하는 것이다. 불완전에서 완전으로 이행(移行)하여가는 것이다. 그리고 그 이행은 현존의 제도에 대한 우리의 불만과 반대에 의해서만 완성될 수 있는 것이다.

〈존·러스킨〉

폭압이 요구될 때에는 이지적인 판단에 호소하라. 그때에 그대는 속론에 넘어가는 일없이, 항상 정신의 승리 속에 있을 수 있을 것이다.

18일 공존(共存)

모든 존재는 서로 밀접하게 결합되어 있다.

그들에게는 힘이 없다. 왜냐하면 그들은 모든 것을 극복할 수 있는 신념과, 그 신념보다 더욱 강한 사랑을 갖지 못했기 때문이다.

〈라무네에〉

나는 결코 나 하나만의 구원을 청하거나 또는 받거나 하지 않을 것이다. 나는 나 혼자의 편안함을 얻고자 하지는 않는다.

그러므로 언제 어디서나 세상 만물의 구원를 원하면서 살고 또 노력할 것이다. 만물의 참된 자유를 얻을 때까지, 나는 내가 현재 있는 곳에 머물러서 이 죄악, 비애, 투쟁에 뒤덮인 세계를 버리지는 않을 것이다.

〈에머슨〉

풍부한 이지를 가진 사람은 같은 하나의 일을 하기 위하여 신의 부름을 받은 사람이다. 인간 육체의 각부분과 같이, 사람들은 이 세상 생활 속에서 같은 목적을 위하여 일하고 있는 것이다.

모든 사람은 이지에 의한 단 하나의 같은 일을 하기 위하여 만들어진 것이다. 나는 위대한 정신적 동포사회의 팔다리 라는 의식에는, 무엇인지 마음을 북돋우고 위로해주는 것이 있다.

〈오레리아스〉

개인의 생활은 모든 사람의 생활과 밀접하게 연결되어 있어야 한다. 왜냐하면 만물은 조화와 일치에 의하여 일념 되어야 하기 때문이다.

외계에 있어서도 생활의 모든 현상은, 저마다 밀접한 관계 속에 성립되어 있는 것이다.

〈오레리아스〉

사람들로부터 고립하고 있는 자에게 행복이 있다고 생각하지 말라. 고립하고 있는 자의 악은, 세계적 악이 될 수 없다거나, 또는 그대에게 반영되지 않을 것이라고 생각해서는 아니된다.

19일 민중(民衆)

참으로 유익하고, 참으로 선미(善美)하고, 그러므로써 참으로 위대한 것은, 항상 단순하다.

진리를 말하는 언어는 단순하다. 〈노 자〉

이들 미련한 자들을 업수히 여기지 말지니, 사람의 아들은 멸망한 자를 찾고 구원하기 위하여 온 것이기 때문이다.
〈성 서〉

소박 단순한 민중이야 말로, 인류의 참다운 생명을 지닌 부분이다. 〈톨스토이〉

인생에 있어서 진정 위대한 것은, 거의 대개가 사람들 눈에는 잘 뜨이지 않는 법이다.

우리들 면전에 있어서 무언중에 아무도 모르게 위대한 행위나 거룩한 희생이 행하여지고, 고귀한 사상이 생겨나고 있다. 그러나 우리는 언제나 그것에 무관심하다. 나는 그런 위대한 일을, 이름 없는 사람들이 행하고 있음을 믿고 있다.

나는 가끔 소위 서민층에 속하는 사람들이, 훌륭하게 고난을 참고 견디어 냄을 보았다.

또 그들은 흔히 꾸밈 없는 성실, 굳은 신앙, 필요한 것을 필요한 사람들에게 나누어주는 관대한 마음을 나타냄을 보았다. 게다가 그들은 부자들 보다도 죽음과 삶에 대해서 올바른 인식을 가지고 있는 것이다. 〈챤 닝〉

소박하고 무지하고 교양이 없는 사람들이, 『그리스도』의 참된 교의(教義)를 명확하게 자의식적으로 쉽게 받아들이는 일이 흔히 있다.

이와 반대로 가장 교양 있는 사람들이, 사교(邪教)를 버리지 못하여 주저하는 일이 또한 흔히 있다. 〈카알라일〉

본뜨기 위한 훌륭한 모범을 찾으려거든, 민중속에서 찾으라. 거기에만 참되고 꾸밈이 없는, 그리고 그들 자신도 의식하지 못하는 위대한 것이 있다.

20일 소득(所得)

근로는 도덕이 아니다. 그러나 도덕적 생활을 함에는 있어야 할 조건이다.

항상 위대하며 변함 없는 진리를 기억하라.

그대 자신이 얻은 것은 다른 아무도 가질 수 없는 것이라는 점, 그러나 그대가 이용하고 혹은 사용함에 지나지 않는 그 어떤 물체의 모든 부분은, 모든 사람의 생활의 부분적 나타남이란 점을 기억하라. 〈존·러스킨〉

필요 없고 잘고 싫증나며, 다른 사람을 방해하여 자신에게로 주의를 이끌려는 그러한 근로가 있다. 이와 같은 근로는 게으름보다도 훨씬 나쁘다.

참된 근로는 조용히 언제나 같은 양을 갖고 나아가는, 눈에 뜨이지 않는 그러한 것이다. 〈톨스토이〉

자신이 할 수 있는 일은, 자신이 하라. 저마다 자기집 문앞을 청소해야 한다. 사람마다 그같이 하면 온 마을이 깨끗해질 것이다. 〈세네카〉

사람이 재물을 얻는 길은 세가지가 있을 뿐이다. 즉 근로, 구걸, 도둑질이 그것이다.

만약 일하는 자의 수입이 극히 적은 것이라면, 그것은 너무 많은 물건이 거지와 도둑의 품으로 들어가고 있기 때문이다.

〈헨리·죠지〉

일함은 좋다. 그러나 무엇을 목적으로 하고 있는가.

〈토로오〉

유한(有閑) 계급의 사람들이, 그것도 근로라고 생각하는 일의 대부분은 오락이다.

그것은 타인의 근로를 가볍게 하지 못할 뿐더러, 도리어 새로운 노고를 만들어내는 것이다. 물론 불로(不勞)에서 나오는 오락은 이런 따위의 것이다.

21일 현재(現在)

사랑은, 신의 본성의 나타남이다. 사랑에는 시간은 없다. 그러므로 사랑은 현재에만, 오직 현재의 일순간에만 나타나는 것이다.

일반적으로 사랑한다 함은, 착한 일을 함을 의미한다. 우리는 그렇게 해석할 뿐 달리 해석할 줄을 모른다.

사랑은 말 뿐만 아니라, 타인을 행복하게 하는 실천이다.

어떤 사람이 만약 장래에 큰 사랑을 행할 것이라는 이름 밑에서, 현재의 작은 사랑의 요구를 들어주지 않는다면, 그는 자기와 타인을 속이고 있는 셈이다. 자기 한 사람 밖에는 아무도 사랑하고 있지 않는 것이다.

장래의 사랑이란 있을 수 없다. 사랑은 현재에 있어서의 행위일 따름이다. 현재의 사랑을 실천하지 않는 자는 사랑을 가지지 않은 자이다. 〈톨스토이〉

우리는 우리가 사랑하는 사람들에게 공평하며 자비롭고 주의 깊게 대하기를 주저할 필요는 없다.

우리는 그들이, 또 우리들 자신이 병에 걸리거나 죽음에 위협당하는 때를 기다릴 필요는 없다.

인생은 짧다. 이 행로(行路)를 함께 가는 사람의 마음을 즐겁게 하기 위하여, 사용하고도 남을 그러한 시간을 우리는 가지지 못했다. 우리는 선한 자가 되기 위하여 빨리 가지 않으면 아니된다. 〈아미엘〉

비록 온 세계 사람이 그대를 비난한다 할지라도 그대는 선한 자가 되라. 〈괴 테〉

우리는 가끔, 어째서 그런 일을 했을까, 어째서 자선을 베풀지 아니했을까, 어째서 의지해온 사람에게 원조를 거절 함으로써 의무를 다 했을 때의 기쁨을 놓쳐 버리는 짓을 했을까 하고 괴롭게 생각하는 수가 있다.

22일 교도(教導)

가르침은 범례(範例)만 가지고도 할 수 있다. 악을 대하기에 악으로써 함은 가르침이 아니라, 도리어 멸망을 주는 것이다.

가령 이웃사람을 심판할 수 있는 권리를 준다면, 그 권리를 가질만한 자는 누구냐? 자기 죄를 자각 못하는 자는 타락한 자이다. 그같은 타락자가 어찌 하인을 심판할 수 있으랴?

〈에머슨〉

『그리스도』의 오계(五戒) 속에는 신의 법칙을 다할 수 있는 가능성이 설파되어 있다. 또 신의 법칙을 방해하는 모든 것이 가르쳐져 있다. 〈톨스토이〉

가난한 자를 도우라. 그러나 그의 빈곤의 이유를 알고자 하지 말라. 그 이유를 명백히 함으로써 그대의 동정이 약해지는 일이 없도록—— 〈카알라일〉

남의 과오를 찾아내기는 쉬우나, 자기의 과오를 찾아내기는 어렵다. 남의 과오를 들추기를 좋아하고 자기 과오를 감추려고 하는 자는, 사기 도박꾼과도 같다. 〈석 가〉

먹고 입고 잠자기 위해서는, 그리 많은 것이 필요하지 않다. 남는 것은 이웃사람의 식사를 위하여, 주거(住居)를 위하여, 소비해야 할 것이다. 〈석 가〉

놀고 있는 자가 있는 반면에 힘에 벅찬 일을 하고 있는 사람들이 있다. 싫증 나도록 포식하는 자가 있는가 하면 쓰라린 굶주림에 헤매는 자가 있다. 〈죤·러스킨〉

학문이란 이름 밑에서 부질없고 회피해야할 대상이 선택되고 있다. 이는 확증할 수 있는 사실이다.

그리고 처벌을 연구한다는 학문이 있는데, 이는 가장 후진적 문화 단계에 있는 미개인에게만 적용될, 가장 무지한 학문이라고 하지 않을 수 없다.

23일 장해(障害)

도덕적 완성을 얻는데 반드시 필요한 조건은 노력이다.

선에 대한 길을 막고 있는 장해는 정신의 긴장으로 극복할 수 있다. 그것은 도리어 우리에게 새로운 힘을 준다.

〈오레리아스〉

성자의 생활규율은 명확한 것이 아니다. 그러나 그 뒤를 따르는 사람들은 차츰 차츰 분명해진다.

범인의 생활규율은 누구나 알 수 있는 것이다. 그러나 그 뒤를 따르면 따를 수록 길을 잃어 버린다. 〈공 자〉

선이란 자기 의무를 수행함에 있어서의 도덕적인 확고한 목표이다. 그러나 그 확고함이 결코 습관이 되어서는 아니된다.

언제나 새롭게, 그리고 본질적으로 인간의 영혼에서 우러나오는 것이 아니면 아니된다. 〈칸 트〉

육체적인 오락이나 사치에 빠져 있을 때, 자기는 높은 의의 있는 생활을 하고 있다고 생각하는 자의 착오가 남김없이 노출된다. 육체는 항상 정신의 종속물(從屬物)이다. 〈토로오〉

우리는 자기 처지에 화내고 슬퍼하며 하루 바삐 그것을 변경하고자 애쓴다. 이러한 처지는 어떤 상태에 있던지간에, 그 사람이 해야할 일이 존재한다는 것을 가르치고 있다.

그대가 건강 하다면——그대의 힘을 남을 위해 봉사하도록 노력하라. 그대가 병들어 있다면—— 그 병때문에 남의 방해가 되지 않도록 노력하라.

그대가 가난하다면——남에게 구원을 받지 않도록 힘써라. 그대가 남에게 모욕당한다면——그 모욕을 준 자를 사랑하도록 노력하라.

그대가 남을 모욕했을 때는——그대가 저지른 악이 악으로 그치지 않도록 힘써라.

24일 사명(使命)

자기 자신이 해야할 일을 인식한다는 것은 그 사람 속에 깃들어 있는 신성의 나타남을 의미한다.

두 사람의 학자가 있었는데, 어떤 점에서나 일치되는 법이 없었다. A는 엄하기 짝이 없었고, 사소한 일에도 화를 잘 냈지만 B는 선량하고 온순했다.

어느 때 한사람이 A에게 찾아 와서 「나는 참된 신앙을 갖고 싶다. 그러나 내가 한쪽발로 한바퀴 돌 동안에 가르쳐 주어야 한다」고 말했다.

A는 벌컥 화를 내고 그를 쫓아버렸다. 그래서 그 사람은 이번에는 B를 찾아가서 같은 청을 했다.

「네가 원하는 일을 남에게 하라」고 B는 대답했다.

그의 이 몇마디 안되는 말은, 모든 가르침을 다 말하고 있는 것이다. 〈톨스토이〉

도덕이란 전세계에 공통되는 목적을 향하여 나아가는 의지의 진행이다. 부분적인 목적을 위하여 움직이는 자에게는, 도덕이 있을 수 없다.

어느 누구의 목적이나 또 그를 각성시키는 동기가, 모든 사람들의 목적에 합치될 수 있다면, 그는 도덕적인 사람이다.

우리는 이 위대한 이해 또는 가르침이 모든 사람들의 마음속에 들어있다는 것을 확신한다. 이야말로 죽어 없어져버릴 인간의 내부에 존재하는 영원 불멸의 것이다. 〈에머슨〉

선에 대한 신의 계율을 지킴은 물질적 세속적 행복과는 조금도 합치되는 점이 없다. 그 계율을 다함으로써 얻을 수 있는 물질적인 행복이란 도리어 인간의 정신을 해치는 것이다.

도덕적인 선은 물질적인 선과 상반한다. 그것은 우리에게 괴로움과 걱정을 가져온다.

그러나 이런 상태에 있음으로써 정신은 아주 높게 세련되는 것이다.

25일 원인(原因)

사람은 자기가 그 원인이 되어 있다는 사실도 모르고 남의 고뇌에 동정하는 법이다.

「나는 착하게 대했는데도 그들은 나에게 악하게 대했다」고 들 말한다. 그러나 그대가 그를 사랑한다면, 그가 그대로 인하여 얻은 그 행복 속에, 그대는 보답을 얻고 있는 셈이다. 그러므로 그에게 행한 선을 그대 자신에게도 하는 것이 된다.

〈톨스토이〉

도덕에 대한 보답은 좋은 행위를 했다는 의식 그 속에 있다. 〈시세로〉

아무리 하여도 그대가 자유를 얻을 수 없다면, 아직도 가난하고 슬픈 일만이 닥쳐 온다면, 그대 자신을 나무라지 않으면 아니된다. 〈라무네에〉

자기 고뇌의 원인을 자신의 과오 속에서 발견하고, 그 과오를 없애고자 노력할 때, 인간은 고뇌에 반항하여 괴로와 하지 않고, 도리어 자유로와지며, 때로는 기쁨조차 느끼며 그것을 참아나갈 수 있게 된다.

그러나 과오에 대한 관계가 확실치 않은 고뇌에 부딪쳤을 때는, 그는 오지 않을 것이 왔다고 생각한다. 그리하여 무엇 때문에? 라고 자문한다. 그는 자기의 행위를 바로잡을 대상을 발견치 못하고 고뇌에 반항하는 것이다. 〈카알라일〉

그대가 괴로와하고 애쓰는, 그 악업(惡業)의 근원을 자기 속에서 찾아라. 어떤 때는 그 악업이 그대의 행위의 직접적인 결과일 수도 있으며, 또 어떤 때는 그것이 돌고 돌아서 그대 자신에게로 되돌아오는 수도 있을 것이다.

그러나 악업의 근원은 늘 그대 자신 속에 있다. 그리고 악업으로부터 자신을 건져낸다는 것은, 자신의 행위를 바로잡고자 할 때에만 있는 것이다.

26일 심령(心靈)

온갖 신앙 중 정신적인 것만이 참된 신앙이다.

신은 심령이다. 신은 종교의 내부적인 것으로서, 지역이나 외적 형식과는 아무런 관계도 없다.

신전이나 거기서 행하여지는 의식같은 것은 중요한 것이 아니다. 또한 「갈릴리아」나 「예루살렘」도 중요한 것이 못된다.

「갈릴리아」도 아니고 「예루살렘」도 아닌 그 어느 곳에서 참으로 귀의(歸依)하는 사람들이, 자신의 마음과 성실로써 신께 대하여 예배 드릴 때 온 것이다.

신은 그와 같은 신앙을 가진 사람을 찾고 있다. 그와 같은 사람들을 「이스라엘」시대나 지금이나 찾고 있는 것이다. 언제 신은 그것을 찾아낼 것인가? 언제 사람들은 넘쳐나지 않는 샘물을 긷기에 지쳐 『그리스도』를 향하여 말할 것인가?

「주님이시여, 저희의 목마름을 적시기 위하여 예까지 오지 않아도 좋도록 물을 주소서」라고.

그언제 지쳐버린 사람들이 지상의 구석구석으로부터 모여와, 『그리스도』의 우물에 물을 청할 것인가? 〈라무네에〉

아무리 위대한 인간일지라도 우리가 그를 신으로써 섬길 수 없음은, 지혜, 용기, 그러한 것의 숭고하고 미칠 수 없는 본원으로서의 신에 대한 우리의 이해가 한없이 높은 것이기 때문이다.

우리와 같은 인간 속에서 발견되는 그러한 천부(天賦)의 인간에 대한 우려의 평가가 너무 낮기 때문은 아니다.

〈톨스토이〉

자기의 신앙 속에서 모든 육체적인 것, 눈에 보이는 것, 감각적인 것들을 떨쳐 버리기를 두려워하지 말라.

그대 신앙의 정신적인 중심을 깨끗이하면 할수록, 그대의 신앙은 더욱 확고하게 될 것이다.

27일 목적(目的)
지식은 도구가 될 수는 있지만 목적이 될 수는 없다.

인간이 자기의 사명이나 행복에 대하여 아무리 고찰할지라도, 과학은 그 사명 및 행복에 대한 연구에 불과하며, 예술은 그 연구의 표현에 불과한 것이다. 〈톨스토이〉

발에 가시를 뽑아 버리기 위해서는, 다른 발에 의지하여야만 뽑아낼 수 있다. 그러나 그 일이 끝나면 그 발이나 다른 발이나 그것을 잊어버릴 것이다.
이와같이 지식은 신에 속하는 「나」를 어둡게 하려는 어리석음을 제거하기 위해서만 필요한 것이다. 지식 그 자체가 독립한 가치를 가진 것은 결코 아니다. 지식은 하나의 도구에 지나지 않는다. 〈바라문교 성전〉

과학은 종교의 굳은 기초를 세우기 위하여 사용되는 것이지, 재물을 얻기 위하여 사용되어서는 아니된다.
〈프리스탄·사이디〉

지식을 갖고도 그것을 이용하지 않는 자는, 씨를 갖고도 뿌리지 않는 자와 같다. 〈죤·러스킨〉

인생에 있어서 중요한 일이 지식만을 얻는 것이라고 믿는 사람은, 날아들 어불에 타 죽을 뿐만 아니라 불을 어둡게 하는 줄조차 모르는, 하루살이와도 같다. 〈괴 테〉

학자라는 말은 어떤 사람의 박학(博學)을 의미할 뿐이지 그가 무엇인가 참되이 알고 있다는 것을 의미하지는 않는다.
〈리프텐벨그〉

설명할 수 있는 지혜란, 영원한 지혜가 아니다. 이름 붙일 수 있는 지혜란 영원한 지혜가 아니다. 〈노 자〉

인생의 목적은 신의 가르침을 지켜 나가는데 있는 것이지, 지식을 얻는데 있는 것은 아니다.

28일 참회(懺悔)

완성에 도달하자면, 먼저 참회하지 않으면 아니된다.

그대의 마음 속에 모든 악을 만인에게 공개하면서 살도록 하라. 〈세네카〉

자기의 과오를 의식하지 않는다는 것은, 그 과오를 더욱 크게 하고 있음을 의미한다. 〈에머슨〉

무릇 덕이 높은 사람은 우리에게, 우리가 회개한 다음에 자기 자신에게 이렇게 말하라고 가르친다.
「그렇다, 나는 무식하였다. 나는 신의 계율을 지키는 대신, 변덕스럽고 거짓된 악마의 율법을 따랐던 것이다. 오직 그 때문에 나는 이 지경이 되고 만 것이다」라고. 〈카알라일〉

소란하던 그날이 죽은듯 잠잠해지고, 벙어리 된 거리의 벽 위에 밤의 어둠이 기어오른다. 낮 노고의 보답으로 꿈이 찾아올 때, 나는 정막 속에서 혼자 눈을 뜨고 고민하노라.
할일 없는 밤이기에, 마음 속 뉘우침의 그림자 배암처럼 꿈틀거리고, 모든 환영의 무리 쓸쓸하고 무겁게 억누르는 마음 속에서, 부질없는 공상이 아우성 친다. 혹은 추억이 나의 앞에 묵묵히 긴 화첩(畵帖)을 느리고, 나는 시들한 마음으로 그 속에 내 과거의 생활의 그림자를 비쳐보고는, 무서움에 떨면서 저주하노라.
끝내는 한탄에 사로잡혀 눈물 짓는가, 그러나 나의 슬픔은 가실줄을 몰라라. 〈푸쉬킨〉

내 마음은 괴롭다. 나는 오랫 동안 살아 왔으나, 단 한번도 또한 단 한 사람도 행복하게 해본적이 없다. 친구도 가족도 나 자신 조차도 행복하게 하지는 못했다. 〈비스마르크〉

지금 그의 단계가 어느 정도 높은 것이라 할지라도, 인간은 무한한 완성을 지향함이 빠를 수록 좋다.

29일 악용(惡用)

그것이 필요하면 필요한 것일수록, 그 악용은 더욱 유쾌한 것이다. 인간의 불행의 대부분은 지혜의 악용에서 일어난다.

신은 정신과 지혜를 인간이 신께 대하여 봉사하게 하기 위하여 준 것이다. 그러나 우리는 그것을 자기 자신에게 봉사하기 위해서만 사용하고 있다. 〈톨스토이〉

만약 지능이 악에 예속되고 정욕의 무기가 되며, 허위의 비호자(庇護者)로 된다면, 그것은 정의와, 허위 선과 악, 공평과 편과(偏頗)를, 구별하는 능력을 잃게 되고 만다. 뿐만 아니라 그것은 사악한 것이 되며, 병적인 것이 되고 마는 것이다. 〈챤 닝〉

지력(智力)은 오직 「어떻게 살 것인가?」하는 문제를 해결할 따름이다.

그리고 그 해답은 명료하다. 자기 자신에게나 타인에게나 거짓됨이 없이 산다는 것, 이것이 그 해답이다.

그것은 온갖 생물과 자기 자신에게 필요하며 또한 가능한 것이다. 〈카알라일〉

지혜를 쓸데없는데 쓰는 사람들은, 어둠 속에서는 보나 햇빛 속에서는 장님인 밤새들과도 같다.

그들의 지혜가 과학상의 쓸데없는 일에 쓰일 때는 매우 날카로우나, 진리의 빛을 받을 때는 눈이 멀어 버리는 것이다. 〈피탁코스〉

잠들지 못하는 자에게 밤은 길다. 피로한 자에게는 한걸음도 멀다. 무지한 자에게 인생은 지루하다. 〈에머슨〉

지력은 이 세상에서 위대한 힘이다. 그러므로 가장 큰 죄악은 지력을 악용하는데서 발생한다. 진리를 은폐하고 변질시키기 위하여 사용하는데서 일어난다.

30일 계율(戒律)

도덕상의 계율은 참된 성자와 참된 종교에 의하여 명백하게 설명되어 있다.

선량한 이지를 갖기 위하여서 무엇을 해야 하느냐를 이해하자면, 특별히 깊은 사상이 필요한 것은 아니다.

나는 이 세상의 모든 것을 이해할 힘도 없으며, 이 세상에서 진행되는 모든 사상(事象)을 샅샅이 뒤져 밝힐 수도 없다. 다만 내가 자신의 행위의 의지자로서 그 행위가 모든 사람이 행하여도 그릇됨이 없을까 하는 그것이 문제이다.

내 이성은 이 계율을 존중히 할 것을 나에게 강요한다. 비록 어떤 기초 위에 서서 그것을 존중할 것을 강요하는지를 모른다 할지라도, 나는 그 계율 속에 있는 그 무엇을 존중히 여기고 있음을 안다.

그 무엇이란 내가 표시하는 모든 행위 보다도 훨씬 가치있는 것이며, 내가 그 도덕상의 계율을 존중하면서 행위하는 것은, 다른 모든 동기에 초월하는 의무임을 알고 있기 때문이다.

〈칸 트〉

전 세계는 유일한 법칙을 따르고 있다. 그리고 모든 존재 속에 있는 것은 단 하나의 이지 그것이다.

그러므로 진리는 오직 하나 밖에 존재하지 않으며, 따라서 이지 있는 사람들에게는, 완전에 대한 이해도 오직 단 하나 밖에 없다. 〈오레리아스〉

그대가 타인에게 바라는 것을, 그대도 타인에게 하여주라. 이것이 계률이며 예언이다. 〈성 서〉

도덕상의 계율이란 아주 명백한 것이므로, 지금와서 우리는 그것을 무시하고 지낼 수는 없다. 그런데 아직도 이것을 모르는 사람들은, 자기의 이지를 부정하고 있는 것이다.

31일 인인(隣人)

사랑은 사랑을 베푸는 자에게, 정신적이며 내면적인 기쁨을 줄 뿐만 아니라, 우리의 사회 생활을 무상의 기쁨으로 만들기 위한 중요한 조건이다.

사랑이란 특수한 일개인의 사랑이 아니라, 만인을 사랑하고자 하는 정신 상태이다. 그 상태 속에 우리는 우리의 마음이 신께 속하는 본원을 찾아 볼 수 있는 것이다.

남에게서 사랑을 받고자 애쓰지 말라, 다만 사랑하라. 그때 그대는 사랑을 얻으리라. 〈톨스토이〉

이 세상에서 부딪치는 일을 한탄 하는 일없이 자비롭게 대하라. 망은(忘恩)을 은혜로, 모욕을 관용으로 바꾸어 놓으라. 그것은 고귀한 영혼의 성스러운 연금술(鍊金術)이다.

그것을 습관화함이 필요하다. 또한 사람들이 그것을 극히 자연적인 것으로 생각하고, 아무도 그것 때문에 그대를 칭찬하지 않도록 하여야 한다. 〈아미엘〉

사랑한다 함은── 사랑하는 사람의 생활 속에 자기가 사는 것을 의미한다. 〈카알라일〉

성자는 자기 자신의 감정을 갖고 있지 않다. 남들의 감정이 곧 그의 감정인 것이다. 그는 선에는 선으로써 대하며, 악에 대해서도 선으로 대한다.

그는 믿는 자에게 믿음으로 대하며, 믿지 않는 자에게도 믿음으로 대한다. 성자는 이 세상에 살며, 사람들과의 관계에 마음을 쓴다. 그는 만인을 위하여 느낀다. 그러므로 만인의 마음과 눈은 그에게로 쏠리게 되는 것이다. 〈노 자〉

우리가 깊이 사랑하면 사랑할수록 남들도 더욱 우리를 사랑하게 된다. 남들이 우리를 깊이 사랑하면 사랑할수록, 우리는 남들을 더욱 쉽게 사랑할 수 있다. 그러므로 사랑은 무한한 것이다.

8월의 장

〈가르다 그림〉

1일 분별(分別)

인간을 자유롭게 할 수 있는 것은 이성 뿐이다. 인간의 생활은 이성을 잃으면 부자유하게 된다.

자기가 원하는대로 살아갈 수 있는 사람만을 자유로운 사람이라고 부를 수 있다. 이지를 가진 사람은 항상 자기가 원하는대로 살아간다. 그는 얻을 수 있는 것만을 원하기 때문이다. 그러므로 이지를 가진 사람만이 자유로운 것이다.

〈에픽크테타스〉

겸허는 미덕의 으뜸가는 것이며, 또한 가장 필요한 덕성이다. 그러나 그것이 악과 허위에 대한 겸허라면, 그것은 인간의 부패와 타락의 가장 옳지 못한 단계를 의미하게 된다.

〈카알라일〉

자기 의무를 수행함에 있어서 기쁨을 가지는 사람, 두려움 때문에 복종하는 것이 아니라, 복종하지 않으면 안되겠다는 생각에서 규범에 복종하며, 자기의 판단에만 의지하여 인생에 처하여 나가는 사람――그같은 사람의 삶만이 자유롭다.

〈시세로〉

어떻게 하면 자유를 가질 수 있느냐고 그대는 묻는다. 자유를 가지려면 속론(俗論)을 좇아서는 아니된다. 그대 자신의 힘으로 선악을 구별할 수 있도록 노력함이 필요하다.

〈세네카〉

운명이 그대를 어디에 던져넣더라도, 그대의 본질과 정신생활은 그대와 함께 있을 것이다. 또한 자기의 존재이유에 대하여 신념을 가질 때, 그때는 항상 자유와 힘을 가지게 될 것이다.

어떠한 외면적 행복이나 위대한 것일지라도, 그로 인하여 타인과의 정신적 융합에 방해를 받으며, 자기의 존엄을 파괴 당하는 것은 가치가 없다.

〈오레리아스〉

자유는 그 누구로 부터 받아서 가지게 되는 것이 아니라 오직 자기 힘으로 얻어야 하며, 또 얻을 수 있는 것이다.

2일 종말(終末)

인간이 육체적 존재에 불과하다면, 죽음은 그 종말을 의미할 것이다.

인간이 정신적 존재이며, 육체가 오직 그 외피나 다름없는 것이라 한다면, 죽음은 하나의 변화에 불과할 것이다.

나는 이러한 변화를 다른 사람들처럼 하나의 공포로 볼 수는 없다. 내 생각에 의하면, 죽음이란 보다 높은 것으로의 변화이다.

죽음을 맞음에 있어서 이러니 저러니 하는 것은 어리석은 짓이 아닐까? 우리가 할 일은 오직 산다는 그것이다.

잘 사는 방법을 아는 사람만이 훌륭한 죽음을 맞을 수 있다.

〈테오돌·바르켈〉

자기의 불멸을 확신하는 에머슨을 보고 사람들이 묻기를 「그렇지만 이 세상이 파멸하였을 때는 어떻게 되느냐?」 하였다.

에머슨은 대답하였다.

「내가 불멸하기 위해서는 이 세계를 필요로 하지 않는다」

〈톨스토이〉

만약 죽음이 완전히 소멸하는 것이라면, 나는 이의가 없을 것이다. 그것은 정당하기 때문이다.

그러나 그렇다면 죽음은 조금도 놀라운 것이 못된다. 나는 존재한다. 그러나 그 여자는 없다. 또한 그 여자는 존재하나, 나는 이미 존재치 않는다——는 말이 된다.

그러나 우리에게 공포를 느끼게 하면서, 죽음이 우리에게 생활을 남기고 가는 것이라면, 묘지 저편에서도 우리는 지상에 있어서와 꼭같은 자태로 있을 것임을 믿지 않을 수 없지 않은가?

그것은 우리를 매우 위협하는 관념이다. 그러한 관념은 우리가 갖고 있는 지옥과 천국이라는 사상을 파괴해 버리는 것이다.

〈아나돌·프랑스〉

정신적인 생활을 하는 사람에게 죽음이란 있을 수 없다.

3일 시간(時間)

우리는 자기가 행한 선악의 보답이 일정한 시간 내에 있기를 요구한다. 그러나 그것은 번번히 얻지 못하고 만다.

선악은 정신적 분야에서 행하여지는 것이며, 그 분야는 시간의 테두리 밖에 있는 것이다.

그 분야에 있어서 우리는 보답의 확실한 표시를 못볼지라도, 우리는 의심 할바 없이 양심 속에서, 그 보답을 의식하고 있는 것이다.

뿌린 씨앗은 거둬들여야 한다. 남을 때리면 그대는 괴로울 것이다. 타인에게 봉사하라, 그러면 그들은 그대에게 봉사할 것이다.

그대가 한평생을 걸어 타인에게 봉사한다면, 아무리 교활한 인간일지라도, 그대에게 보답하지 않을 수 없을 것이다.

〈에머슨〉

비록 사소한 일일지라도 선한 일을 하도록 힘써라. 그리하여 모든 죄악에서 벗어나라.

하나의 선행은 그 뒤에 또 다른 선행을 이끌어오는 것이며, 하나의 죄악은 또 다른 죄악을 낳는 것이다.

덕행의 보수는 덕행이요, 죄악에 대한 보수는 오직 벌이다.

〈탈무드〉

수치를 모르는 사람, 이기주의이고 교활하며 남을 비방하기를 일삼는 불손한 악인에게는 산다는 것이 용이하게 생각될 것이다.

죄없는 생활을 향하여 끊임없이 전진하며, 항상 친절하고 지혜롭고 이기심이 없는 사람에게는, 생활은 괴로운 것으로 생각될 것이다.

그러나 이것은 어디까지나 표면적인 일이다. 전자는 항상 만사에 관하여 마음을 괴롭히지만, 후자는 언제나 마음이 편하다.

〈석 가〉

선을 행하라. 그 상대방을 선택하지 말라. 그대가 한 일은 그대가 잊어버리더라도 소멸되지는 않는다.

4일 전환(轉換)

자기부정이란 자기를 글자 그대로 부정해 버리는 것은 아니다. 자아를 동물적인 것에서 정신적인 것으로 옮겨 놓음을 의미한다.

인간은 누구나 자기의 내부에 전 인류의 생활의식을 가지고 있다. 이것은 우리의 정신 내부에 깊이 깃들어 있는 것인데, 확실히 존재하는 것이다.

자기의 내부에서 성취되는 개인적인 목적을 부정함은, 그가 발길을 들여놓은 더욱 힘찬 생활에 의하여 곧 보답을 받게 되는 것이다.

오직 자신의 특별한 개성을 부정함으로써만, 우리는 진정한 개성을 살릴 수가 있다.

나 자신의 생활 속에 타인의 생활을 의식함으로써, 우리는 제한없고 종말이 없는 인생을 알게 될 것이다. 〈카펜타〉

광명이 사라질 때, 그대의 마음 속에서 검은 그림자가 그대 위에 떨어진다. 이 무서운 그림자를 경계하라. 그대의 마음 속에서 모든 이기적인 이 관념을 추방하지 않는 한, 어떠한 지혜의 빛일지라도 그대의 마음에서 발사하는 빛을 꺼버릴 수는 없는 것이다. 〈바라문 성전〉

개인적인 행복을 향하여 나감은 우리의 마음 속에 동물적인 것을 불러들임을 의미할 따름이다. 참으로 인간적인 것은 이기적인 것을 부정하는 그 때 비로소 시작되는 것이다.

〈아미엘〉

자기만을 생각하며, 모든 일에 있어서 자기 이익만을 꾀하는 사람은 행복할 수가 없다. 자기를 위하려 한다면, 먼저 남을 위한 생활을 하라. 〈세네카〉

정신적 행복을 위하여 동물적 행동을 부정함은, 의식(意識)이 변화한 결과이다. 만약 이 의식의 변화가 성취된다면, 그 변화 이전에 부정으로 보이던 것은 단순히 부정이 아니라, 불필요한 것에서 자연히 떨어진 것임을 알 것이다.

5일 허위(虛僞)

유해하고 허위적인 사상의 대부분은, 한 사람이 다른 사람에게 고취함으로써 더욱 퍼지는 것이며, 더욱 뿌리를 박게 되는 것이다.

사회 일반의 통념을 좇아 생활한다는 것은 매우 쉬운 일이다. 그러나 혼자서 있을 때에는 자기 생각대로 하는 수 밖에 없다.

여러 사람들 틈에 끼어 있으면서도 자기가 혼자 있을 때나 다름없는 자주성과 겸허한 마음을 지속해 나갈 수 있는 사람은 진실로 굳센 사람이다. 〈에머슨〉

우리는 함께 살고 있는 타인의 표준으로 기울어지기 일쑤이다. 우리의 성격이나 생활이 대수롭지 못한 것은, 여기에 원인이 있다.

우리의 중대한 위험은 우리를 타락하게 하는 타인에게 있는 것이 아니다. 흐르는 물처럼 주책없이 타인의 언동을 추종하며, 우리 자신에게서 멀리 격리시키고자 하는 무지각한 사람들에게 있는 것이다. 〈톨스토이〉

신앙이 없는 사람의 마음을 가지지 않고, 죄 있는 자의 길에 서지 않으며, 신(神)을 모멸하는 자리에 앉기를 피하는 사람은 행복하다.

타인의 악습만큼 전염되기 쉬운 것은 없다. 악습을 보면 그것은 곧 우리 마음에 그대로 전해진다. 그리하여 그 영향이 없었더라면 결코 하지 않았을 그러한 행위까지도 범하고 마는 것이다. 〈존 · 러스킨〉

전염이란 것은 사회생활에 있어서 흔히 볼 수 있는 일이다. 그러나 우리에게 전해져오는 것을 받아들일 때에는, 충분히 조심하도록 하여야 한다.

전염이란 겁질긴 것이다. 그러므로 덕이 높은 사람은 말과 행동에 대하여 엄격을 지킨다. 타인에게 전염하는 매개물은 말과 행위이기 때문이다.

6일 유일(唯一)

개인에게 있어서나 군중에게 있어서나, 이지(理知)는 생활에 대한 유일한 안내자이다.

우리가 인간생활의 대부분을 살펴본다면, 인간이란 식물과 같은 존재임을 알 수 있을 것이다. 여러가지 양분을 흡수하여 성장하고, 같은 씨를 이 지상에 남기고, 얼마 뒤에 시들어지는 것이다.

이와 같은 인간은 다른 어떤 동물보다도 저급한 존재목적밖에 이루지 못한다. 그는 주어진 높은 능력을, 다른 생물이 훨씬 확실하고도 훌륭하게 이루어 놓고 있는 그러한 목적만큼도 활용하지 못하기 때문이다.

인간이 미래에 대한 희망과 향상의 마음을 갖지 못하고, 다만 현재라는 테두리 속에 갇혀서, 대완성(大完成)의 시기를 생각함이 없다면, 그는 확실히 그렇게 되고 마는 것이다.

〈칸 트〉

모든 것은 한 곳에서 살고 있다. 그러나 그들은 외로이 살고 있다. 인간도 홀로 살고 있는 사람이 있다. 벌레도 홀로 사는 것이 있다. 이렇게 외로이 살고 있는 것들은, 흔히 자기만이 생존자인 듯이 생각함으로써, 생활 전체가 오직 자기만을 위한 것이기를 바란다.

그러나 이같이 고독한 존재들은 생활에 대한 개개의 노력에 있어서, 실은 자기를 멸망에 끌어넣고 있는 것이다. 그들의 한걸음 한걸음은 죽음을 향하여 접근하고 있는 것이다.

〈톨스토이〉

생활이란 육체적 작용의 하나이다. 그러나 그것은 이지에 의하여 방향이 정해진다. 〈룻 소〉

모든 인간은 인류가 축적해온 지혜의 성과를 이용할 수 있으며, 또 이용하지 않으면 아니된다. 그와 동시에 남들이 성취해 놓은 것을 자기 이지에 의하여 검토할 수 있으며, 또한 검토하지 않으면 아니된다.

7일 귀속(歸屬)

인간은 자유로울 수 있을 뿐만 아니라, 또 자유로와야 한다. 동물적 생활의 속박 밑에 몸을 맡기면 맡길수록, 우리는 부자유하게 된다.

진실로 자유롭게 되려면 신에게 받은 것을 신께 보답할 용의를 항상 가지지 않으면 아니된다.

죽음에 대해서 뿐만 아니라, 가장 큰 고뇌나 시련에 대해서도 항상 용의함이 있어야 한다. 〈에피크테타스〉

인간으로서의 존엄성을 무시 당했을 때만큼 괴로운 일은 없다. 타인에게 예속 당하는 것만큼 몸을 천하게 하는 일은 없다.

인간으로서의 존엄성, 그리고 인간으로서의 자유는 우리의 당연한 권리이다. 존엄성과 자유를 지키자. 그렇게 못한다면 그것을 위하여 목숨을 바치자. 〈시세로〉

내면성을 갖지 않는 외면적 자유란 무가치하기 짝이 없는 것이다. 비록 외부적 폭압에 의한 굴종에서 벗어났다 할지라도, 무지(無知)·죄악·이기주의·공포 등등 때문에 내 자신의 마음을 지배할 수가 없다면, 그것이 무슨 소용이 있단 말인가?

나는 다음과 같은 사람만을 자유로운 사람이라 부르고 싶다. 즉 교만·분노·태반이나 자기 주장에 사로잡힘이 없이, 인류의 행복을 위하여 희생할 용의가 있는 사람, 그같은 사람만이 자유롭다는 말이다. 〈톨스토이〉

한 사람의 또는 몇몇 사람의 노예가 되지 않도록 경계하라. 그대가 하지 않으면 안될 일, 그리고 그대가 할 수 있는 일에 있어서만, 모든 사람들에게 종속되도록 하라. 〈시세로〉

자유없는 곳에서 인생이란 한낱 유기체의 운동에 지나지 않는다. 자유롭지 못함을 느낄 때는, 그 원인을 자기에게서 찾아라.

8일 작가(作家)

많은 사람들에게 위대한 작가라고 인정받은 사람이 쓴 글, 특히 중요하고 뜻이 깊다고 하는 작품들의 대개는 참된 진리를 알기 위해서는 방해가 되는 것이다.

신의 진리는, 도리어 아이들의 외마디 말에서나, 치자(痴者)의 헛소리에서나, 광인의 꿈에서 찾을 수 있다. 또는 성격이 단순한 사람들의 이야기나 편지에서 찾을 수 있다.

위대하고 신성한 책이라는 말을 듣는 작품에서는, 극히 무력한 허위의 사상밖에 찾지 못함이 보통이다.

전통적인 의심할바 없는 진리라고 우리가 생각하는 것은 많다. 그러나 그것은 우리가 성실하게 생각하지 않음에 지나지 않는 것이다.

〈로 드〉

아직도 남아있는 낡은 옛날의 법칙을 고취하려는 것은, 현대인에게 몇 세기 이전에 살았던 조상의 집이나 무기를 주는 것과 같다.

〈루시·말로리〉

인류의 대다수에게 있어서 종교는 습관이다. 더 알기 쉽게 말하자면, 습관이 종교인 것이다.

내가 말하는 말이 아무리 괴상하게 들릴지라도 나는 확신한다.

도덕적 완성으로 가는 첫걸음은, 이같은 종교에서 해방되는 것이라고. 어떠한 사람일지도 우선 여기서 벗어나지 않고는 완성되기가 어려울 것이다.

〈토 로〉

성서나 「코란」이나 「우파니샷드」속에 써있는 사상, 그것은 신성해 보이는 책 속에 써 있기 때문에 진리인 것은 아니다.

신성시되는 책에 써있음으로해서 그 모든 것이 진리라고 생각하는 것은 책에 대한 우상숭배이다. 그것은 다른 어떠한 우상숭배보다도 해로운 것이다.

누구에게서 나온 사상이건, 무릇 사상이란 것은 한번 검토와 주의를 할 필요가 있다.

9일 의지(意志)

죄악의 대부분은, 사람들의 나쁜 의지에서가 아니라, 일반에 퍼져있어서 사람들이 진리라고 믿고 있는 허위의 사상 때문에 행하여지는 것이다.

구체적인 결과라는 것은, 눈에 보이지 않는 어떤 행위가 이미 그 이전에 존재했음으로해서 발생하는 것이다.

발포(發砲)한 소리가 우리에게 들려오기 훨씬 전에, 탄환은 튀어 나오는 것이다. 결정적인 것은 사상 속에서 수행되는 것이다. 〈아미엘〉

우리의 행위는 의지가 선인 이상으로는 선이 못되며, 또 우리의 의지가 악인 이상으로 악이될 수도 없다. 〈워웨날그〉

악한 사상·살생·간음·도둑질·중상은 인간의 마음 속에서 생겨난다. 〈성 서〉

어떠한 악한 행위보다도 그 행위의 근본이 되는 사상이 훨씬 악한 것이다. 악한 행위는 두번 다시 하지 않도록 할 수도 있고 후회할 수도 있다. 그러나 악한 사상은 모든 악한 행위를 만들어 내는 것이다.

악한 행위는 그저 나쁜 방향으로 굴러갈 따름이지만, 악한 사상은 저항할 수 없는 힘으로 그 길 위를 끌고 가는 것이다. 〈톨스토이〉

눈에 보이지 않는 사상은, 멀리서 옮아온다. 조용히 남모르게 다가 온다.

사상이란 깊숙히 감추어져 있는 법이다. 사상을 자제하며 통어하는 사람은, 그 사상의 유혹에서 벗어날 수 있다. 〈석 가〉

만약 그대에게 불행이 닥쳐오거든, 그 원인을 그대의 행위에서 보다도 그 행위를 하게 한 사상에서 찾아라.

그와 같이 어떤 사건이 그대를 슬프게 하며 괴롭게 할 때, 그 원인을 사람들의 행위에서보다도 그 사건을 일으킨 사람들의 사상에서 찾아라.

10일 실재(實在)

이런 말들을 흔히 한다. 「인간은 자유롭지 않다. 왜냐하면 인간은 탄생 이전에 정해진 원인에 의하여 행위하며, 운명이란 것을 가지고 있기 때문이다」라고.

그러나 인간은 오직 현재에 있어서만 행위하고 있는 것이다. 그리고 현재는 시간을 초월한 곳에 있다. 현재는 과거·미래라는 두 시간이 접촉하는 한 점에 지나지 못하는 것이다. 그러므로 현재라는 시간에 있어서 인간은 늘 자유로운 것이다.

사람들이 성자에게 물었다. 「인생에 있어서 어느 때가 가장 중요하며, 어떤 인간이, 어떤 일이 가장 중요한가」라고.

성자는 대답했다.

「가장 중요한 때는 현재 뿐이다. 왜냐하면 현재에 있어서만, 인간은 자기 자신을 통어할 수 있기 때문이다. 가장 중요한 인간은, 현재 그대가 관계를 갖고 있는 인간 뿐이다. 왜냐하면 인간은 이후 자기가 또 다른 사람과 관계를 맺게 될지 어떨지를 모르는 까닭이다.

가장 중요한 일은, 그 사람들과 사랑하며 화합하는 그 일이다. 왜냐하면 모든 사람은 서로 사랑하기 위해서, 이 세상에 태어난 것이기 때문이다」라고. 〈톨스토이〉

인생에 대한 가장 고귀한 사상은, 가장 평범한 상태에서 무엇보다도 명백히 나타나는 법이다.

언제나 자기 주변에 신을 인식하며 미래의 삶을 기다리는 사람만이, 가정에 평안과 신성을, 영혼에 평화를, 마음에는 자비(慈悲)를 보존할 수가 있다.

자신의 영원성을 믿을 때에만, 우리는 언제나 행복을 느낄 수 있는 사람이 되는 것이다. 〈에머슨〉

현재에 있어서만 신에게 속하는 우리의 본질은 그 자태를 나타낼 수 있다. 현재를 소중히 하자. 신은 그 속에 존재하는 것이다.

11일 고독(孤獨)

죽을 때, 인간은 혼자 있다. 고독할 때, 인간은 참다운 자기 자신을 느끼며 생활의 모든 내면적인 것을 느낀다.

약간의 수입만을 필요로 하는 나라, 또는 전혀 수입을 필요로 하지 않는 나라는 가장 행복한 나라이다.

그와 같이 자기의 내면적인 부에 만족하고, 생활을 위해서는 외부의 것을 약간만 필요로 하는 사람, 혹은 그것을 전혀 필요로 하지 않는 사람은 가장 행복한 사람이다.

외부에서 오는 것은 언제나 고가이기 때문에 빚을 지게되며, 비애와 위험을 느끼게 되는 것이다. 그러므로 결국 자기 땅의 산물이 대용은 될 수 없다.

외부에서 오는 것에는 어떠한 관계가 있든, 많은 것을 기대해서는 아니된다. 결국 사람은 누구나 자기 자신과 함께 있는 것이다. 그리고 누구나 남과 함께 있지 않으면 안될 때에, 문제는 그것이 대체 누구냐 하는 점에 있는 것이다.

〈쇼펜하우어〉

어떤 불쾌한 일에 부딪치거나 곤란한 상태에 빠지면, 우리는 그로 인하여 자기 이외의 다른 사람들을, 또는 자기의 운명을 저주하는 경향이 있다.

그러나 우리에게 관계가 없는듯한 그 어떤 외부적인 사정이 불쾌한 것이 되고 곤란한 것이 된다는 점은, 우리 자신 속에 무엇인가 잘못된 것이 있음을 의미한다. 이 점은 잘 생각해야 한다. 〈에피크테타스〉

모든 인간에게는 깊은 내면적 생활이 있다. 그리고 그 본질은 남에게 전할 수 없는 것이다. 가끔 그것을 남에게 전하고 싶다는 생각이 일어난다.

그 내면적 생활의 본질이 바라는 것은 신과의 교섭이다. 이 교섭을 완성하라. 그리고 그대와 신과의 은근한 교섭을 파괴하지 말라.

12일 운명(運命)

사람들이 목에 걸고있는 십자가는, 기다란 수직선과 짧은 수평선으로 되어 있다. 전자는 신을 의미하는 것이요, 후자는 인간을 의미하는 것이다.

자기의 의지를 신의 의지와 같은 방향으로 인도하라. 그 때에 십자가의 모든 괴로움은 사라져 버릴 것이다.

외면적인 영예에서 행복을 찾는 인간은 모래 위에 누각을 짓는 인간이다. 기초가 든든한 행복은, 신의 의지대로 움직일 때에 생기는 내면적 조화에서만 얻을 수 있는 것이다.

〈루시·말로리〉

운명은 두가지 형태로서 우리를 파멸하게 한다. 즉 우리가 원하는 것을 거절함으로써 파멸하게 하는 것과, 우리가 원하는 것을 허용함으로써 파멸하게 하는 것, 이 두 가지 형태이다.

그러나 신의 원하는 바를 원하는 자는 그 어느 파멸에서도 구원을 받으며, 모든 것이 그의 행복이 되는 것이다.

〈아미엘〉

만일 그대가 타인에게 대하여 아무 것도 기대하지 않으며, 또 아무 것도 얻고자 하지 않는다면, 그 어떤 사람도 그대에게 공포의 대상이 될 수는 없을 것이다. 벌(蜂)에게 벌이, 말에게 말이 공포의 대상이 될 수 없음과 같다.

그러나 타인의 권력에 의하여 그대의 행복을 얻는다면, 그대는 항상 그들을 두려워 하지 않으면 안될 것이다.

〈에피크테타스〉

자신을 우주의 법칙에 조화시키며, 신의 의지를 받들고, 주어진 생명을 종교적으로 살도록 하라. 빛을 찾으라. 성실하라. 그리고 즐거움에 넘치라.

〈톨스토이〉

자기의 의지와 신의 의지를 일치시키면, 우리는 불행에서 벗어날 수 있으며, 편안을 얻을 수 있다. 신을 알며 그 불멸을 믿음은, 그저 그렇게 함으로써 가능한 것이다.

13일 속세(俗世)

속세간적(俗世間的)인 지혜는, 모든 사람이 하는 그와 같은 생활속에 있다.

그러나 참된 지혜는, 이지에 일치하는 생활 속에 있는 것이다. 가령 그 생활이 일반 사람들의 비상(誹謗)을 받는 일이 있을지라도.

하늘은 우리의 죄에 대하여 분개한다. 동시에 이 세상은 우리의 도덕에 대하여 분개한다. 〈탈무드〉

인간의 이지는 신의 등불이다. 그 등불은 가장 깊은 곳까지 스며들어 간다. 〈공 자〉

자기를 칭찬해 주는 사람의 수효가 많은 것 보다는 그 칭찬해 주는 사람의 질이 좋다는 것이 중요하다. 악한 사람들에게서 받지 않는 칭찬이 진정한 칭찬이다. 〈톨스토이〉

가령 우리가 움직이는 배 위에서 그 배 위에 있는 물건을 바라 볼 때에 우리는 배가 움직이고 있다는 것을 느끼지 못할 것이다. 그러나 멀리 떨어져 있는 나무나 언덕을 바라볼 때에 배가 움직이고 있음을 비로소 알 수가 있을 것이다.

그와 같이 인생에 있어서도, 모든 사람이 걷고 있는 길을 한 가지로 걷고 있을 때에는, 그것이 눈에 뜨이지 않으나, 그 중 한 사람이 신을 이해하고 신의 길을 걷게 되면, 다른 사람들이 얼마나 사악한 생활을 하고 있는가를 곧 깨닫게 된다. 그리고 그 때문에 다른 사람들은 그 사람을 추방(追放)한다. 〈파스칼〉

예지(叡智)에 배반되는 비방·공격·압박을 슬퍼함은 잘못이다. 만약 예지가 빛나가는 이 현세(現世)의 광태를 바로 인식하지 못한다면, 그것은 예지라 할 수 없는 것이다.

또한 인간이 그것(광태)을 깨달으면서도 자기 생활을 바로 잡지 않는다면, 그는 인간이라 할 수 없다.

14일 폭력(暴力)

사람들은 폭압에 의하여 이 세상의 외면적 질서를 유지하는데 순응하고 있다. 그들은 폭압이 없는 생활을 생각할 수가 없게 되었다.

그러나 사람들이 폭압으로써 하더라도 바른 (외면적일지라도) 생활을 기초 세우고만 있다면 그 사람들 (이러한 생활을 기초 세우고 있는 사람들)은, 어떠한 점에 정의가 있는가를 알 것이며, 또 그 자신이 올바른 자가 아니면 안되겠다는 것도 알 것이다. 그러면 어찌하여 다른 모든 사람들은 그 점을 알지 못하고, 올바른 사람이 되지 못하는 것일까?

폭력은 무기다. 즉 우매한 인간이 자기를 따르고 있는 사람들에게 그 사람들의 천성을 배반하게끔 강요하기 위하여 쓰는 무기이다.

그리고 그것은 물을 본래 수준보다 높은 곳으로 흐르도록 강요함과 같다. 이 무기가 기능을 잃음과 동시에, 그것이 수행한 모든 일의 결과도 파괴되고야 만다.

그러나 이와는 반대로, 사람을 말로써 이해시키는 것은, 마치 개천에 경사를 만드는 것과도 같다. 그것은 지키는이가 없더라도 개천물이 저절로 흐를 수 있도록 하는 것과도 같이 필요한 것이다.

타인에게 일을 시킴에도 이 두가지 방법 밖에 없다. 그 사람의 천성에 따라 일을 맡기든지 강제로 일을 시키는 것이다.

〈톨스토이〉

사람들을 폭력의 힘으로써 정의에 따르도록 하는 것은 물론 가능하다. 그러나 사람들을 폭력에 따르게 하는 그 자체가 이미 정의는 아니다.

〈파스칼〉

인간은 이지를 가진 실재이다. 그러므로 이지에 의해서 생활하는 것은 가능하다.

자유로운 협화(協和)가 폭력을 대신할 때가 오는 것은 당연하고 필연적인 일이다. 그러나 지금 사용되는 모든 폭력이 그 때가 오는 것을 지연(遲延) 시키고 있는 것이다.

15일 자력(自力)

인간이 자기 자신의 힘, 자기 자신의 인식에 의하여 얻은 지식이 유일하고도 의심없는 지식이다. 그것이 가장 중요한 것이다.

남의 말에 신경을 쓰지 말라. 재주가 능한 목수는, 목수일을 조금도 할줄 모르는 사람이 그의 재주를 칭찬해 주지 않는다고 해서 슬퍼하지 않는다.

악한 사람이 그대를 중상할 수 있다고 생각하지 말라. 그대의 마음까지 상처입힐 수 있는 자는 없다.

나는 나를 중상하고 내 마음에 못을 치려는 자에게 초연한 태도로 임한다. 그들은 내가 어떤 사람인지, 또 내가 무엇을 악으로 생각하는지 분간하지 못하는 것이다.

참으로 내가 나의 것으로 생각하고 있는 것, 내가 그것에 의하여 살고 있는 유일한 것에 대해서 그들은 생각조차 못할 것이다. 그들은 그것에 대하여 생각조차 못하고 있다는 사실을 모르고 지내는 것이다. 〈에피크테타스〉

많은 사람들은 신을 알고자 하여 애쓰고 있다. 그러나 자기 자신을 말하고자 하는 사람은 드물다.

그들로 하여금 자신 속에 있는 선을 이해하고 육성하게 하라. 그 때에 그 사람들은 신을 알 것이다. 왜냐하면 신을 아는 길은 그밖에 없기 때문이다. 〈루시・말로리〉

사람이 자기란 무엇인가 하고 자연을 향하여 물어보더라도, 대답을 얻을 수는 없을 것이다. 그것은 그 사람 자신이 그 질문에 대한 해답이기 때문이다. 그는 자기 자신을 알지 않으면 아니된다.

그대 자신을 알라. 〈루시・말로리〉

사람은 오직 자기 자신 속에서만, 세상에 있어서의 참된 사명(使命)을 다할 수 있는 힘을 발견하는 것이다.

16일 상반(相反)

우리는 모든 사람들과 정신적으로 결합되어 있을 뿐만 아니라, 살아있는 모든 것과 서로 떨어질 수 없는 결합 속에 있다.

어떤 사람이 어떤 때 나에게 말했다. 모든 인간 속에는 아주 좋은 성질, 애정을 가진 인간이 있다. 또한 아주 나쁜 성질, 사악을 품고 있는 인간도 있다. 그러한 천성을 가지고 있기 때문에, 인간이 때로는 좋은 성질 (즉 애정)을 때로는 나쁜 성질 (즉 사악)을 나타내는 것이라고 그는 말하는 것이었다. 참으로 옳은 말이다. 남이 고생하고 있는 것을 보면, 어떤 때는 무한한 동정심이 샘 솟으나, 또 어떤 때는 가장 참혹한 기쁨을 느끼는 것이다.

이것은 나에게 두가지 서로 상반된 인식능력이 존재해 있음을 명백히 증명해 주는 것이다.

그 하나는 기본적인 것으로서 이기주의·비협화(非協和)주의·배타(排他)주의를 가지고 모든 존재를 전혀 낯설은 것, 자기와 관계없는 것으로 본다. 그때에 우리는 다른 존재에 대하여 무관심·질투·염오·원한 등을 느낀다.

그리고 또 하나의 인식 능력을——나는 이것을 우리가 모든 존재와 한덩어리라고 느끼는 의식에서 나오는 것이라 부른다——이 인식능력을 가지고만 있다면, 모든 다른 존재도 자기의 자아와 같은 것으로 생각되는 것이다. 그러므로 모든 사물의 모습이 우리들에게 동정과 사랑의 마음을 불러 일으키게 한다.

아프리카 흑인은 우리의 동포가 아니라고 말할 수 없다. 또 원숭이·개·말·새도 우리의 동포가 아니라고 말할 수는 없다.

모든 생명있는 것에 관한 이 질문에 대해서, 사마리아 교도의 말이 유일한 답을 하고 있다. 그것은 모든 생명있는 것에 선을 베풀고 동정하라는 것이다.

17일 천성(天性)

선은 모든 것에 대한 참으로 필요한 양념이 되는 것이다. 가장 좋은 성질을 가진 것도, 선 없이는 아무 소용이 없다. 가장 악한 죄악도 선에 의하여 용서되는 것이다.

외부적 육체적인 원인에서 오는 선이 있다. 이를테면 상속(相續) 받은 재산, 잘되는 소화 등 성공적으로 생기는 선이 있다. 이러한 선은 그것을 경험하는 사람에게나 다른 사람에게도 다같이 유쾌한 일이다.

또 내면적 정신적인 활동에서 생기는 선이 있다. 이러한 선은 앞서 말한 선보다 한층 매력적이다. 이 선은 지나면 지날수록 점점 커진다.

그러나 외부적인 원인으로 인하여 생긴 선은, 흐름과 함께 사라져 버릴 뿐만 아니라, 악으로 바뀌어지기도 하는 것이다. 그러나 후자의 선은 절대로 없어져 버리지 않을뿐만 아니라, 끊임 없이 늘어가는 것이다. 〈카알라일〉

선을 성취함은 기쁨을 가져온다. 그러나 만족은 가져오지 않는다. 선이란 더욱 더 행하지 않으면 안 된다는 필요를 느끼게 하는 것이다. 〈톨스토이〉

선을 행하지 않는 자일수록 쓸데없이 커다란 선을 생각하는 법이다. 〈공 자〉

사람이 현명하고 선량할수록 그는 타인 속에 더욱 많은 선을 느끼는 법이다. 〈파스칼〉

사람들 속에 숨어있는 선을 불러 일으키는 것은, 인생의 가장 중대한 사명의 하나이다. 〈존 슨〉

선은 인간 정신의 근원이다.

만약 사람이 선하지 못하다면, 그 사람은 그 어떤 기만·매혹·정욕에 사로잡혀 있기 때문이다. 그런 것들이 그의 참된 천성을 파괴하고 있기 때문이다.

18일 교훈(敎訓)

기독교는 어찌하여 진리인가?

그것은 가장 추상적인 문제에 해답을 주며, 그 해답에 의하여 인생의 가장 실제적인 문제를 해결할 수 있기 때문이다.

스스로 기독교도라고 말하는 사람에게, 기독교란 무엇이냐고 물어보라. 그들은 기독교라함은 어떤 가르침과 결합되어 있음을 의미한다고 대답할 것이다.

그러나 그 가르침을 말하는 사람들은 서로 다른 말을 하고 있다. 어떤 사람들은 이렇게 믿으라 하고, 또 다른 사람들은 다른 말을 하고 있다. 그 차이로 해서 비방과 염오가 생기고, 그 결과 유혈극까지 벌어지게 된다. 참된 기독교가 이런 것이라면, 어찌 그리스도가 구세주가 되며, 인류가 대망(待望)하는 해방자로 될 수 있을 것인가? 그러나 그리스도는 자신의 사명에 대하여 불쌍한 사람들에게 좋은 복음을 주기 위하여, 그들을 멸시된 상태에서 해방시키기 위하여, 무법적 폭력이 그들에게서 빼앗은 선물을 도로 찾아주기 위하여 이 세상에 온 것이라고 했다.

또한 그리스도의 사명은 그 무엇이었던가? 그것은 고뇌나 폭압에 의하여 시들어 버린 사람들의 마음을 치료하는 것, 장님이 볼 수 있고 사슬에 묶인 사람들이 해방되는 것, 이 세상 어느 곳에서나 볼 수 있는 예속을 자유로 바꾸어 놓는 것, 신의 해, 그리고 보상의 날——즉 정의를 수립함으로써 이 세상 권력자들에게는 커다란 공포의 날이 오며, 약자에게는 커다란 기쁨의 날이 온다는 것을 고하는 것, 이것이 그리스도의 사명이다.

〈아미엘〉

가장 단순하고 실제적이며, 또한 모든 사람들의 행복을 실현시킬 것을 목적으로 하는 마음의 가르침은 믿지 않을려고 하더라도 믿지 않을 수 없게 된다.

이밖에 믿어야 할 참된 가르침은 없다. 그리고 이러한 것이 그리스도의 가르침인 것이다.

19일 양면(兩面)

일한다는 것은, 육체의 생활을 위해서 없어서는 안될 필연적인 조건이다. 이것은 누구나 다 알고 있는 일이다.

그러나 그것이 정신적 생활을 위해서도 없어서는 안될 필요한 조건이란 점을 누구나 다 알고 있는 것은 아니다. 그것은 육체적인 생활의 경우와 마찬가지로, 의심할 수 없는 필요한 조건이기도 하다.

몸소 노동한다는 것은 외부 세계를 잘 아는 것이 된다. 부의 진정한 이익은 스스로 「부」를 만들어 낸 사람에게만 남을 뿐 놀고 부를 얻는 자의 손에는 머물지 않는 것이다.

삽이나 괭이를 들고 뜰을 거닐 때, 나는 언제나 공상하는 즐거움과 넘치는 건강을 느낀다. 그것은 내가 언제나 내 손으로 할 수 있는 일을 다른 사람에게 맡겨 버렸기 때문에, 거기서 우러나오는 행복을 모르고 지냈기 때문이다. 몸소 일한다는 것은 만족과 건강을 위해서 뿐만 아니라, 일 그자체가 하나의 교육이 된다. 그렇기 때문에 나는 언제나 정원사나 농부나 요리사에 대하여 부끄럼을 느낀다. 왜냐하면 그들은 스스로 만족하고, 남의 힘을 빌리지 않고도 생활해 나갈 수 있는 능력을 가졌기 때문이다. 〈에머슨〉

일하지 않는 자는 먹지 말라. 〈파 웰〉

자연은 끊임없이 움직이고 있다. 동시에 일하지 않는 모든 것에 대하여 사형을 선고한다. 〈괴 테〉

사람을 낚아 들이려는 악마는 여러가지 맛있는 미끼를 보인다. 그러나 게으른 자에게는 그것마저 필요하지 않다. 미끼 없는 낚시에도 걸려들기 때문이다. 〈에머슨〉

부정한 일에 종사함은, 부끄러워해야 할 일이다. 그러나 덕성상 가장 부정한 상태는, 육체를 게을리 한다는 그것이다.

20일 자연(自然)

참으로 중요한 일을 하고 있는 사람은 누구나 항상 단순하다. 그는 쓸데없는 일을 생각할 틈이 없기 때문이다.

자연과 조화된 생활을 하라. 그 때에 그대는 결코 불평을 느끼지 않게 될 것이다.

세상 사람들의 사고방식만을 따라서 산다면, 그대는 결코 참된 부를 얻지 못하리라. 〈세네카〉

무엇이든 새로운 욕망이란, 새로운 결핍의 시초이며, 동시에 새로운 파멸의 시초이기도 한 것이다. 〈볼르텔〉

정욕의 노예가 된다는 것은, 노예중에서도 가장 옹졸하고 보잘것 없는 노예가 됨을 의미하는 것이다. 〈탈무드〉

많은 욕구를 가지면 가질수록, 많은 것에 예속되고 만다. 왜냐하면 많은 것에 욕구를 느끼면 느낄수록, 점점 더 자신의 자유를 막아 버리는 것이 되기 때문이다.

완전한 자유는 전연 아무 것도 바라지 않는데 성립된다. 욕구를 적게 가지면 가질수록, 자유의 정도는 커진다.

〈조로아스터〉

향락과 사치――이들을 그대로 행복이라 부르고있다. 그러나 나는 아무것도 바라지 않으며 원하지않는 곳에, 최고의 행복과 신의 행복이 있다고 생각한다. 또한 극히 적게 밖에 요구하지 않음은, 이 최고의 행복에 접근하는 길이라 믿는다.

〈소크라테스〉

식물을 풍요하고 튼튼하게 가꾸고자 한다면 가지치기(剪定)가 필요하다. 〈조로아스터〉

소박이란 아주 큰 가치를 가지고 있다. 오직 소박한 생활에 있어서만, 모든 사람들은 결핍을 느끼는 일 없이, 그리고 남에게 의뢰함이 없이 생활할 수 있다.

21일 회개(悔改)

기도는 신에게는 필요한 것이 아니다. 신에게 필요한 것은 착한 생활이다.

사람은 기도하기 전에 그 기도의 의의나 목적에 부합하는 행위를 앞세우지 않을 경우 일지라도, (기도에 앞서 악한 행위가 있었을 경우는 문제 밖이다) 기도를 하기 전에 먼저 회개하여야 한다.

죄를 회개한 뒤에야, 신 앞에 나아갈 용기를 얻을 수 있는 것이다. 자신의 더러운 의복에 관해서, 신께 호소하고 염원할 수 있는 것이다.

또한 만일 사람들이 언제나 타인의 욕설과 비방, 부질없는 저주의 말을 하는 입으로 신께 기도를 드린다면, 그것은 더러운 상자에 선물을 넣는 것과 같다.

그러므로 사람들은 먼저 자신의 입과 혀를 깨끗이 하지 않으면 안된다. 만약 자신의 입이 죄를 범한다면, 그것을 회개(悔改)하도록 힘써야 한다. 〈톨스토이〉

기도를 드릴 때는 부질없는 군말을 하지 말라. 군말을 하는 자는, 이교도(異教徒)이다. 왜냐하면 이교도는 말이 많으면 많을수록, 신이 그 소원을 들어 준다고 생각하기 때문이다.

이교도의 흉내를 내지말라. 신은 그대가 무엇을 원하기 전에, 이미 그대의 원하는 것을 알고 있는 것이다. 〈성 서〉

기도는 언제나 할 수 있다. 가장 필요하고 곤란한 기도는, 일상생활 속에서 신과 그 가르침에 대한 자기 자신의 의무를 생각해 보는 것이다.

놀라거나 화내거나 할 때마다 나는 무엇이며 또 무엇을 하지 않으면 안되는가를 생각해 보라. 기도는 그 속안에 있는 것이다. 그것은 처음에는 곤란한 일일는지도 모른다. 그러나 습관이 되면 아무렇지도 않게 된다.

22일 학문(學問)

우리 생활은 물질적 능력의 생산이며, 그 근거는 언제나 그 능력 위에 있다는 관념이 사람들 사이에 퍼져있다. 이것은 유해한 관념이다.

이 허위의 관념이 과학이란 이름으로, 하나의 예지(叡智)로서 사람들에게 인식될 때, 거기서 생기는 해독은 무서울 만큼 큰 것이다. 과학의 사명은 인류에 봉사하는 것이어야 한다.

자기 자신은 적게 노력하면서, 조속한 시일 내에 많은 지식을 얻으려는 것은 무익하다. 그러한 지식은 쓸데없는 잎을 무성하게 하는 비료가 될 따름이고, 긴요한 열매를 맺을 수는 없다.

자신의 힘으로 얻은 지식은 그 자신의 두뇌 속에 자취를 남길 것이다. 그 지식에 의하여 그 자신이 처신할 길을 알 수 있을 것이다.

〈톨스토이〉

과학만큼 종교·도덕·인생에 대하여 혼란한 이해를 갖고 있는 자는 없다.

현대 과학이 물질계의 질서를 탐구한다는 점에 있어서는 대단한 성공을 거두고 있으면서, 인생 그것에 있어서는 불필요하고 또는 유해한 결과를 나타내고 있는 것은 무엇 보다도 한심스러운 현상이다.

〈괴 테〉

조상이 행한 악을 자손들에게 선한 일이라 생각하도록 힘쓰게 하는 것보다, 현재 존재하는 악을 뿌리채 뽑아 버리는 편이 얼마나 좋은 일일까?

〈카알라일〉

학문의 진정한 목적은——

사람들에게 행복을 가져 오는 진리를 인식하는 것이다. 그러나 지금의 학문에는 사람들의 생활속에 악을 날라 들이는 기만을 정당화하는 허위의 목적이 싹트고 있다. 법률학·정치·경제학·신학 등은 이와 같은 허위의 목적을 가지고 있는 것이다.

23일 광명(光明)

만약 사람이 완전한 덕성을 갖추고 있다면 결코 진리의 길을 헛디디지는 않을 것이다.

중요한 일은 광명이 이 세상에 비쳐들어 왔다는 사실이다. 그러나 사람들은 광명보다도 암흑을 더 사랑하였다. 악에 젖었기 때문이다. 악한 일을 한 사람들은 빛을 싫어하며, 빛 가까이로 다가 가지 않는다. 자신의 악이 밝은 곳에 노출되기를 두려워 한다. 그들은 악하기 때문이다.

그러나 진리에 맞는 행위를 하는 사람들은, 그들이 하는 일이 광명에 비춰짐을 두려워하지 않기 때문에, 광명 앞으로 나아간다. 그들은 신과 동체이기 때문이다. 〈성 서〉

진리는 서로 떠들며 토론하는데서 얻어지는 것이 아니다. 오직 근로와 성찰에 의해서만 얻어질 수 있는 것이다.

그대가 어떤 진리를 얻었을 때, 잇달아 또 하나의 진리가 그대 앞에서 쌍자성(雙子性) 식물의 나무잎과 같이 싹터 오를 것이다. 〈존·러스킨〉

신분이 높은 사람이건 낮은 사람이건 부자이건 가난한 사람이건 교양이 있건 없건 모든 사람을 두려워하지 말고 존경하라.

스스로 나아가 자의식으로 진리를 가려잡으며, 모든 것에 신념을 가져라.

사람들의 반응을 기다리지 말라. 진리의 편을 드는 소리가 낮으면 낮을수록, 더욱 강하게 자기의 소리를 높여라.

진리는 착오나 편견 그리고 공포 보다도 굳센 것임을 믿으라. 그리고 항상 고뇌에 대비하라. 〈챤 닝〉

진리를 사색 속에서 찾아라. 곰팡이 핀 책 속에서 찾으려 하지 말라.

달을 보고 싶거든 연못을 보지 말고 하늘을 보라.

24일 진전(進展)

인류는 눈에 보이지 않는 속도로 쉴 사이 없이 협화(協和)와 전 세계적인 행복이 이상의 실현에 가까와 지고 있다.

만능의 신의 말은 아직 다 끝나지 않았다. 신의 사상은 아직 충분히 계시(啓示)된 것이 아니다.

신은 영원한 때의 흐름 속에서, 한층 더 많은 것을 창조할 것이다. 인간의 힘은 그것을 모두 이해하기에는 충분하지 못하다. 지나간 세기(世紀)는 다만 신의 창조의 일부를 확실하게 한데 지나지 않는다.

시간의 흐름에 따라서, 우리의 사명은, 우리가 그중 수행(數行)만을 알고 있을 뿐인 그 완전한 법칙을 탐구하면서, 아득히 먼 곳까지 뻗어나가는 것이다. 〈톨스토이〉

개인에 있어서나 인류에게 있어서나 인간의 생활이란 끊일새 없는 영혼 대 육체의 투쟁이다. 이 투쟁에 있어서는 항상 영혼이 승리하였다.

그러나 이 승리는 결코 결정적인 것은 못된다. 이 투쟁은 영원히 계속되는 것이다. 그것은 인생의 본질을 형성하고 있는 것이다. 〈카알라일〉

인간의 내면에서는 이성과 정욕의 끊임없는 싸움이 벌어지고 있다. 만약 인간이 이성과 정욕 중 그 어느 하나만 가졌다면, 어느 정도 편하게 될 것이다.

그러나 인간은 이 두 가지 존재 때문에 투쟁을 피할 수 없다. 이 두 가지가 서로 싸우고 있는 한 인간은 평화로울 수 없다. 인간은 항상 자기의 일부와, 또 다른 자기의 일부가 대립 모순되는 그 속에 있는 것이다. 〈파스칼〉

인간의 세계는, 쉴새 없이 완성을 향해 가까이가고 있다. 그리고 그 의식은 인간의 가장 좋은 기쁨의 하나이다.

25일 행진(行進)

인생은 행진이다. 그러므로 인생의 행복은 어떤 상태가 아니라 행진에 대한 어떤 방향인 것이다.

인간에게 행복을 주는 방향은 자기 자신에 대한 봉사가 아니라, 신에 대한 봉사로 나가는 방향이다.

어떤 사람들은 말하기를 행복이란 권력 속에 있다고 한다. 또 다른 사람들은 학문 속에, 혹은 음탕 속에 있다고 한다.

그러나 참으로 행복과 이웃하여 사는 사람들은 행복이란 한정된 소수자의 전유물이 아니라는 것을 알고 있다. 그들은 인간의 참된 행복은, 모든 인류가 언제나 아무 차별없이 가질 수 있다는 것을 알고 있다.

또한 그들은 인간의 참된 행복이란, 사람들이 만약 그것을 잃기를 원치 않는다면, 결코 잃어지지 않는다는 사실을 인식하고 있다. 〈파스칼〉

인간의 마음이 높은 덕성을 향하여 열릴 때 그 무엇인가 형언할 수 없는 아름다운 감정이 그를 사로잡는다.

그 때에 자기보다도 한층 높은 것을 느낀다. 그때 자기의 본질은 무한(無限)에 속해 있다는 것, 현재는 아무리 약하고 악에 둘러싸인 낮은 위치에 있다 할지라도 자기는 높은 선과 완성을 위하여 태어난 것이라고 느끼게 되는 것이다. 현재 그가 고귀하다고 생각하는 그때에는 이미 그에게 속해 있을 것이다.

하지 않으면 안될 일은 반드시 해야 한다. 그때 우리는 이 위대한 말뜻을 이해하게 될 것이다. 〈에머슨〉

그 무엇을 자기 혼자만 갖고 싶다는 소원은 악한 인간만이 가지는 소원이다.

사람이 행하고 경험하는 일이 참된 행복에 가까우면 가까울수록, 그 행복을 남에게도 나누어 주고 싶다는 소원은 더욱 간절하게 된다.

26일 척도(尺度)

행위가 끝났을 때, 정의는 그것을 재는 척도가 된다. 그러나 정의만이 선한 생활의 목적은 아니다. 선한 생활의 목적은 다른데 있다.

절대적인 정의라는 것은 절대적 진리와 같이 말하기 곤란한 것이다. 그러나 올바른 사람은 그가 정의를 지향하는 의지와 희망에 의하여, 바르지 못한 사람과 구별할 수 있다. 진리에 대한 갈망과 신념에 의하여 진실한 사람과 위선자와 구별할 수 있음과 같이. 〈톨스토이〉

과녁을 맞추려면 그보다 먼 곳을 겨냥 해야 함과 같이, 참된 정의를 얻기 위해서는 자기부정 즉 자기 자신에 대해서는 정당하지 않음이 필요하다.

만일 자신만이 의로운 사람이 되리라 원한다면, 자기 자신에 대해서는 불공평하며, 타인에 대해서는 부정의(不正義)가 될 것이다. 〈시세로〉

재판은 정의에 의하여 이끌어 나갈 수는 있다. 그러나 그것은 문제를 다만 한쪽 측면에서 보고 있기 때문이다.

그러나 이 세상의 모든 문제는 모두 마찬가지 해결을 갖고 있다. 〈리프텐벨그〉

정의는 정의 자체에 대한 노력 보다도 사랑(愛)에 의하여 얻어지는 것이다. 〈공 자〉

타인의 부정의 때문에 괴로움을 받는 일이 있더라도 안심하라. 참된 불행은 부정의를 행한 사람에게 있다. 〈에머슨〉

절대적인 정의라는 것은 없다. 자기는 완성되었다고 생각하지 말라. 완성되어 가고 있는 것이라 생각하라.

정의에 배반하는 죄를 범하지 않기 위해서는, 단 하나의 수단 밖에 없다.

그것은 항상 자기를 완성되어 가고 있는 것이라 생각하는 그것이다.

27일 만족(滿足)

동물에게도 아이들에게도 성인에게도 다같은 생활의 기쁨이 있다.

동물에게 생활의 기쁨이 있는 것은, 이지(理知)라는 것이 없기 때문이다. 이지가 옳지 않은 방향으로 빗나가는 그때문에 그 기쁨이 빼앗기는 법이 없기 때문이다.

아이들에게 생활의 기쁨이 있는 것은, 이지가 아직 사악으로 떨어지는 힘을 가지고 있지 않기 때문이다.

성인에게 생활의 기쁨이 있는 것은, 그 생활이 바라는 모든 것을 완성함으로써 신께 가까이 가는 가능성을 갖고 있기 때문이다.

언제나 유쾌한 마음을 잃어버리지 않기 위한 중요한 비결이 있다. 그것은 작은 일에 노심하지 않으며, 그러나 어떠한 작은 의무일지라도 그것을 수행하는데 큰 만족을 느낀다는 것이다. 〈스미스〉

자기만족에만 치우치는 것, 끊임없이 자기만족을 얻고자 힘쓰며, 그 노력에서 확신을 갖고 향락을 예견할 수 있다는 것 때문에, 더욱 우리들 앞에 가로 놓인 슬픔의 경고를 받으며, 깨달음을 얻는 일은 더욱 드물게 되는 것이다.

〈리프텐벨그〉

우리를 미워하는 사람을 미워하지 않고 지낸다는 것은, 형언할 수 없는 행복이다. 원한이 없는 세상에 살 수 있다면 얼마나 행복할 것인가?

탐욕의 세상에서 탐욕을 모르고 산다는 것은, 참으로 행복한 일이다. 탐욕 때문에 고생하고 있는 사람들 속에서, 우리는 탐욕에서 해방되어 살도록 하자.

아무 것이나 내것이라고 주장하지 않는다는 사람은 성스러움에 가득차며, 찬란한 신과 같이 될 것이다. 〈석 가〉

만약 인생이 위대하고 충분한 기쁨을 가져오지 않는다면, 그것은 오직 그대의 이지가 그릇된 방향을 지향하고 있기 때문이다.

28일 정의(定義)

신앙이 인생을 정의한다.

모든 인식은 종교적 인식 위에 그 기초가 세워진다. 종교적 인식은 다른 모든 인식에 선재(先在)하는 것이다. 그러므로 우리는 그것을 정의할 수 없다. 〈괴 테〉

선량하고 정직한 생활을 하는 농부에게 어느 때 목사가 물었다.

「당신은 신을 믿고 있읍니까?」

농부가 대답했다.

「아니요, 믿지 않습니다.」

「어째서 믿지 않습니까?」

「왜 믿지 않느냐구요? 목사님, 만약 내가 신을 믿을 것 같으면 이런 생활을 부지해 나갈 수 있겠읍니까? 설교하시는 목사님은, 그저 자시고, 마시고, 자기 일에 관해서만 이야기하고, 신이나 형제 같은 것은 잊어 버리고 계시지 않습니까?」

만약 모든 사람들이 이 농부와 같이 그리스도의 참된 가르침을 그대로 지킨다면, 그 얼마나 좋을 것인가? 〈톨스토이〉

신앙은 인간성의 불가피한 특질이다. 인간은 불가피적으로 그 무엇을 믿는 법이다.

인간에 있어서 믿는다는 것은 불가피적인 일이다. 왜냐하면 자기가 알고 있는 것과 함께, 아직 자기가 알 수 없는 것의 관계 속으로 들어가고자 하는 것이기 때문이다.

그렇게 함으로써 그 알지 못하던 것을 알게 되는 것이다. 신앙이란, 이 알 수 없는 것과의 관계를 말하는 것이다.

〈톨스토이〉

비록 명확한 자기의식(自己意識)인 것은 아닐지라도, 종교를 갖지 않는 인간 자신과 세계의 관계를 알지 못하는 인간은, 심장이 없는 인간과 같이 불가능한 존재이다. 〈카알라일〉

모든 것은 신앙이란 척도로 재어지지 않으면 아니 된다. 신앙에 배반되는 일은 피하라.

29일 형제(兄弟)

마음 속에 신을 깨닫고 신을 느낀다면, 자기와 이 세상의 모든 사람은 결합되어 있다는 것을 깨닫고 또 느낄 것이다.

모든 인간은 한가족의 식구이다. 하나의 근원, 하나의 자연에 속하고 있다.

모든 인간은 하나의 빛 속에서 태어나, 하나의 중심, 하나의 행복을 목적하고 있다. 〈챤 닝〉

그대 속에, 내 속에, 또 모든 사람들 속에 인생의 신은 존재한다.

그대가 나를 나무라거나 그대 가까이 갈 수 없도록 담을 쌓거나 할지라도, 그것은 부질없는 일이다.

우리는 모두가 같은 인간임을 알자.

그대의 지위가 아무리 높다 하더라도 교만할 수는 없는 것이다. 〈석 가〉

하나의 위대한 사상이 내 마음 속에 자리잡고 있다. 그 사상이란 내 마음이 위대하다는 것, 그리고 그것이 신(神)과의 결합이라는 의식이다.

그러나 그것은 내 마음이 신에게 종속되어 있다는 수동적 관계 때문이 아니라 내 마음이 신을 받아들일 능력을 가졌으며, 또한 파괴할 수 없는 위대함을 향하여 운명지워진 것이라는 능동적 원인에서 일어나는 것이다. 그것은 내 마음이 불멸(不滅)의 것이라는 원인에서 발생한 것이다. 〈아미엘〉

인간의 마음은 신의 이지(理知)적 모습을 비추는 거울이다. 〈존·러스킨〉

선의 샘물은 그대 자신 속에 있다. 그것은 아무리 퍼올려도 마르지 않는 샘물이다. 〈에머슨〉

모든 인간은 정신적인 존재이다. 그리고 서로가 가장 가까운 형제이다.

모든 인간은 한 아버지의 아들이다. 그러므로 남을 사랑하지 않는다는 것은 도리어 부자연스러운 일이다.

30일 조화(調和)

인류의 전부가 조화된 선량한 생활을 한다는 이상은, 어느 사람이나 다 잘 알고 있는 것이나, 그 이상은 좀체로 실현되지 않는다.

사람이 있는 곳 그 어디에나 그리스도는 있다. 무슨 말을 듣든지 주의하라. 그리고 그 이외의 것에서 신을 찾지 말라. 그 이외의 것에서는 다만 거짓 환영을 발견할 따름일 것이다.

〈라무네에〉

타인을 위하여 죽는다는 것이 생각보다 쉽다는 것을 발견한 몇 사람의 선각자가 있었다.

그와 같이 타인을 위하여 사는 것도 쉽다는 것을 사람들이 깨달을 날이 올 것을 바랄 수는 없을 것인가?

그러자면 신으로 말미암아 자신과 결합되어 있는 형제들에게 대한, 행복하고 아름다운 봉사를 하기 위하여, 또 순교자가 죽음으로써 보여준 희생과 봉사의 정신을 보일 수 있도록 하기 위하여, 사람들의 마음을 높이고 빛나게 하는 그것 뿐이다.

이 마음만 사람들의 정신에 투철하다면 모든 일은 가능할 것이다.

〈브라운〉

나의 상상은 세상이 친절한 사람들에게 계승(繼承)될 행복의 날을 꿈꾸는 것을 거부한다. 그러나 그날이 오는 것은 하나의 필연이다.

사람들의 이 가없은 희망은 헛되이 끝나버리지 않을 것이다. 강한자, 권력있는 자가 아니라, 마음이 선량한 자를 신은 심판의 날에 불러내어, 이 길을 가르칠 것이다.

〈죤·러스킨〉

이전에 존재했던 것보다 더욱 높은 이상이 사람들 앞에 나타나자마자 이전의 모든 이상은 태양앞의 별처럼 사라져 버린다.

그리고 태양을 보지 않고 지낼 수 없듯이 사람들은 그 높은 이상을 모르고 있을 수는 없다.

31일 가면(假面)

비평가들이 칭찬하는 사이비(似而非) 예술 작품들은, 모두 다 하나의 문짝이라고도 할 수 있다. 그 문짝을 밀어 부숴버리고, 가면예술(假面藝術)의 무리들은 밀고 뛰어 들어오는 것이다.

현대의 과학자나 예술가는 자신의 사명을 다하고 있지 않으며 또 다할 수도 없다. 자신의 의무를 권리로 알고 있기 때문이다. 〈에머슨〉

현대의 섬세한 예술은 오직 민중의 기생(寄生) 계급에만 침투할 수 있다. 그리고 오직 이 기생 계급의 존속 기간에만 그것은 존속할 수 있을 것이다. 〈괴 테〉

어떠한 시대에 있어서나 소수의, 극히 소수의 인간의 말은 귀기울일 가치가 있으며, 그 작품을 주의할 가치가 있다.

이 소수의 인간들은 그 시대의 현실문제 밖에 앉아서, 쓰고 노래 부르며, 또한 그릴 것이다. 이들 소수의 인간들은 전설의 천룡(天龍)과도 같이, 노래를 중지하느니보다는 차라리 굶어 죽는 길을 택할 것이다.

비록 그대가 그들의 노래 소리에 귀를 기울이고 있지 않다 할지라도, 결국은 자비로운 마음에서 두서너개의 선물을 보내지 않을 수 없게 되리라. 그의 생활을 유지하게 해주기 위하여.

나는 노동가의 부랑자들에게는 돈을 준다. 그러나 나의 귀에 시끄러운 악기를 불거나, 서푼짜리 그림을 보이거나, 또는 거짓 이야기로서 소녀들을 유혹하며, 이 나라의 몇배만 사람들에게 빵 대신 어려운 이야기를 주어 파멸로 이끄는 것을 하는 사람들에게는, 결코 한푼의 돈도 던져 줄 수 없는 것이다. 〈톨스토이〉

제단에서 그 장사치들을 몰아내기 전에는, 예술의 제단은 제단이 아니다. 장래의 예술은, 그들 장사치를 몰아내고야 말 것이다.

9월의 장

〈세잔느 그림〉

1일 주초(酒草)

인생의 법칙에서 일탈하였을 때, 이성은 우리를 일깨워 준다. 그러나 그 법칙에서 일탈하면, 도리어 편리할 때가 있다. 그리고 그것이 습관화 되기 때문에 우리는 이성의 일깨움을 모르는체 하기가 일쑤이다.

경비의 명령을 맡고, 실지로 총탄 밑에서 할 임무가 없는 병정은, 그 위험의 공포를 잊어버리기 위하여, 무엇이든지 할 일을 찾아다니는 법이다.

많은 사람들이 가끔 이 병정과 같은 생각을 한다. 그들은 생명의 가책에서 벗어나기 위하여 명예·도박·법률·여자·말(馬)·정치·사냥·술 등에 정신을 팔게 된다, 〈톨스토이〉

어떤 종파에서는 집회 후에 음탕한 분위기에 젖기 위하여 등불을 끈다고 한다. 이 사회에 있어서도 음탕을 즐기기 위하여 그칠 새 없이 술이며 담배며 모르핀을 사용함으로써, 이성을 흐리게 하고 있다. 〈죤·러스킨〉

현대에 가공할 광적 상태의 대부분은, 사람들이 함입(陷入)한 어쩔 수 없는 난취(亂醉)에 의하여 조성된 것이다, 취하지 않은 사람들이, 이 세상에서 할 일을 조용히 할 수 있는 날은 영영 오지 못할 것인가? 〈카펜타〉

현대의 사회생활을 보다 나은 상태로 향상시키기 위해서 가장 중요한 일은, 우리에게 악을 고취하는 일체의 것으로부터 해방되는데 있다. 그러나 우리는 더욱 술과 담배와 잡기에 도취되고 있는 것이다. 〈에머슨〉

술이나 담배를 먹거나 안먹거나 그것은 대수로운 문제가 아니라고 그대는 말한다. 그러나 그대가 술을 마시고 담배를 피우면서, 그것을 남에게 권함으로써 나타나는 해독을 알게 된다면. 대수로운 문제가 아니라고 말할 수 없을 뿐만 아니라, 중지시키도록 해야 함을 알 것이다.

2일 실천(實踐)

진리를 가까이 할수록, 우리는 참을성이 많아진다. 그 반대로 참을성이 많으면 많을수록, 우리는 진리에 가까와질 수 있다.

이성(理性)을 가진 우리에게 있어서, 선인들이 진리라고 한 것이 허위라고 밖에 생각되지 않는다 해서, 떠들어대는 것만큼 민망스러운 일은 없다. 선인들의 시대와는 다른 새로운 조화(調和)의 길을 찾아내면 그만이 아니겠는가? 〈말티노〉

신(神)은 양심과 이지(理知)의 힘을 빌어 인간의 마음 속에 신앙심을 이끌어 넣는다. 폭력이나 위협의 힘으로써 신앙심을 고취할 수는 없다. 폭력과 위협에 의해서는 오직 공포심을 발생시킬 따름이다.

신앙심 없는 자, 또는 정신착란을 일으킨 자를 비난하고 질책함은 좋은 방법이 못된다. 그러한 사람들은 일부러 비난이나 질책을 하지 않더라도, 자기의 착란으로 인하여 큰 불행을 맛보게 되고 마는 것이다.

그러므로 그들에게 도움이 될 때에만, 비난하거나 질책해야 한다. 그렇지 않다면 그 비난이나 질책은 그 사람을 더욱 괴롭히고, 도리어 해를 끼치게 할 따름일 것이다. 〈파스칼〉

사랑을 강요하면 도리어 미움을 사게 되고, 신앙을 강요하면 도리어 불신앙(不信仰)을 조장하게 된다. 〈쇼펜하우어〉

참다운 신앙에는 그 어떤 외부적인 지지물(支持物)이나 권력 같은 것이 필요치 않다. 그것을 선전하기 위한 노력도 필요치 않다.

신은 무한한 시간을 소유한다. 신에게 있어서는 천년도 일년과 같다.

권력이나 폭압에 의하여 자기의 신앙을 지지게 하려는 자, 또한 선전하려는 자는, 신앙이 두텁지 못하거나 또는 전혀 신앙을 갖지 못한 자이다.

3일 영감(靈感)

신은 인간의 두뇌로서는 이해하기 어려운 것이다. 우리는 오직 신의 존재를 알고 있을 따름이다.

신을 믿으라. 신을 섬기라. 그러나 신의 본질을 캐어묻지는 말라. 그것을 물음은 노력의 소모가 될 뿐이다.

신이 존재하는지 안하는지 그것조차도 알려고 애쓰지 말라. 오직 신은 존재하는 것으로서, 어디에나 존재하는 것으로서, 섬기라. 〈필 론〉

우리는 신의 존재를, 이지(理知)에 의해서가 아니라, 모든 것을 신에게 의지하고 있다는 의식에 의하여 알고 있다.

우리는 신 속에 있는 자기 자신을 느끼고 있다. 이 감은 젖먹이 어린아이가 그 어머니의 품안에서 느끼는 것과도 같은 것이다. 〈톨스토이〉

이전에 나는 인생의 여러 가지 현상을, 그것이 어디서 생겨나는지, 또 어째서 그것이 우리의 눈에 비치는 것인지를, 깊이 생각해보는 일 없이 보아넘겨 왔었다.

그후 나의 눈에 비치는 모든 것은 이지의 빛 속에서 생겨나는 것임을 이해하였다. 그래서 나는 모든 것을 하나로 귀일(歸一)시키기를 기뻐하고 오직 이지만이 모든 것의 근원이라 하여 매우 만족했었다.

그러나 그 후 나는 다시 이지는 어떤 거울을 통하여 우리에게 비쳐오는 빛이라는 것을 깨달았다. 나는 빛을 보고 있다. 그러나 그 빛을 보내어주는 것이 누구인지는 알 수 없다.

이 나를 비치는 빛의 근원이며, 나로서는 무엇인지 알 수 없는 것, 그러나 존재해 있는 것임은 틀림 없는 것—이것이 바로 신인 것이다. 〈세네카〉

신을 확실히 이해하지 못한다 해서, 당황해 할 필요는 없다. 신을 간단 명료한 것으로 생각할수록, 우리는 더욱더 진리에서 멀어지게 되는 것이다.

4일 불식(不息)

높은 덕성(德性)은 갑자기 달성할 수 있는 것이 아니다. 끊임없는 노력 없이는 불가능하다.

너는 나에게 자유로운 이지(理知)를 주었다. 만약 네가 그 이지를 경험하는 모든 것에 맞추어 나간다면, 너에게 부과된 길을 걸어나감에 있어서 무엇 하나 방해됨이 없을 것이다. 너는 타인이나 운명에 대해서 슬퍼할 필요가 없게 될 것이다.

이 나의 선물에 대하여 불만을 갖지 말라. 일평생 이지를 꿰두어 평화롭고 안락하게 보내는데 무슨 불만이 있는가? 그것이 충분한 행복이 아니겠는가. 〈에픽테타스〉

성현의 높은 덕은, 먼 나라를 여행하거나 높은 산을 오름을 연상시킨다. 먼 나라도 최초의 한걸음에서 시작된다. 높은 산도 산기슭의 한걸음부터 시작된다. 〈공 자〉

자기에게 부과된 일을 끝마쳤을 때, 즉 자기가 할 일에 온 정신을 경주(傾注)하고, 할 수 있는데까지 다하였을 때에만, 우리는 행복감을 맛볼 수 있다.

그렇지 않을 경우에는, 일을 마친 뒤에도 기쁨을 맛볼 수 없을 것이며, 어깨의 짐을 풀어 놓았다는 안도감도 맛보지 못할 것이다. 〈에머슨〉

진실된 덕성(德性)이란, 자기 뒤의 환영(幻影)이나 영예 속에서 얻어지는 것이 아니다. 〈괴 테〉

선(善)을 목표로 나아갈 때, 성공을 얻고자 바라지 말라. 그대는 노력의 열매를 보지 못할 것이다. 왜냐하면, 그대가 나아가면 나아갈수록 그대가 목표하는 이상도, 그대의 앞을 더욱 멀리 나가고 있을 것이기 때문이다.

노력은 수단이 아니라 그 자체가 목적이다. 노력 그 속에 보답이 있는 것이다.

5일 신행(信行)

생활과 신앙이 일치될 수 없다면, 그 신앙은 진실한 신앙이 아니다.

오랫동안 비었다가 반갑게 집에 돌아오면, 집안사람, 친구들, 동네사람들 할 것 없이 따뜻하게 맞아주듯이, 여기서 행한 선행은 반드시 다른 곳에서 환영을 받으며, 마치 친구를 대하듯한 후대를 받게 될 것이다. 〈석 가〉

탄생한 모든 것이 피할 수 없는 것이 「죽음」 그것이다. 죽어야 하는 것에 있어서 탄생은 피할 수 없는 것이기 때문이다. 피하지 못할 일을 슬퍼해서 무엇하겠는가? 우리는 탄생 이전의 존재상태를 알 수는 없다.

현재의 상태는 명백하다. 사후의 존재상태는 알 수가 없다. 그렇다면 무엇을 꾸물거리고 고민할 필요가 있는가?

그대가 필요할 때에 들어갈 수 있도록, 하늘의 문은 열려져 있다. 방황과 번뇌로부터 자유로이 되어, 영혼을 신에게로 돌리라. 그대의 행위는 자신의 힘에 의하여 인도되게 할 것이며, 사건에 의하여 끌려가지 않도록 하라.

행위의 보수를 바라는 사람들과는 함께 되지 말라. 주의 깊게 그대의 임무를 수행하라. 그러나 그 결과는 생각지 말라. 좋은 결과이건 나쁜 결과이건 마찬가지라 생각하라.

〈인도 성전〉

행제들이여, 사람이 신앙을 지니고 있다 할지라도, 착한 행위가 없다면 무슨 소용이 있으겠는가? 그와 같은 신앙이 어찌 그를 구원할 수 있겠는가?

동포들이 헐벗고 그날 그날의 양식에 고민하고 있을 때, 다만 「안심하라, 따뜻하게 입을 것이다. 배부르게 먹을 것이다」라는 말만있고 육체에 대한 베풀음이 없다면, 그것이 과연 무슨 소용이 있겠는가? 〈성 서〉

신의 가르침임을 알면서도 행하지 않는 자는, 신도 신앙도 안 가진 자이다.

6일 현대(現代)

우리에게 착오는 흔히 있을 수 있는 일이다. 그러나 시대와 사회에 따라서는 착오가 특히 일반화할 때가 있다. 현대 그리고 우리의 기독교 사회에 있어서, 착오는 실로 널리 퍼져있음을 부인할 수가 없다.

사람들은 만족을 찾아서 이리 저리 방황하고 있다. 그것은 오직 자기 생활의 공허를 느끼기 때문이다. 그러나 그들은 자기를 함부로 끌고 다니는 새로운 정욕(情慾)의 공허는 깨닫지 못하고 있다.
〈파스칼〉

그 누구보다도 학식이 있는 사람들이 범하는 죄악만큼 무서운 것은 없다.

교양이 없어서 음란한 사람은, 학문이 있어서 방종하는 사람보다는 그래도 낫다. 전자는 맹목적이기 때문에 길을 잘못 들어서는 것이지만, 후자는 밝은 눈을 갖고서도 우물에 빠지는 것이나 다름이 없기 때문이다.

현대에 있어서, 기독교의 교육을 받고, 문명의 해택도 입었으며, 일찌기 없었던 교통기관에 의하여 서로 밀접하게 결합된 사람들 사이에 있어서 범하여지는 죄악은, 가장 증오할 후자에 속하는 것이다.
〈톨스토이〉

내가 보지 않을 때에는, 남도 나를 보지 않을 것이라는 착각이 우리에게 있다. 이 착각은 물리치기 어려울만큼 강한 것이다. 그것은 마치 어린아이들이 남에게 보이지 않으려 할 때, 제 눈을 제 손으로 가리우는 것과도 같다.
〈리프텐벨〉

타조가 머리를 숨기고 엉덩이를 들어내는 것처럼, 우리가 하는 것은 우습기 짝이 없다. 우리는 미래의 회의적인 생활을 보증하려고 믿을 수 있는 현재의 생활을 도리어 파괴하고 있는 것이다.
〈죤·러스킨〉

많은 사람이 착오라고 생각지 않는다 하여, 착오가 착오 아니라는 이유는 안된다.

7일 재생(再生)

만약 인생이 행복한 것이라면, 인생의 불가피한 조건인 죽음도 또한 행복할 것이다.

이 노령(老齡)에 말하기 전에, 나는 잘 살기 위하여 노력하였다. 노령에 말한 지금에 와서는, 나는 잘 죽기 위하여 노력하고 있다. 잘 죽기 위해서는, 죽음을 두려워하지 않음이 필요하다. 〈세네카〉

만약 죽음이 무서운 것으로 생각된다면, 그 원인은 죽음 속에 있는 것이 아니라 우리에게 있는 것이다. 인간은 옳은 생활을 하면 할수록, 죽음에 대한 공포가 적어진다. 완성된 인간에게는 죽음은 존재하지 않는다. 〈톨스토이〉

인생을 진실로 이해하지 못하는 사람들은, 죽음을 겁내지 않을 수 없다. 〈시세로〉

육체의 사멸과 동시에, 육체가 유지하고 있던 것도 멸망한다. 시간 관념을 가진 삶의 의식을 멸망시킨다.

그러나 이것은 내일과 같이 우리에게 일어나는 현상이 아닐까. 즉 우리의 수면(睡眠) 현상이나 다름없는 것이 아닐까.

문제는 다음과 같은 점에 있다. 즉 육체의 사멸은, 그 이외의 모든 의식을 결합시키고 있는 것, 다시 말하면 이 세계에 대한 나의 특별한 관계를 멸망시키고 마는 것인지 어떤지 하는 것이다. 그리고 육체의 사멸이 다른 것까지를 멸망시키는 것이라고 믿는다면, 먼저 다음과 같은 점을 증명하지 않으면 안된다.

즉 나의 세계에 대한 다른 모든 의식을 결합시키는 특별한 관계가, 나의 육체적 실체속에 발생하는 것이라는 점을 해명해야 한다. 만약 그렇다면 그것은 죽음에 의하여 멸망하는 것이다. 그러나 결코 그런 것은 아니다. 〈칸 트〉

죽음에 의하여 우리는 가장 본원적(本源的)이며 영원한 생활로 돌아가게 된다.

8일 유아(幼兒)

모든 위대한 일이 어린아이들에게는 가능하다.

그리스도는 말했다.

「진실로 그대에게 이르노니 만약 그대가 도리켜 어린이 같이 되지 아니하면 천국에 들어갈 수 없으리라.

누구나 이 어린이같이 자기 자신을 낮추는 자는 천국에 있어서 위대한 자니라.

그러나 나를 믿고 있는 이 어린 인간일지라도 실족케 하는 자는, 연자맷돌을 목에 달리우고 깊은 바다에 빠지는 것이 나으리라」라고.

〈성　서〉

어린이는 가끔 그 약한 손가락 사이에, 어른의 손으로는 잡지 못할 진리를 잡고 있다.

그리하여 장성한 후의 참다운 자랑에 대한 암시를 갖고 있다.

〈존・러스킨〉

어린이는 자기의 영혼을 알고 있다. 그 영혼은 어린애에게는 존귀한 것이다. 어린이는 눈썹이 눈을 보호하듯이, 그 영혼을 지키고 있다. 그리하여 사랑이라는 열쇠가 없으면, 아무도 그 영혼 속으로 들어갈 것을 허락하지 않는다. 〈에머슨〉

천진난만한 동심과 완전한 것에 도달할 수 있는 가능성을 가진 어린아이를 끊임없이 탄생한다는 것――이러한 현상이 없다면 이 세계는 얼마나 살벌한 곳이 되었을 것인가!

〈존・러스킨〉

어린아이는 진리를 알고 있으나 그것을 말할줄은 모른다. 우리가 외국말을 알고는 있으나 말할줄은 모르는 것과 같다.

어린아이는 선이란 무엇인가 설명할줄은 모른다. 그러나 온갖 악을 능히 회피한다.

모든 사람을 존경하라. 그리고 백갑절 더 어린아이를 존중히 대접하라.

9일 학술(學術)

현대에 있어서 과학이라 불리우고 있는 지식은, 인간생활의 형식을 바꾸기는 했으나, 행복을 가져왔다고는 할 수 없다.

천문학·기계학·생리학·화학·기타 모든 과학은 각각 분리적으로 각자가 속하는 생활의 측면을 연구하는 것이다. 그러나 총체적으로 인생의 결론을 맺어내지는 못한다.

다만 그 원시시대에 있어서만, 즉 아직 명확한 것이 못되고 막연한 것이었던 시기에 있어서만, 그중 약간의 과학은, 각각 제 입장에서이기는 하나, 인생의 모든 현상을 파악하고 있었다.

그러나 자기 손으로 새로운 개념과 술어를 만들어 내기 시작하자. 과학은 그만 혼란에 빠지고 말았던 것이다.

천문학이 연금술이었던 시절은 그래도 무난했다. 그러나 오늘날 인생의 어떤 하나의 혹은 어느 한정된 측면(側面)만을 보고 있는 실험과학은, 총체로서의 인생을 아는데 있어서 괴상한 이론만을 내어놓게 될 것이다. 〈톨스토이〉

학문은 태양 속에 있는 흑점의 원인을 조사하는 것보다 우리들 자신의 법칙을 해명하고, 그 법칙을 지키지 않았을 때의 결과를 해명함으로써, 그 사명을 다하는 것이다.

〈죤·러스킨〉

내가 하지 않으면 안될 일에 대한 규칙을 내가 행한 일에서 끄집어 내며, 혹은 행한 일에 대하여 한정한다는 것은 매우 부당한 일이라 할 것이다. 〈칸 트〉

지식은 위대한 자를 무력하게 하고, 범용한 자를 놀라게 하고, 어리석은 자에게 부질없는 자랑을 준다. 〈세네카〉

아무리 완전한 지식이라 할지라도 인생의 중요한 목적, 즉 도덕적인 완성에 도달하는 도움은 되지 못한다.

10일 순응(順應)

자기의 동물적인 본질을 확보하는 것이 아니라, 그것을 희생함을 요구할 때 양심의 지시는 바른 것이다.

신이 준 것이며, 자기를 눈뜨게 하는 정신은 끝없고 재부적일 수 없는 것임을 알고 있는 기독교도는, 인생의 목적을 외부적인 것 속에서 세우지 않는다.

인생의 총체적인 의의를 구하기 위해서는, 양심의 소리가 가르치는 곳으로 가지 않으면 안된다. 자기가 진리의 길에서 벗어났을 경우, 혹은 벗어나려고 할 경우에, 항상 조심하는 사람에게만 양심의 소리는 명백히 들리는 것이다.

〈표돌·스트라호프〉

인간의 외부적인 상태라는 것은 인생의 사색적인 혹은 감정적인 미로에서 헤매고 있는 것인지도 모른다. 그러나 영혼은 항상 진리를 정확히 알고 있는 법이다. 〈루시·말로리〉

정욕이 양심보다 강할 경우가 있다. 정욕의 소리가 더 높은 경우도 있다. 그러나 정욕의 부르짖음은 양심이 이야기할 때의 명령적인 어조와는 전혀 다르다.

정욕은 양심의 소리가 지니고 있는 바 말할 수 없는 장엄을 가지고 있지 않다.

정욕이 기고만장해 있을 때라도, 고요하고 깊고 그리고 위협하는 듯한 양심의 소리에 마주치면, 우리는 갑자기 위축해 버리는 것이다. 〈챤 닝〉

양심의 소리는 우리 마음 속에서 일어나는 모든 다른 소리와 다음과 같은 점에서 구별된다.

양심의 소리는 항상 이해를 초월한 미묘하고 아름답고 오직 우리의 노력에 의해서만 얻을 수 있는 것만을 요구한다는 점에 있다.

이 점에 있어서 양심의 소리는 명예욕과 구별된다. 명예욕은 흔히 양심의 소리와 혼합되어 존재하는 것이다.

11일 구원(救援)

참된 신앙은 믿는 자에게 행복을 약속해 주는것 보다, 모든 불행이나 죽음에서 구원을 받을 수 있는 유일한 길을 예언해 준다는 점에서 우리로 하여금 매력을 느끼게 하는 것이다.

속세(俗世)의 행복을 지향없이 찾아 다님에 싫증이 난 사람이, 그 지친 손을 그리스도를 향하여 뻗칠 때 그는 얼마나 큰 기쁨을 느끼게 될 것인가! 〈파스칼〉

오직 이익이라는 것만을 염두에 두고 있는 사람에게는, 이해관계라 하는 도덕 이외의 도덕이란 있을 수 없으며, 물질상의 행복이라 하는 종교 이외의 다른 종교도 있을 수 없다. 그들은 자기 육체가 병신이 되거나, 또는 심한 병에 걸리면 어리석은 노력을 계속하면서 이렇게 말한다.

「아아 이 육체를 고쳐다오. 이 육체가 힘세고 기름지고 살찌게될 때, 정신과 양심도 육체 안으로 돌아올 것이다.」

그러나 정신을 치료함으로써만 육체도 치료할 수 있는 것이라고 믿는다. 정신 속에 병의 뿌리가 박혀있는 것이다. 육체의 병은 정신의 병이 표면적으로 나타났음에 지나지 않는다.

현대의 인류는 땅과 하늘을 서로 맺어놓고, 도처에서 신과 함께 있는 공통된 신앙과 공통되는 관념을 잃고 있다. 그 때문에 멸망하고 있는 것이다.

정신적인 참된 종교는 없어지고, 오직 공허한 형식과 생명없는 의례만이 남아있어 의무의 관념, 자기를 희생하는 능력은 없어지고 말았다.

그 때문에 인간은 미개인으로 퇴화하고, 먼지나 쓰레기 같이 무의미한 존재로 되었으며, 이욕의 우상이 공허한 제단을 위해 춤추고 있는 것이다. 〈톨스토이〉

구원은 제사의식이나 신앙을 사람들에게 설교하는데 있는 것은 아니다. 구원은 항상 자기 인생의 의미를 명확하게 이해하는데 있다.

12일 우상 (偶像)

신과 금전, 이 두 가지를 함께 섬길 수는 없다. 속세의 행복을 위하여 마음을 괴롭힘과, 도덕적인 가르침을 행함과는 양립되지 않는다.

어떤 사람이 그리스도에게 와서 말했다. 「랍비여, 영원한 생명을 얻기 위해서는, 어떤 착한 일을 하여야 하겠읍니까?」

그리스도는 대답했다. 「완전하게 되자면, 돌아가서 가지고 있는 물건을 다 팔고 가난한 사람들에게 나누어 주라. 그때 그대는 천국에 가서 보배를 얻을 것이다. 그런 다음 다시 와 나를 따르라」

〈성 서〉

그리스도는 제자들에게 말했다. 「진실로 너희에게 말하노니, 부자는 천국에 들어가기가 힘들다. 부자가 신의 나라에 들어가기 보다는, 낙타가 바늘 구멍을 뚫고 나가는 편이 더 용이하다」.

〈성 서〉

부가 행복을 베풀어 준다는 옛부터의 미신은 이제야 파괴되기 시작했다고 믿는다.

〈톨스토이〉

「파우엘」은 황금욕을 우상숭배라고 불렀다. 우상숭배라고 부를 것인가? 그것은 황금을 가진 많은 사람들은 그것을 이용할줄 모르며 신께 바친 그 무엇인양 매우 신성한 것으로 생각하여 손 대기도 꺼린다. 그리하여 그대로 자손에게 전하는 것이다.

만약 무슨 필요로 그 황금을 써야 하게 될 것 같으면 마치 용서 못할 짓이라도 하는 것같이 생각한다.

〈에머슨〉

사람들은 부를 좇고 있다. 그러나 사람들이 그 돈 때문에 잃어버린 모든 것을 똑똑히 볼 수 있다면, 그때 부터는 황금을 얻기 위하여 허비한 그러한 노력을 황금에서 해방되기 위하여 쓰게 될 것이다.

13일 환경(環境)

성자(聖者)는 자기의 환경을 바꾸려고는 추호도 생각하지 않는다. 왜냐하면 지금 있는 환경에 늘 만족을 느끼기 때문이다.

우리의 영혼이 눈뜨기 전에는, 우리의 눈은 닫히고 있어서, 우리는 우리 앞에 서 있는 것을 보지 못한다.

우리가 그것을 보게 되었을 때, 그것을 보지 못하던 시대의 일은 마치 꿈같이 생각된다. 〈에머슨〉

사람은 결코 다음 두 가지 일에 화를 내서는 안된다. 즉 자기 힘으로 할 수 있는 것과 자기 힘으로서는 어찌 할 수 없는 일에 대하여 말이다. 〈톨스토이〉

문밖으로 나가는 일도 없이, 들창에서 바깥을 내다 보는 일도 없이, 성자는 장차 일어날 일을 알고 있다. 성자는 하늘의 일을 알고 있기 때문이다.

발을 놀려 드나듬이 많으면 많을수록 아는 것은 적을 것이다. 성자는 또 여행을 하지 않아도 견문을 갖고 있다. 일하지 않아도 위대한 일을 완수한다. 〈노 자〉

만약 사람이 자기의 처지에 대하여 만족하지 못한다면, 두 가지 방법에 의하여 그것을 변경할 수 있다. 그 하나는 생활 상태를 좋게 하는 것이요. 다른 하나는 자기 영혼의 상태를 좋게 하는 것이다.

전자는 언제나 가능한 것이 아니다. 그렇지만 후자는 가능하다. 〈에머슨〉

어떻게 하여 자기 자신의 가치를 알 것인가? 생각만 해서는 소용이 없다. 그것은 행위에 의해서만 알 수 있다.

자기 의무를 완수하도록 노력하라. 그대는 곧 자기의 가치를 알 것이다. 〈아미엘〉

다른 사람이나 자신의 처지에 대하여 불만을 느낄 때는, 진리에서 멀리 떨어진 곳에 있는 것이다.

14일 염오(厭惡)

폭력이라는 것은 언제나 표면적인 위대함에 마음이 끌리는 것이다. 이런 점에 있어서 폭력은 더욱 유해하다. 그리고 그 때문에 폭력은 염오할 것을 존경해야 할 것이라고 강요하는 것이다.

폭력으로 우리를 강요하는 것은, 우리의 권리를 빼앗는 것이다. 그때문에 우리는 폭력을 꺼리고, 우리를 잘 타이르며 일깨워줄줄 아는 사람을 은인으로 사랑한다.

폭력을 택하는 자는 조잡하고 무지한 사람들 뿐이다. 지혜로운 사람은 결코 폭력의 편을 들지 않는다.

폭력을 사용함에는 많은 짝패가 필요하다. 타일러 가르침에는 그런 짝패가 필요하지 않다.

지혜롭고 충분한 힘을 가진 사람은 폭력을 쓰지 않는다.

〈소크라테스〉

인간은 강요되기 위하여 만들어진 것이 아니다.

마찬가지로 굴종하기 위하여 만들어진 것도 아니다. 사람들은 이 두 가지 때문에 서로 해를 입고 있으며 불손이 있다. 그리하여 어디에도 인간의 존엄은 없는 것이다.

〈콘스이데란〉

권력을 가진 사람은 타인을 움직이고 인도하자면, 오직 폭력에 의해서만 가능하다고 믿는다. 그러므로 그들은 현존의 질서를 유지하기 위해서 항상 폭력을 필요로 한다.

현존의 질서는 폭력에 의해서가 아니라, 일반의 의견에 의하여 유지되어야 한다. 일반의 의견과 행동은 폭력에 의하여 파괴된다.

그리하여 폭력의 발동은 자기가 유지하고 싶어하는 것을 도리어 약하게 하고, 파괴할 뿐이다. 〈톨스토이〉

모든 폭력은 이성과 사랑에게 배반당한다. 절대로 폭력에 가담하지 말라.

15일 가장(假裝)

진리를 인식함에 있어서 중대한 방해가 되는 것은, 허위 그것이 아니다. 진리를 가장하는 태도 그것이 중대한 방해가 되는 것이다.

현실 세계에 있어서, 환영은 다만 어떤 순간만 현실의 모습을 파괴하는데 지나지 않는다.

그러나 추상적인 영역에 있어서의 착오는 몇 천년을 지배해 온 모든 사람들에게 굴레를 씌워 인류의 좋은 발전을 방해하며, 기만에 넘어간 노예들의 힘을 빌려, 기만에 넘어가지 않는 사람들을 사슬로 묶는 것이다.

모든 착오는 그 해독을 자기 속에 깊이 지니고 있는 것이다. 그러나 인간을 지상의 왕자로 만든 것은 진리와 지식이다. 해독없는 착오, 그 이상 신성한 착오는 있을 수 없다. 설령 그 어떤 종류의 착오라 할지라도 착오에 대한 신뢰를 우리가 보인다면, 즉시 신은 우리를 버리고 만다. 〈말티노〉

불신앙은 사람이 신앙을 갖고 있는가 아닌가에 달린 것이 아니다. 자기가 믿지 않고 있는 것을, 다른 사람에게 설교하는 그것이 불신앙이다. 〈말티노〉

가장 무서운 불신앙은, 자기 자신을 믿지 않는 것이다. 〈카알라일〉

참다운 신앙은, 항상 회의에 수반되어 발생한다. 만약 내게 회의가 없다면, 신앙이 있을 수 없는 것이다. 〈토 로〉

허위에서 해방된다는 것은, 진리를 설교(說敎)하는 것과도 같다. 진리라고 얻은 것이 허위였음을 아는 것은, 역시 진리다.

착오는 항상 유해하다. 착오는 언젠가 그것을 진리라고 믿는 사람에게 해를 끼치고야 말 것이다. 〈포마·캠피스키〉

지식의 영역에 있어서 인류가 진전하는 것은, 진리를 가로막고 있는 장막을 벗겨버리데 있다.

16일 회의(懷疑)

회의는 신앙을 파괴하는 것이 아니라, 도리어 강하게 하는 것이다.

우리는 신과 우리 사이에 서로 통하지 않는 선을 그어 놓을 수는 없다. 의지를 결결시키는 것은 우리들 자신이 할 일이다. 그것은 의심할 수 없는 일이다.

그러나 가장 높고 가장 자유스러운 사상과 감정의 영역에 있어서, 신의 존재를 인식하지 않을 수는 없다. 우리들 속에 있는 가장 깊은 것은, 신의 반영에 지나지 않는다.

〈톨스토이〉

신은 끊임없이 우리를 각성시킨다. 그리고 끊임없이 우리를 통하여 작용한다.

우리는 그저 신에 의해서 좋은 것을 바라고 행하도록 마음을 합치면 그만이다.

사람들이 신을 모른다 함은 좋은 일일 수 없다. 그러나 그보다 더욱 좋지 못한 일은, 신이 존재하지 않는다는 그것을 신앙으로 삼는 그 일이다. 〈라크탄츠이〉

성자는, 가장 형편이 좋을 때라도 회의를 가질 수가 있다. 회의에 대하여 아무런 방해도 없다는 것이 신앙의 기초를 형성한다.

〈토 로〉

신은 우리의 도덕적인 노력과 함께 있으며, 우리를 확신과 진실 속에서 지지하며, 우리의 악과의 곤란한 투쟁을 도와 주고 우리들에게 말로는 나타낼 수 없을 만큼 많은 아름다운 것을 보여준다.

말만으로써 신의 존재를 믿는다 함은 그 존재를 믿지 않는 것이다. 그리고 남에게서 들은 말을 조금도 의심하지 않는 사람은 신에게서 멀리 떨어져 있는 사람이다.

17일 사유(私有)

토지를 재산으로서 소유한다는 것은 부당한 일이다.

얼마 안되는 토지에 울타리를 둘러치고, 이 토지는 내것이라고 선고하며, 또 그 선고를 고지식하게 믿는 단순한 사람들을 상대로 하는 사람──이 같은 사람이 사유권으로써 가득찬 이 사회를 건설한 최초의 사람이다.

담장의 말뚝을 뽑아서 담장 대신이던 운하(運河)를 메꾸고, 「주의 하라. 기만자를 믿지 말라. 만약 그대들이 토지는 어떠한 사람의 사유로도 안된다는 것, 토지의 수확은 모든 사람들에게 속한다는 것을 잊어버린다면, 멸망해 버릴 것이다.」

이렇게 부르짖는 사람이 있었다면, 인류는 얼마나 많은 죄악, 전쟁, 살인, 불행, 공포를 피할 수 있었을 것인가?

〈룻 소〉

토지없는 사람들──토지를 이용하지 않으면 안 될 사람들, (토지를 이용할 힘과 가능성을 가지고 있으면서도), 토지에 대한 권리를 빼앗긴 사람들은 자연과학적인 입장에서 이것을 보지 않으면 안된다.

공기 없는 새나 물 없는 고기가 자연과학적으로 부자연하듯이, 부자연한 것이다.

〈헨리 · 죠지〉

토지를 사유하는 사람들이, 다른 재산을 사유하는 사람을 말이나 재판으로 비방하고 있다.

권력자 또는 지주는, 그 특권을 돈을 내고 사거나 상속에서 얻거나 한다.

그러나 그 때문에 도덕적인 가치는 생기지 않는다.

〈톨스토이〉

토지를 사유한다는 부정의도, 모든 다른 부정의와 같이, 그 부정의를 유지하기 위하여 필요한 모든 악과 모든 부정과 불가피적으로 연결되어 있는 법이다.

18일 유심(唯心)

생활의 본질은 육체 속에 있는 것이 아니라, 정신 속에 있다.

만약 나에게 뼈나 근육이 없다면, 내가 옳다고 생각하는 것조차 할 수 없을 것이라는 말이 참으로 진리이다.

그러나 내가 옳은 일을 행하는 원인은 뼈나 근육에 있는 것이지 선(善)에 대한 사랑에 있는 것이 아니라고 믿는다면, 어리석기 짝이 없는 일이다.

그런 말을 함은, 사물의 원인과 원인에 결부되어 있는 것과의 구별을 지을 수 없음을 의미한다.

많은 사람들은 어둠 속을 손으로 더듬어 걷고 있는데, 원인에 따르는 원인 아닌 것을 원인이라 부르고 있는 것이다.

〈소크라테스〉

신에게 속하는 그 무엇이, 우리들 속에 살고 있다. 그리하여 그칠 새 없이, 그 본원으로 돌아가고자 하고 있는 것이다.

〈세네카〉

나는 정신 또는 인간 내부에 있는 힘이라는 이름으로써, 그 자체가 심리적인 생활을 가지며, 사람들을 양심적인 생활에 눈뜨게 하는 그것을 의미한다. 〈오레리아스〉

육체는 파멸한다는 것을 이해함으로써, 그대는 영원 불변의 것을 볼 수 있게 될 것이다. 〈석 가〉

정신이 없는 육체는, 운전할 수 없는 자동차와 같으며, 렌즈없는 사진기와도 같은 것이다. 〈오레리아스〉

신은 모든 것을 본다. 그러나 우리는 신을 보지 못한다. 그와같이, 정신은 눈에 보이지 않는다. 그러나 그것은 모든 것을 보고 있다.

정신이 육체를 지배한다. 그 반대는 아니다. 그러므로 자기 처지를 변경하기 위해서는, 정신적인 영역에 있는 자기 자신을 잘 처리해야 한다. 결코, 육체적인 영역에 있는 자기 자신을 처리해서는 아니된다.

19일 미신(迷信)

허위의 신앙이 자아낸 해독, 그리고 현재 자아내고 있는 해독은, 이루 헤아릴 수 없을 만큼 큰 것이다.

신앙이란 신과 인간의 관계를 수립하는 것이며, 그 관계로 말미암아 자기 자신의 의의가 결정되는 것이다.

만약 이 관계와 다른 관계로 인하여 결정된 의의가 허위라면, 인간의 생활은 어떻게 될 것인가?

종교상의 불신앙과 신을 경멸하는 것은 큰 악이지만 미신은 더욱 큰 악이다, 〈프루탈프〉

진리를 입으로 말하기는 쉽다. 그러나 진리를 얻기 위하여서는, 얼마나 많은 내면적 노력이 필요한 것인가?

정의의 단계는, 그 사람의 도덕적 완성의 단계를 가리키는 것이다.

정의란——도처에 떨어져 있는 유일한 보배이다.

〈공 자〉

올바르다. 이 속에 웅변(雄辯)과 선의 비밀이있다. 덕성에의 좋은 영향이 있다. 예술과 생활의 높은 법칙이 있다.

〈아미엘〉

교회라는 것이 신의 이름에 의하여, 어떤 특별한 관계를 만들고 말았다. 교회와 철학 사이를 막아버리는 장벽이 되고 말았다. 마치 교회와 철학이 서로 교섭하는 바 없이, 각각 자기의 길을 걸어갈 수 있도록 하려는 듯.

이제 철학자는 무엇을 할 것인가? 그 장벽을 부숴버려야 할 것이다. 그리고 교회에 속한 사람들은 무엇을 하고 있는가? 우리를 훌륭한 기독교도로 만들어준다는 구실 밑에서, 우리를 가장 어리석은 철학자로 만들고 있는 것이다. 〈렛 싱〉

허위의 신앙을 버린다는 그것만으로는 충분하지 않다. 세상에 대한 허위의 관계를 청산하는 것 만으로도 충분하지는 않다. 참된 신앙을 수립하지 않으면 안되는 것이다.

20일 협문(俠門)

모든 훌륭한 것은, 오직 노력에 의해서만, 얻을 수 있다.

좁은 문으로 들어가라. 파멸에 이르는 문은 크고 넓으며, 그 문으로 들어가는 자는 많다.

그러나 참다운 생명이 이르는 문은 좁고, 험하므로 이 길을 찾는 자는 적다.

〈성 서〉

사물을 연구하지 않는 사람들, 연구하더라도 성공하지 못하는 사람들이 있다해서 절망해서는 아니된다.

모르는 일, 의심스러운 일을, 잘 아는 사람들에게 물어보지 않는 사람, 물어보아도 이해하지 못하는 사람들이 있더라도, 절망하지 않도록 하라.

사색하지 않는 사람, 사색하더라도 선의 근원에 대하여 명확한 이해를 갖지 못하는 사람들이 있다해서 절망해서는 아니된다.

선과 악을 구별하지 못하는 사람들, 구별해도 확실한 관념을 갖지 못하는 사람들이 있다해서, 절망해서는 아니된다.

선을 행하지 않는 사람들, 선을 행해도 그가 전력을 다할 수 없는 사람들이 있다해서 절망해서는 아니된다.

남이 한번 해서 되는 일을, 그 사람들에게는 천번하게 하라.

참으로 「끈기 있게」란 말을 지키는 사람은, 그가 교양이 없는 사람이라도, 반드시 교양 있는 사람이 될 것이다. 힘이 약한 사람이라 할지라도, 반드시 굳센 사람이 될 것이다.

〈공 자〉

일에 열중하면, 근육이 아픈 줄을 모르게 된다. 그러나 일을 하지 않는 사람은, 조금만 아파지면 곧 「아야야」 소리를 지를 것이다.

덕성(德性)의 완성을 인생의 중요한 목적으로 알고 있는 사람들은 예사로 견디는 불운(不運)일지라도 정성 수양을 쌓지 못한 사람들이 경험하게 되면 곧 괴롭다고 비명을 올리는 것이다.

21일 선택(選擇)

인간의 자유 중에서 가장 작은 자유는, 두가지 혹은 약간의 비슷한 행위에 있어서의 선택——즉 왼쪽으로 갈까 오른쪽으로 갈까, 혹은 갈 것인가, 그대로 서 있을 것인가 하는데 있다.

조금더 곤란하고 가치가 높은 자유는, 감정에 따르느냐 감정을 누르느냐, 다시 말하면, 노염을 폭발시키느냐, 혹은 억제하느냐 하는데 있다.

가장 곤란하고 중요하고 필요한 자유는, 자기 사상에 방향을 결정해주는데 있는 것이다.

그대의 사상을 깨끗게 하기에 노력하라.

그대가 만약 악한 사상을 갖고 있지 않다면 악한 행위도 하지 않을 것이다. 〈공 자〉

악이라 생각되는 것은, 전혀 처음부터 생각하지 않도록 노력하라. 〈에피크테타스〉

모든 것은 신의 힘 속에 있다.

오직 신 또는 자기 자신에게 봉사하려는 희망만은 우리의 것이다. 우리는 머리 위로 날아 다니는 새들을 방해할 수는 없다.

그러나 머리 위에다 집을 짓지 못하게는 할 수 있다. 마찬가지로, 우리는 우리 머리 속에 번쩍이는 악한 사상을 없앨 수는 없다. 그러나 그 악한 사상이 머리 속에다 집을 짓거나, 악한 행위가 드나들거나 하는 것을 막을 수는 있는 것이다. 〈루 터〉

좋은 지식을 얻으며 평화로운 생활을 보내며, 그리하여 모든 일을 성공시키기 위해서는, 인간의 올바른 이지(理知)가 사상을 지배하게끔 되어야 한다. 〈톨스토이〉

감정은 인간의 의지와 관계없이 일어나는 것이다. 그러나 사상은 감정의 편을 들 수도 있고, 또 안들 수도 있다. 감정은 부채질할 수도 있고 일할 수도 있다.

22일 본연(本然)

불멸(不滅)에 대한 신앙은, 인간에게 있어서 본연적인 것이다.

모든 사람은 자기 자신을 어떤 순간에 다른 것에 강요되어 인생으로 끌려나온 것임에 지나지 않는다고 생각해서는 아니된다.

죽음은 생활의 종결이기는 하지만, 자기 존재의 종결은 아니라는 신념이 생겨야 하는 것이다. 〈쇼펜하우어〉

우리의 정신은, 육체를 영주할 집으로 삼고 있는 것은 아니다.

잠깐 머물고 있는 객주집인 것이다. 〈석 가〉

우리는 죽는다. 오래 오래 살아 있는 것이 아니다. 우리에게는 오직 얼마 안되는 순간이 주어졌을 따름이다.

그러나 우리의 영혼은, 그 때문에 공포를 느끼는 일이 없다. 우리의 영혼은 영원히 살아 있을 것이다.

〈포씨크리드〉

우리들이 아직 알지 못한 나라는 얼마나 많을 것인가? 한없는 공간, 한없는 침묵은, 우리에게 공포심을 갖게 한다.

내가 나 이전에 존재했으며, 또 이후에도 존재할 영원 속에 있어서의 짧은 인생임을 생각할 때, 내가 차지하고 있는 공간의 작음과 내가 보는 공간의 얼마 안됨에 대해서 생각할 때, 내가 모르며 나를 모르는 다른 무한한 공간 속에 내가 차지하는 작은 공간을 생각할 때, 나는 공포에 빠진다.

그리고 왜 내가 여기 있고, 다른 곳에 있지 않느냐 하는 공포도 느낀다. 미래나 과거의 일은 차치해 놓더라도, 현재 내가 여기 있고 다른 곳에 있지 않다는 점은, 역시 조금도 근거가 없는 일이다. 〈톨스토이〉

우리가 불멸임을 우리에게 고해 주는 소리는, 우리 속에 살아 있는 신의 소리이다.

23일 궤변(詭辯)

인간은 결코 참된 지식을 완전히 얻을 수는 없다. 인간은 다만 지식에 가까이 갈 수 있을 따름이다.

『소크라테스』는 모든 존재물에 관한 이야기를 할 때는, 궤변학자(詭辯學者)들이 자연이라고 부르던 모든것의 본원을 탐구하며, 천체가 생긴 기본원리에 거슬러 올라갈 때는 매우 엄격하였다.

즉 『소크라테스』는, 인간의 두뇌로서는 그 신비에 들어갈 수 없다는 것을 모르는 사이비학자들의 어리석음에 놀라고 있는 것이다.

그는 말했다. 「그들은 그 신비에 대하여 무엇이건 이야기할 수 있다」고 생각한다. 그러나 참다운 근본적인 관념으로부터는 멀리 떨어져 있는 것이다.

만약 그대가 그들의 말에 귀를 기울인다면, 도리어는 미치광이들 속에 끼어 있는 것이 아닐까 하고 생각하게 될 것이다.

그리고 불행하기 짝이 없는 그들은, 조금도 슬프지 않은 것을 두려워 하고 있다. 그러면서도 참으로 위험한 일에 대해서는 겁내지 않는 것이다.」 〈톨스토이〉

과학이 종교의 적이 될 경우가 있다고 생각하는 것은 무서운 일이다. 과학이 허영에 지나지 못할 때에는 종교의 적이 될 뿐만 아니라, 진리의 적이 될 것이다. 〈존·러스킨〉

우리들 인간보다 높은 곳에 있는 것, 그리고 낮은 곳에 있는 것, 과거에 속하는 것, 그리고 미래에 존재하는 것의 커텐을 올리고자 하는 자는 차라리 태어나지 않음이 좋다.

〈탈무드〉

필요 이상으로 많이 아는 것보다, 가능 이하로 적게 아는 편이 오히려 낫다. 무리를 두려워 하지 말라. 지나친 지식과 너무 무거운 짐이 되는 지식, 그리고 허영을 위한 지식을 두려워 하라.

24일 간소(簡素)

어떤 이유든 그것이 부득이한 일이며, 그리고 바른 일이라고 생각될 때에는, 육식도 용서될 것이다.

그러나 절대로 그렇지는 않다. 이 육식이란 악한 버릇은 현대에 있어서 무엇 하나 그것을 정당화할 만한 구실을 갖지 못하는 것이다.

만약 우리들이 맹목적으로 습관에 따르고 있는 것이 아니면, 다소라도 깊은 생각이 있는 사람이면, 누구나 다음과 같은 의견에는 찬성하지 않을 것이다.

즉 은혜 깊은 대지는 이와 같이 가지 각색 식물의 보고(寶庫)를 제공하고 있음에도 불구하고, 날마다 우리는 자기 자신을 길러가기 위하여 많은 동물을 죽이지 않으면 안된다는 그러한 의견에는 찬성하지 않을 것이란 말이다. 〈B.D.만데빌〉

그 어떤 생존 경쟁이, 또는 그 어떤 억제하기 어려운 어리석음이, 그대들의 두 손을 피로 더럽히게 하는 것이다.

어찌하여 그대들은 대지에서 생기는 것만으로는 그대들을 기르고 생활하게 하기에 충분하지 않다고 대지를 비방하는 것인가? 〈포루탈프〉

육식 이외의 식사는 할 수 없으며, 또 육식이 죄악이라는 말을 들은 적도 없으며, 성서가 육식을 용서하고 있는 것이라고 천진난만하게 믿고 있는 사람들과, 야채가 풍부하며 우유가 많이 생산되는 나라에 살면서, 인류의 여러 선각자들의 육식 반대의 가르침을 잘 알면서도, 육식하고 있는 현대의 교양 있는 사람들과의 사이에는, 커다란 차이가 있다. 어느 쪽이나 다같이 육식을 하고 있건만, 양자 사이에는 커다란 차이가 있는 것이다. 후자에 속하는 사람은 육식을 계속함으로써 큰 죄악을 범하고 있다.

그리고 이미 자기들이 죄악이라 깨닫고 있는 행위를 함으로써, 더욱 큰 죄악을 범하고 있는 것이다.

25일 살생(殺生)

모든 생물에 대한 동정심은, 우리에게 육체적인 고통과 비슷한 감정을 불러일으킨다.

그리고 육체적 고통에 곧 익숙해지는 것과 같이, 동정심에서 일어나는 고통에도 곧 익숙해지고 마는 것이다.

그대들 가까이에 식용식물이 얼마든지 있지 않은가. 모든 나뭇가지에는 새빨간 과일이 주렁주렁 무겁게 매달려있다. 신선한 포도송이도 늘어져 있고, 맛좋은 풀뿌리와 풀잎은 벌판을 덮고 있다. 딱딱한 것은 구우면 제맛이 난다.

깨끗한 우유(牛乳), 달디단 꿀, 향기로운 열매, 모든 것이 그대의 수중에 있다. 대지는 풍부한 모든 혜택을 그대에게 제공하고 있는 것이다.

참혹한 살생을 하지 않더라도, 피를 흘리지 않더라도, 대지는 훌륭한 식탁을 준비해 놓고 있는 것이다.

생고기로 굶주림을 면하는 것은, 오직 야수 뿐이다. 야수가 아닌 동물, 즉 말이나 소나 양은 평화로운 초식에 의하여 살아간다.

다만 무서운 잔인성을 가지고 태어난 것만이, 즉 사나운 호랑이, 흉포한 사자, 굶주린 늑대, 피를 보고 기뻐하는 곰 같은 야수만이, 육식(肉食)의 미치광이가 되어 있다.

무엇 때문에 우리는 이러한 죄악적인 습관을 갖는 것인가? 어찌하여 이러한 추악하고 탐욕스러운 행동을 하는 것인가?

우리들과 다름없는 생명을 가진 것의 피와 살로써, 굶주림을 면한다는 것은 용서할 수 없는 일이다. 우리는 야수가 아니다. 우리는 인간이다. 〈오위디〉

다른 동물이 괴로와하는 것을 보고 자기도 같은 고통을 느낀다면, 그 괴로와 하는 꼴을 보지 않기 위하여, 다름질쳐 그 자리를 피할 것이 아니라, 반대로 괴로와 하는 그 동물의 옆으로 달려가서, 그 괴로움을 덜어주며 구제해 줄 방법을 찾도록 하라.

26일 육욕(肉慾)

도덕상의 노력은 끊임없이 계속함이 필요하다. 그 까닭은 육욕이란 끊임없이 성장해 가는 것이기 때문이다.

인간이 정신에 대한 수양을 그치면, 곧 육체가 그를 정복하고 마는 법이다.

과오를 범한 사람들은, 진리를 얻기가 어렵다. 왜냐하면, 그 과오 때문에 모든 악한 영향이 굉장한 힘으로 그를 사로잡고 말기 때문이다.

그러나 우리가 쉬지 않고 확고하게 진리를 추구한다면, 진리는 힘센 것이라 최후의 승리는 반드시 진리로 돌아오는 법이다. 〈루시 · 말로리〉

인간이 악과 싸우기 위하여 하는 노력은, 그 모든 결과를 눈으로 볼 수 없다. 그 노력에 의하여 실현된 선의 일부만을 볼 수 있는 것이다.

그러나 그 싸움에 의하여 그 자신 속에 있던 악을 없이한 결과는, 전연 우리 눈에 뜨이지 않는 법이다. 〈톨스토이〉

우리들 속에 악이 깊은 뿌리를 박고 있으면 있을수록, 악과의 투쟁에서 경험하는 고뇌도 또한 큰 것이다. 우리들은 이 피할 수 없는 투쟁을 우리에게 부과한 것이 신의 책임이라고는 생각할 수 없다. 왜냐하면 우리들 자신 속에 죄가 없었더라면 투쟁도 있을 수 없기 때문이다.

즉 그 투쟁의 원인은 우리들 자신의 불신앙에 있는 것이다. 그런데 그 신앙 속에 우리들의 구원은 있는 것이다. 만약 신이 우리들에게 이 투쟁을 부과함이 없었다면, 우리들 불쌍한 인간은 언제까지나 그 죄악을 벗어나지 못할 것이다.

〈파스칼〉

그대에게 착한 일을 가르쳐 주는 것이라면, 그것이 어떠한 것이거나, 가볍게 생각하여서는 아니된다. 그것이 그대에게 악한 짓을 하지 않도록 가르쳐 주는 것이라면, 더욱 가볍게 생각하여서는 아니된다.

17일 욕설(辱舌)

남의 욕을 한다는 것은, 확실히 재미있는 일이다. 이 재미있는 일이 유해하다는 것을 이해하지 못하는 사람은, 남 욕하기를 좀체로 그만두지 못한다.

욕이 유해한 것임을 알고 있으면서도, 재미있다 해서 그치지 못함은 무서운 죄악이다.

나를 판단하려거든, 나와 함께 있는 것 만으로서는 부족하다. 내 자신 속에 있으라. 〈미케위치〉

어떤 사람의 말만을 듣고, 그 사람이 하는 일과 행위를 판단할 수는 없다. 그 반대로 그 사람의 하는 일이나 행위만으로서는, 무엇 때문에 그 사람이 그런 일을 하며, 그 사람의 머리에 어떤 생각이 들어 있는지, 가슴 속에 어떤 감정이 있는지를 판단할 수는 없는 것이다.

비록 내가, 어떤 사람이 아침부터 밤까지 쉬지 않고 몸을 움직이며, 책을 읽고 글을 쓰고, 또는 노동함을 본다 해도, 혹은 밤새도록 눈을 붙이지 않고 일터에 갇혀 있음을 본다 할 해도, 그 사람이 일하기를 즐긴다고는 말할 수 없는 것이다. 또 타인을 위하여 그가 일한다고 할 수도 없는 것이다.

그가 무엇 때문에 그런 일을 하는가를 내가 아직 알지 못하는 동안은, 그럴 수 밖에 없는 것이다. 어떤 사람이 밤새도록 창녀와 더불어 음탕한 짓을 하였다면, 아무도 그가 일하기를 즐기며, 타인을 위하여 일했다고는 말할 수 없을 것이다.

그리고 의롭지 못한 목적을 위하여, 예컨데 돈과 명예를 위하여 행하는 일만이 더러운 것은 아니다. 아름다운 것도 때로는 더러운 목적을 위하여 행하여진다. 〈에피크테타스〉

남에게 대해서 판단을 내릴 때, 비록 그 사람의 결점을 확실히 알고 있다 하더라도, 욕을 하지 않도록 조심하라.

자기 자신 그 사람의 결점을 확실히 알고 있는게 아니라, 다만 남의 말을 들었음에 불과할 때에는 더욱 그러하다.

28일 모방 (模倣)

사람의 행위의 대부분은, 이성에 의하여 행해지는 것도 아니며, 감정에 의하여 행해지는 것도 아니다. 오직 무의식적인 모방에 의하여, 그렇지 않으면, 맹목적으로 행해지는 것이다.

남의 장단에 춤추는 행위에도, 악과 선이 있을 수 있다. 이 사회에서는 남의 장단에 춤추는 행위의 대부분은 악이다. 양심의 요구에 의하여 의식적으로 춤추는 행위만이 악이 되지 않는다.

그런데 남의 장단에 춤추는 천가지 행위 중 의식적으로 춤추는 행위는 하나의 비율도 되지 못한다. 〈톨스토이〉

우리에게 치졸성이 있다는 것은, 우리의 이해력이 불충분하다는데 원인이 있는 것이 아니라, 다른 사람의 지도없이는 자신의 이성을 살릴 수 없을만큼 결단과 용기가 부족하다는데 의하는 것이다. 〈칸 트〉

참된 교화는, 다만 도덕적인 생활의 범례에 의해서만 퍼져 나가는 것이다.

교화사업을 한다는 학교나 책, 잡지, 극장 등은, 참된 교화와 일치되는 아무것도 가지고 있지 않다. 도리어 번번히 교화에 배반되고 있는 것이다. 〈에머슨〉

대중의 무교육한 원인을 주의깊게 살펴보라. 그대는 그 중대한 원인이, 우리가 보통 생각하듯 학교나 도서관의 불완전에 있는게 아니라, 항상 모든 종류의 예술 속에서 조성되는 미신에 있는 것임을 알 것이다. 〈세네카〉

이성에 의함이 아니고 또 자신의 내부로 부터의 각성에 의함이 아닌, 외부로 부터의 남의 충동에 의하여, 행동하게 될 때에는 멈추어 서서 생각하라.

그대를 이끄는 그 영향이 옳은 것인가, 악한 것인가를 생각하라.

29일 저주(咀呪)

전쟁이 가져오는 모든 불행과 공포, 그밖의 가장 저주받은 결과의 하나는, 인간의 두뇌가 사악한 일에 사용되고 있다는 그것이다.

남이 나를 죽여도 좋다는 권리를 갖고 있다는 것만큼, 어리석은 일이 또 있을까? 그리고 그 이유는, 그가 강물 저쪽에 살고 있으며, 그의 나라가 우리 나라와 싸우고 있기 때문이라 한다. 그런데 그와 나의 사이에는 싸워야 할 원인은 무엇하나 없는 것이다. 〈파스칼〉

사람들이 전쟁의 어리석음을 이해할 때가 올 것이다.

지금부터 4세기쯤 전에 「피자」와 「루카」 두 주민 사이에는, 대단한 증오가 일어났다. 그 감정은 영원히 풀어질 수 없는 듯 보였으며, 그래서 「피자」의 가장 천한 종들 조차 「루카」의 주민으로부터 무엇이나 선물받는 것을 큰 치욕(恥辱)으로 알았다.

그러나 오늘날 그와 같은 증오에서 대체 무엇이 남았다는 말이냐? 오늘날 「프랑스」에 대한 「페르시아」의 어리석은 증오에서 무엇이 남았다는 말이냐?

모든 사람에게 공통된 적은 가난이요, 무교육이요, 질병이다. 우리의 노력은 이들 무서운 불행에 대하여만 경주 되어야 할 것이다. 〈샤알·리시에〉

가령 여행하는 사람이 어떤 고도(孤島)에서 무장된 집이 있는 것을 본다면, 그리고 그 집 주위를 밤낮 없이 감시인이 지키고 있는 것을 본다면, 그는 그 섬 도처에 도둑놈이 살고 있는 것으로 생각하게 될 것이다. 「유럽」의 여러나라에 있어서도, 이와 마찬가지 말을 할 수 있지 않을까?

얼마나 종교의 힘이 미약해지고 만 것일까? 우리들은 진정한 종교에서 멀리 떨어져 있는 것일까?

30일 추방(追放)

사람이 고독하게 되면 될수록, 자기를 부르고 있는 신의 목소리가 잘 들리게 되는 법이다.

인생에 대한 중요한 문제에 있어서 우리는 항상 고독하다. 그리고 우리의 참된 역사는 다른 인간에게는 거의 이해될 수 없는 것이다. 인생이라는 희곡에 있어서 잘된 장면은 신과 우리의 양심의 내면적인 교섭을 그린 장면이다. 〈아미엘〉

사람은 혼자서 죽어야 한다고 「파스칼」은 말하였다. 마찬가지로, 혼자서 살아야 할 것이다.

인생에 있어서 중요한 순간은, 항상 혼자 있을 때다. 즉 사람들과 함께가 아니라, 신과 함께 있을 때다. 〈톨스토이〉

침묵, 침묵 속에 가만히 숨어 있으라,
그리고 마음 속 깊이 파고들라.
그대의 감정과 공상(空想)은
밤하늘의 샛별과 같이 그 모습을 나타낼 것이다.
그것을 그립게 여기라, 그리고 침묵을 지켜라 영혼은 무엇이라 속삭이는가.
그대 자신의 영혼을 어찌 다른 사람들이 이해할 수 있으랴
그대가 무엇에 의하여 살고 있는지를 남들이 어찌 이해할 수 있으랴?
말로 나타난 사상은 허위이다.
열쇠로 열어 흩으러짐이 없이,
침묵 속에서 사랑을 길러라.
오직 자기 자신에 의해서만 산다는 것을 알라.
모든 세계는 그대 영혼 속에만 있다.
신비로운 마력과 같은 지혜를,
바깥세계의 소음이 누르고 있다.
속세의 생활은 빛을 어둡게 한다.
그 노래에 주의하라. 그리고 침묵하고 있으랴. 〈듀체프〉

신을 추방하는 자가, 그대를 추방하는 자이다. 신의 말을 지키는 자가 그대의 말을 지키는 자이다.

10월의 장

〈고흐 그림〉

1일 현자(賢者)

현자(賢者)는 무지(無知)를 두려워하지 않는다. 회의, 곤난, 성찰을 두려워하지 않는다. 그러나 오직 한가지 모르는 일을 알고 있는척 함을 두려워한다.

철학사나 자연과학사를 읽어보면, 가장 위대한 발견이란 다른 사람들이 틀림없다고 확신하는 것을 그럴리 없다고 생각한 사람들에게 의해서만, 완성되었다는 사실을 발견할 것이다.

〈레프텐벨그〉

인간의 정신력에는 아무런 부족도 없다. 부족한 것은 자기 자신이 정신력을 받아들이는 능력 그것이다.

사람은 공기의 부족으로 죽는 것이 아니라, 공기를 호흡하는 힘이 없음으로서 죽는 것이다.

예지(叡智)에 도달하려면, 과거·현재·미래, 그 어느때나 존재해 있는 요소――즉 육체적이며, 두뇌적이며 정신적인 요소를 통어(統御)할줄 알아야 한다. 〈루시·말로리〉

모르는 일을 남에게 물음을 부끄러이 생각지 말라. 자제(自制)란, 그 뿌리에 만족을 가지고 그 과일에 평화를 가지는 나무와도 같다.

항상 진실을 말하라. 가령 그것이 남에게 불쾌감을 주는 것임을 알더라도.

학문이 있어도 그것을 응용할줄 모르는 사람은 음식을 냄새만 맡고 먹지않는 사람과도 같다. 〈아라비아 성인〉

자기가 알고 있는 것이 얼마 되지 않는다는 것을 알기 위해서는, 많은 것을 알도록 노력할 필요가 있다. 〈몽테뉴〉

진정한 예지(叡智)란 무엇이 가장 선인가를 아는데 있다.

〈칸 트〉

예지(叡智)의 내용이란 적극적이 아니라 소극적인 것이다. 즉 불합리한 것, 있어서는 안되는 것이 무엇인가를 아는데 있다.

2일 귀일(歸一)

종교와 도덕상의 교훈과는, 논의의 방법에 있어서 다르다. 그러나 그 소임에 있어서는 동일하다.

불타(佛陀)는 말하기를, 이 세상에서 곤난한 일은 다음과 같은 것이라고 하였다.

가난하면서도 동정심이 많은 것 부귀공명(富貴功名)을 다하면서도 신앙이 깊은 것, 운명에 굽히지 않는 것, 정욕을 억제하는 것, 유혹적인 것에 대해서도 동요하지 않는 것,

그리고 성공하지 못했더라도 오히려 정신이 굳센 것, 악으로써 앙갚음 하지 않으며, 오욕을 참는 것, 사물의 근본을 캐어 알려고 하는 것, 무지한 사람을 비방하지 않는것.

또한 자아에서 완전히 해방되는 것, 선량한 성질을 가졌으며, 학문이 있는 것, 종교 속에 숨은 진리를 아는 것. 싸움을 피하는 것.

이러한 것들이 곤란한 일이라고. 〈중국천전〉

영원한 시간 속에, 동시에 이 순간에 살라. 즉 영원하게 사는 자와 같이 일하라.

그리고 지금 곧 죽어버릴지도 모른다는 관념을 가지고 사람들을 사귀라.
〈톨스토이〉

바구니 속에 먹을 것을 잔뜩 가지고 있으면서도, 내일은 무엇을 먹을 것이냐고 걱정하는 인간은 신앙이 부족한 사람이다.

사람들은 신의 말을 듣지 않으면서 신을 섬기고 있다. 신을 섬기지 않으면서, 신의 말을 들음이 오히려 낫다. 〈에머슨〉

종교의 본질은, 신에 의하여 설파되듯이 우리들의 의무를 인식하는데 있다.

도덕적인 교훈은, 그것이 종교적인 것이 못된다면, 즉 의무적인 것이 못된다면, 충분한 것이 아니다. 또한 종교는 도덕적인 것이 못된다면 필요치 않다.

3일 재산(財産)

재산은 결코 만족을 줄 수 없다. 재산이 늘어감에 따라서 욕심은 더욱 커지는 법이다. 만족의 정도는 재산이 늘어감에 따라서 더욱 감소되는 법이다.

도둑이 훔칠 수도 없고, 폭군이 침노할 수도 없으며, 그대가 죽은 뒤에는 남아 있어서, 결코 썩을줄 모르는 그러한 재산을 얻도록 노력하라. 〈인도 속담〉

적게 탐내고, 저 혼자의 힘에 의한 만족을 얻는 것, 무엇이든 얻게 되는 일이라면 온갖 기회를 이용하는 대신, 언제나 타인에게 베풀어 주려는 태도——이 이상 확실한 태도는 없다.

모든 것에서 많은 혜택을 받으려는 것보다도, 자기에게 필요한 것을 충족시킴이 훨씬 확실한 태도이다. 그것은 현재에는 어떤 부류의 사람들에게서 부정을 당할지도 모르나, 누구에게 있어서나 가장 확실한 태됴이다. 〈에머슨〉

재산 때문에 생기는 갖가지 욕심에 대하여 충명한 한계를 짓는 것이 불가능한 일은 아니다. 그러나 더욱 곤란한 일입은 사실이다.

인간의 만족이란 절대적인 내용을 가진 것이 아니며, 비교적인 관계에 있는 것이다. 즉 만족이란 그 사람의 욕심과 그 재산의 관계에 있어서, 재산은 분모없는 분수처럼 의미가 없는 것이다.

갖고 싶지 않은 것, 자기에게 불필요한 것을 갖고자 하지 않는 사람은 그런대로 충분한 만족을 맛볼 수 있다. 그러나 백배나 많은 재산을 가지고 있으면서도 욕심을 다 채우지 못한 자는 자기를 몹시 불행한 인간으로 생각하기가 쉽다.
〈쇼펜하우어〉

가난의 괴로움을 이기려면, 재산을 늘이는 길과 욕망을 줄이는 길, 이 두가지 방법이 있다. 전자는 어려운 길이지만 후자는 언제나 가능한 것이다.

4일 결점(缺點)

자기의 결점을 잘 아는 사람만이, 남의 결점에 대해서도 바르게 행동한다.

대하(河大)는 돌을 던져도 그 흐름이 흩어지지 않는다. 타인의 악담에 마음이 동요되는 자는, 큰 강이기는커녕 물구덩이보다도 국량이 작은 인간이다.

남 때문에 불행의 구렁텅이에 떨어졌다면, 참고 견더 그 불행을 극복하라. 그대 자신도 용서 받아야만 할 인간이다.

우리는 누구나 마지막에 흙으로 돌아가고 말 인간임을 명심하고 서로 화목하게 살자. 우리는 누구나 다 흙이되기 전에, 머리에 잿빛을 이게 되는 것임을 잊지말자. 〈사 디〉

타인의 경우를 바꾸어 생각한다면, 이때까지 그에게 대하여 품었던 혐오의 감정도 사라지고 만다. 동시에 자기의 교만한 마음도 저절로 없어지고 마는 것이다. 〈톨스토이〉

어리석은 자에게 대한 가장 좋은 태도는 침묵이다. 어리석은 자에게 말대꾸를 하면, 그 말은 곧 그대 자신에게로 돌아올 것이다.

비방에 대하여 비방으로써 앙갚음 함은, 타는 불 속에 장작을 집어넣는 것과 같다. 그러나 비방하는 자를 대하기를 평화로운 태도로 함은, 그것만으로도 벌써 승리한 사람이다.

〈죤·러스킨〉

누가 그대를 비난하는 말을 하거든, 대수롭게 생각지 말라. 그러나 그대가 남의 욕을 입밖에 냈을때엔 대수롭지 않다고 생각하거나, 양심을 속이거나 하여서는 아니된다. 진정한 기도와 우정으로서 다시 사이가 좋아지기까지는, 그 욕을 뉘우치고 또 뉘우치라. 〈탈무드〉

잠깐만 생각해 보더라도, 우리는 인류 전체에 대하여 무엇인가 반드시 죄악을 범하고 있음을 깨달을 수 있을 것이다.

5일 시비(是非)

자로 열번 재어본 연후에 자르라. 동포의 부족된 점은 백번 다시 생각하라. 그런 연후에 그것을 말하라.

남들이 누군가를 미워하거든, 편에 가담하기 전에, 주의깊게 이유를 캐어볼 필요가 있다.

사람들이 누군가를 칭찬하거든, 그 편에 가담하기 전에, 역시 주의깊게 그 이유를 캐어볼 필요가 있다. 〈공 자〉

우리의 욕정을 부주의가 부채질한다. 그러므로 말을 삼가함은 큰 미덕이 아닐 수 없다. 〈세네카〉

자기 자신을 올바르게 할 것을 잊어버리고, 타인을 바르게 이끌고자 할 때, 우리는 번뇌를 가지게 된다.

〈루시 • 말로리〉

때는 흘러가고 만다. 그러나 한번 입에 담은 말은 뒤에 남아서 사라지지 않는다. 〈톨스토이〉

남이 과오를 범함을 보더라도, 결코 책망해서는 아니된다. 고의로 과오를 범하는 사람은 없기 때문이다. 장님 되기를 바라는 사람은 아무도 없다. 과오를 범하는 자는, 허위를 진심으로 진실인줄 알고 있는 것이다.

한번도 과오를 범한 적이 없다고 장담한 사람은 아무도 없다. 또한 눈앞에 뚜렷한 진심을 보면서도 일부러 그 진실을 받아드리기를 꺼리는 사람도 없다.

이해하지 못하기 때문에 진실을 받아들이지 못하는 것이다. 진실이 악인양 생각됨으로써, 받아들이지 못하는 것이다. 이러한 과오에 대해서는 동정심을 가져야 한다. 그들의 양심은 말하자면 병들어 있는 것이나 다름없기 때문이다.

〈에피크테타스〉

타인을 비난하지 않으면 안될 경우에는, 뒤에 숨어서 하지 말고 그의 앞에서 하라. 그리고 그가 악감정을 갖지 않도록 말하여야 한다.

6일 병환(病患)

병은 자연발생적인 현상이다. 병을 미리 아는 방법을 알아야 한다. 거기에 응하여 적당한 처지를 강구하는 방법을 알도록 하여야 한다.

병이 들어 일상생활을 중지하고, 치료에 전심할 때는, 그것이 불치병이 아니고 극히 경한것일 때라도, 그전에 보내던 평범한 생활이 아주 고맙게 생각되는 법이다.

왜냐하면, 지나간 생활정도가 어떠하였던 간에, 그것은 하나의 생활이었음에는 틀림이 없으며, 또 신변을 싸고 도는 공포나 근심은 없었기 때문이다. 〈톨스토이〉

병을 두려워하지 말라. 치료할 때를 두려워하라. 해로운 치료를 받지 않도록 조심하라는 것이 아니다. 치료를 받으면서도, 자기는 환자이므로 도덕적 의무를 다하지 않아도 좋다고 생각하는 그점을 무엇보다도 두려워하라는 것이다. 〈에머슨〉

「건강한 육체에 건강한 정신이 깃든다」라는 말은 맞는 말이라 생각된다. 그러나 현대에 있어서는 그 반대가 오히려 정당한 말이 되었다.

건강한 정신만이 육체를 건강하게 만든다. 도덕적 생활——노동·검소한 식사·절제·금욕 등은 건강을 위한 모든 조건을 내포하고 있다.

육체의 건강을 경시함은, 타인에게서 봉사의 가능성을 빼앗는 것이다. 그러나 육체에 대하여 너무 관심을 두는 것도 같은 결과를 초래하게 된다.

그 중용을 얻기 위해서는 하나의 방법이 있다. 즉 타인에게의 봉사를 방해하지 않는 범위 안에서 육체에 대한 관심을 갖는다는 그것이다. 〈죤·러스킨〉

무슨 병이든, 인간으로서의 의무를 다하는데 방해가 되는 병은 없다. 노동으로써 타인에게 봉사할 수가 없다면, 사랑이 충만한 인내로써 봉사하도록 노력하라.

7일 망각(忘却)

신을 알고자 하는 욕구는, 우리가 신을 배척하고 잊어버렸을 때. 가장 뚜뚜하게 느껴지는 것이다.

모든 생물과 물질 속에 높은 지혜를 인식한 사람은, 자기의 일체의 이지(理知)를 희생하여 신의 영혼에 바치는 것이다. 그리하여 그 독자적인 빛으로 빛나는 신의 본질에 접근하는 것이다.

모든 파라문교도(波羅門教徒)로 하여금 눈에 보이는 일체의 자연과, 눈에 보이지 않는 일체의 자연을 신의 지혜 속에있는 것으로 믿게 하라. 그 때에 사람은 그릇된 사상에 굴복되지 않을 것이기 때문이다. 〈마 누〉

가령 공기를 호흡함으로서 살고 있음을 깨닫지 못한다 할 지라도, 질식하게 될 때에는 그 무엇을 빼앗겼다는 것을 짐작하게 될 것이다.

신을 빼앗긴 사람의 경우도 마찬가지다. 가령 그가 신이란 무엇을 말하는 것인지를 전연 알지 못하는 사람이라 할지라도. 〈톨스토이〉

무리를 하여서까지 신에 접근할 필요는 없다.

「나에게 신을 보내달라. 신에 의하여 살아가게 하여달라. 우리는 이제까지 악마의 손아귀에서 살아왔다. 이제부터는 신을 의지하여 살아가게 하여달라. 그러면 반드시 불행은 사라지고 말 것이니」——이것은 참으로 불행한 생각이다. 신에 접근하는듯 꾸미기보다는, 악마의 불길에 타버리는 편이 훨씬 나은 것이다. 〈시세로〉

항상 신을 잊지 않는다는 것은 거룩한 일이다. 그것은 말로서 신을 이해함이 아니다.

신은 우리의 일거일동을 지켜보고 계시며 어떤 때는 비난을, 어떤 때는 칭찬하고 계심을 믿고 살아감을 의미한다. 어느 나라 농민들은 「여보게, 자네는 하나님을 잊었네그려」라는 말로써 서로가 행동을 삼간다고 한다.

8일 동정(同情)

기독교도가 그 가르침을 정직하게 지킨다면, 이 세상에는 부자도 가난한 자도 없게 될 것이다.

어떤 사람이 그리스도에게 말하였다.

「스승이여, 영원한 생명을 얻기 위하여서는, 저는 어떤 선량한 일을 하여야 할 것입니까?」

그리스도는 말했다.

「그대가 만약 완전하게 되기를 원한다면, 그대의 소유물을 팔고, 가난한 사람에게 그것을 나누어 주라. 그대는 하늘에서 재보(財寶)를 얻으라. 그런 연후에 나의 뒤를 따르라」

〈성서〉

부자와 가난한 사람 사이에는 상호관계가 있다. 부자의 계급이 존재한다는 것은 당연히 가난한 사람의 계급이 존재한다는 것을 예정한다.

부자의 어리석은 사치는 그 피치 못할 결과로서, 무서운 결핍을 발생시키고 있는 것이다.

부자는 약탈하고 있다. 왜냐하면, 그 약탈의 결과를 보충하는 일에는 거의 참가하지 않기 때문이다.

가난한 사람은 약탈 당하고 있는 것이다. 그러므로 그리스도가 언제나 가난한 사람을 동정하고 부자를 미워한 이유를 나는 알 수 있는 것이다.

그리스도의 말에 의하면, 약탈 당하는 것은 약탈하는 것보다 선한 일이라 하였다. 〈톨스토이〉

아주 큰 부자와 아주 가난한 가난뱅이로서 구성된 사회에서 사람은 곧 권력을 잡고 있는 자의 포로가 되고 만다. 가난한 자들에게는 반항할 만한 충분한 힘이 없다. 부자들의 창고에는 너무나 많은 것이 장만되어 있기 때문에, 위험을 무릅쓸 수가 없는 것이다. 〈헨리·죠지〉

기독교도의 나라에서 사는 사람은 재산을 사랑하는 자기의 도덕적인 감정을 속이기 위해서 얼마나 큰 노력이 필요한 것일가?

9일 의식(意識)

인생에 있어서의 자의식을 자기의 정신적인 자아(自我)속으로 이끌어들이는 자는, 생활에 있어서 불행을 경험하지 않는다.

운명이 그대를 어디다 집어던지든, 도처에 그대의 본질, 그대의 정신, 인생의 중심, 자유, 힘은 그대와 함께 있을 것이다. 그대가 자기존재의 법칙을 믿고만 있을것 같으면 그렇다는 말이다.

이 세상에 있어서 어떠한 표면상의 행복, 또는 위대함이 있다하더라도, 그 때문에 인간이 자기 정신과 결함을 뚫고, 정신의 목적을 깨뜨리고, 자기의내면성 (面內性)과 충돌을 할만한가치를 갖고 있는 것은 결코 존재하지 않는다.

〈오레리아스〉

인간은 자신 속에 존재하는 무한히 위대하고 전능한 그 무엇과 자기가 그 속에 존재하는 좁고 약한 그 무엇 사이에 있는 모순을 명백히 의식한다. 그래서 때로는 즐거워하고 때로는 슬퍼도 한다. 〈리프텐벨그〉

선량한 사람들의 영혼이 상상하는 일은, 신과 영원에 속하는 일인성 싶다.

그러나 중요한 것은, 가장 선량(善良)하고 가장 총명한 사람들의 영혼은, 미래생활의 영원성(永遠性)에 대하여, 그 모든 사상을 집중(集中)하고 있는듯 하다는 점이다. 〈시세로〉

오직 활발하고, 도덕적이고, 정신적이고, 깊고, 그리고 종교적인 의식만이, 인생에 대하여 그 모든 존엄과 정력을 주는 것이다. 이와 같은 의식은 고갈하지 않으며, 아무것에도 패배하지 않는다. 지상적인 것이 신에게 이길 수 있는 것은 절대로 없다. 〈카알라일〉

모든 것에서 구원을 받기 위해서는, 자기의 정신력을 인식하지 않으면 아니된다. 그 사람에게는 어떠한 일이 생긴다 하더라도, 결코 불행에 빠지는 일이 없는 것이다.

10일 물질(物質)

도덕적인 생활에 있어서 모든 것의 중요성은, 그 물질적 의의에 의하여 결정되는 것이 아니다. 또 그것에 의한 결과 여하로 결정되는 것도 아니다. 오직 도덕적인 노력의 정도 여하에 따라서만 결정되는 것이다.

자기가 하지 않으면 안된다고 믿는 일을, 그 일이 너무나 미미하고 가치가 적다는 이유 때문에 하지 않는 사람은, 자기를 속이고 있는 것이다.

그 사람은 그것이 너무나 미미한 일이기 때문에 하지 않는 것이 아니라, 자기 힘에 너무나 벅차기 때문에 하지 못하는 것이다.

〈페어오제이〉

인간은 생각함으로써가 아니라, 행함으로써 자기자신을 알게 된다.

할 일을 하려고 노력함으로써만, 인간은 자기 자신을 알게되는 것이다.

〈괴 테〉

자기 자신을 그 어떤 사명을 완수하기 위해서 이 세상에 태어난 것이라고 생각하지 않는 사람은, 교양이 있는 사람이라고는 할 수 없다.

〈공 자〉

자기의 생활을 올바른 것으로 하고자 하는 대부분의 사람들은, 그 어떤 비범하고 곤란한 일을 수행하려고 한다.

자기의 욕망을 씻어 버리며, 자기의 처지에 응하여 주어진 평범한 의무를 소홀히 하지 않을 것은 잊어버리고――

〈페느론〉

일은 끝까지 완수하지 못해도 좋다. 다만 일을 전부 포기할 생각만은 하지 말라.

그대에게 그 일을 맡긴 신은, 언제나 희망을 잃지 않는다.

〈탈무드〉

세속은 보잘것 없는 것이라고 생각하는 것은, 이와 동시에 자기 자신도 경시하는 것으로, 도덕상의 완성에 대하여 이보다 더 유해한 일은 없다.

11일 거만(倨慢)

사람들은 참된 존경의 대상이 될만한 것을 자랑으로 생각하지 않는 법이다.

반대로 그다지 필요하지 않은 것, 즉 권력이나 부를 자랑거리로 알고 있는 것이다.

제 자신 읽고 쓸줄 모르는 사람은, 남을 가르칠 수 없다. 마찬가지로 자기가 할 일을 모르는 사람이, 무엇을 해야 한다고 남을 가르칠 수는 없다. 〈오레리아스〉

훌륭한 가르침을 듣기가 무섭게 다른 사람에게 가르치려고 하는 사람이 있다. 이러한 사람은 이제 갓 먹은 것을 그대로 토하여 버리는 위와도 같은 것이다. 〈에피크테타스〉

어리석은 인간에게도 자신의 어리석음을 알 수 있는 이해가 있다. 그러나 자신이 지혜로운 인간이라고 생각하는 사람은, 결코 지혜로운 사람이 아니다. 도리어 그야말로 어리석은 자이다.

어리석은 자는 지혜로운 사람의 곁에 살면서도 조금도 진리를 이해하지 못하는 것이다. 그것은 마치 숟가락이 산해진미(山海珍味)의 맛을 모르는 것과도 같다. 〈톨스토이〉

자존심이 강한 사람은 언제나 도량이 좁다. 이것은 서로 인과관계에 있기 때문이다. 그는 자존심이 강하기 때문에 언제나 좁은 것이다. 그리고 좁기 때문에 언제나 자존심이 강한 것이다.

그는 그 이상의 좋은 것을 만들어 낼 수는 없다고 생각하고 있다. 그러므로 자기가 만들어내는 모든 것은 다 좋은 것이라고 믿고 있는 것이다. 〈오레리아스〉

어떤 인간의 거만은, 처음에는 사람들을 혼란에 빠뜨린다. 즉 사람들은 덮어놓고 그 인간이 자신하고 있는 그대로를 솔직히 믿는다. 그러나 그 혼란의 시기가 지나면, 그 인간은 하나의 웃음거리가 되고 마는 것이다.

12일 관습 (慣習)

관습이란 것에서 벗어나려면, 대단한 노력이 필요하다. 그러나 완성에 도달하는 첫걸음은 항상 관습에서 떠난다는데 있다.

나는 내가 생각하는 것과 같이 행동하여야할 것이다. 다른 사람이 생각하는 것과 같이 행동할 것이 아니다.

이것은 평범한 사람의 생활에 있어서나, 현명한 사람의 생활에 있어서나, 다같이 필요한 계율이다. 모든 위대한 것과 비천한 것의 구별에 있어서도 필요한 계율이다.

이 계율을 지키는 것은 곤란하다. 그대들의 주위에는, 그대들 자신 보다도 그대들의 할 바를 잘 알고 있다고 생각하는 많은 다른 사람들이 있기 때문이다.

이 세상에 있어서 관습에 의하여 살기란 용이한 일이다. 또한 고독 속에 있으면서 자기 자신을 좇는다는 것도 용이한 일이다.

그러나 진실로 위대한 사람은, 사람들 속에 살면서도, 자기 자신의 독립성을 유지해 나갈 수 있는 것이다. 〈에머슨〉

사회는 사람들에게 말한다. 「우리들이 생각하는 것과 같이 생각하라. 우리들이 믿는 것과 같이 믿으라. 우리들이 먹고 마시는 것을 먹고 마시라. 우리들이 입는 것을 입으라. ── 그렇지 않으면 그대는 사람들에게 미움을 받으리라」고.

만약 그 누가 이 말에 따르지 않는다면, 그 사람은 비웃음과 욕설·악담·비방·배척과 증오에 부딪쳐, 지옥과 같은 생활을 보내지 않으면 안될 것이다.

그러나 용기를 내라. 그리고 혼자서라도 해가 비치는 곳이라면, 가시밭을 헤치고 나갈 용기와 신념을 가지라.

〈루시·말로리〉

이 세상의 관습에서 몸을 뺀 사람들을 향하여 화를 낸다는 것은 악이다. 그러나 세상의 관습에 빠져서 자기의 양심이나 이성의 요구를 돌보지 않는 사람은, 그 이상으로 악이다.

13일 정치(政治)

인간사회라는 것은, 현재 사람들이 살고 있는 바 폭압에 의해서만 복종을 하게 되는 것이라기 보다 이성에 의하여 지도되며, 모든 법률이 바르게 인식되는 곳이라고 생각하는 편이 훨씬 자연적이다.

위대한 현자(賢者)가 힘을 갖고 있는 곳에서, 사람들은 그 현자의 존재를 깨닫지 못한다.

그 다음 가는 현자가 지배하는 곳에서는, 사람들이 그를 두려워 한다.

그리고 가장 위대하지 못한 현자가 지배하는 곳에서는, 사람들이 그를 경멸한다. 〈노 자〉

각성하지 못한 사람에게, 지배권력이란 어떤 신성한 제도요, 살아 있는 체구(體軀)를 조성하는 기관이요, 인간생활에 있어서 불가결한 조건이라고 생각한다.

그러나 이러한 사람은 아무런 이성적인 이유도 사지 않고, 자기의 욕망을 실행에 옮기는 착오적인 사람인 줄로 각성한 사람들은 생각하는 것이다. 〈에머슨〉

폭력에 의한 정의는 정의가 아니다. 그것은 다만 항의나 반역이 일어나지 않는 동안의 정의다. 그것은 마치 광명과 온화가 이르지 못하는 동안만 추위와 어둠을 참아야 한다는 것과도 같다. 〈아미엘〉

도덕이란 사람들이 지키지 않으면 안될 봉사(奉仕)다. 비록 천지를 통어하는 하늘과 신이 없다고 하더라도, 도덕은 인생의 의무적인 계율이 아니면 안된다.

정의를 알고, 그것을 이루는 곳에 인간의 존엄성이 있는 것이다. 〈라마야나〉

옷은 몸에 맞는 것보다, 마음에 맞는 것이 훨씬 좋다. 〈시세로〉

폭력을 사용할 필요를 느끼지 않는 생활을 하도록 노력하자.

14일 순화(醇化)

예술이란 사람들이 도달할 수 있는 고귀한 감정을 사람들로 하여금 가지게 함을 목적으로 하는 인간의 소업이다.

참다운 예술 작품은 그 작품을 애호하는 사람들의 의식속에, 그 사람들과 그 작자와의 구별을 없애버리고 만다. 작자와의 구별 뿐만 아니라, 그 작품을 감정하는 모든 사람들 사이의 구보도 없애버리는 것이다. 이 점에 예술의 가장 빛나는 힘이 있으며, 여기에 본연성(本然性)이 있는 것이다.

〈톨스토이〉

예술은 인간의 진화를 위한 두개의 기관중 하나이다. 언어에 의하여 사람은 그 사상을 전한다. 그리고 예술적 형상에 의하여 현재에 살고 있는 사람들과 감정을 통하여 사귀게 되는 것이다.

〈존·러스킨〉

지식이 완성되어간다는 말이 있다. 즉 한층 더 진실하고 필요한 지식이 허위와 불필요한 지식을 몰아내고, 그 자리를 차지한다는 뜻이다. 다시 말하면 예술에 의하여, 인간의 행복에 도움되지 않는 불필요하고 저열한 감정이, 인간의 행복을 위하여 보다 좋고 보다 필요한 감정 때문에 쫓겨난다는 것이다. 여기에 예술의 의의가 있다.

〈괴 테〉

기독교도의 의식은, 모든 사람이 신의 아들이라는 점을 알고, 거기에서 모든 사람들의 상호간의 결합이 조성되고, 또한 모든 사람들과 신의 결합이 이루어진다는데 있다.

〈에머슨〉

아마 장래에는 과학이 예술에 대하여 새롭고 높은 이상을 줄 것이다. 그리고 예술은 그것을 실현할 것이다.

기독교도의 예술에 있어서의 문제는, 인류의 동포애를 어떻게 실현하느냐 하는 그것이다.

15일 성찰(省察)

인간의 사명은 자기의 영혼을 성찰한다는 것이다. 그것은 자기의 영혼을 자기 품속으로 도로 찾아, 더욱 더 위대하게 만든다는 것이다.

힘은 성장함에 따라서 생긴다. 이것은 육체와 정신에 관해서 같은 의미로 해석할 수 있다.

만약 그대의 정신이 성장하지 않는다면, 그대는 정신적 세계에서는 언제나 약한 인간이다. 이 말은 그대가 언제까지나 어린이로 있다면, 물질적인 세계에 있어서도 언제까지나 약할 것이란 말이다. 〈톨스토이〉

인생의 의미는 인간으로서의 완성에 있다. 그리고 사회생활을 완성하는 임무에 종사하는데 있다. 인간은 살아있는 동안 완성될 수 있으며, 사회에 봉사할 수도 있다.

그러나 사회에 봉사하는 것은, 그 사람이 인간으로서 완성되는 것에 의하여서 가능하다. 또한 인간으로서의 완성은 사회에 봉사함으로서만 가능한 것이다. 〈카알라일〉

정의란 때로는 역사의 토양 속에 오랫동안 움직이지 않고 파묻혀 있는 씨앗이기도 하다. 그러나 한번 온기와 습기를 받으면, 그것은 자신 속에 새롭고 건강한 즙액, 신선한 힘을 길러내어 힘차게 성장한다. 그리하여 꽃을 피우고 열매를 맺는다.

그러나 폭력과 부정의에 의하여 뿌려진 씨앗은, 썩고 말라서 어느덧 자취도 없이 사라져 버리고 마는 것이다.

〈탈무드〉

유년(幼年)시대로부터 그 죽음에 이르기까지, 설령 그동안의 시간에는 어떠한 차이가 있을지라도, 인간의 영혼은 끊일 새 없이 성장하고 있는 것이다.

끊일 새 없이 더욱 더 깊게 자기의 정신성을 의식하고, 신께 가까와지면서 완성되어가는 것이다. 그것을 알고 있든지 모르든지 또는 그것을 원하든 원하지 않든, 우리의 완성은 계속되어가는 것이다.

16일 각성(覺醒)

신은 모든 사람들 속에 살아 있다. 그리고 신의 의식에 아직 눈뜨지 못한 영혼이란 것은 존재하지 않는다. 이 각성을 성서에서는 축복이라 부르고 있다.

과실이 차차 커지기 시작하면 꽃잎은 떨어진다. 그와 같이 그대의 마음 속에 신의 의식이 성장할 때, 그대의 약한 마음은 사라진다.

가령 몇천년 동안 어둠이 공간을 가득 채우고 있다 하더라도, 광명이 그 속으로 비쳐 들어가기만 하면, 세상은 밝게 빛나기 시작할 것이다.

그와 같은 말을 그대의 영혼에 대해서도 할 수 있다. 설령 아무리 오랫동안 어둠 속에 있다 하더라도, 신이 그 속에서 눈을 뜨기만 하면, 그대의 영혼은 곧 광명을 띄게 될 것이다.

〈파라문 교전〉

자기존중은 인간 속에 있는 신에 대한 의식이, 인생에 있어서 표현된 것이다. 그것은 깊은 근원을 종교 속에 가지고 있다. 그 가장 좋은 예는 겸손의 위대함이다.

어떠한 귀족도, 왕후(王候)도, 성자의 자기존중과 비교될 수는 없다. 성자가 겸손한 것은, 자신이 느끼고 있는 신의 위대함에 의거하여, 그렇게 되고자 원함으로서 이다.

〈에머슨〉

많은 사람들에게 알려지는 자에게는, 꾸며진 교화가 있다.

자기 자신을 아는 자에게는, 진정한 교화가 있다. 자기 자신을 알고 있는 자는 신을 알고 있는 자이다. 〈공 자〉

사람이 자기 자신 속에 신의 힘을 느끼지 못한다 할지라도, 그것은 신의 힘이 그 사람 속에 존재하지 않는다는 증거는 되지 않는다. 그것은 아직 그 사람이 자신 속에 있는 신을 인식할 줄 모르고 있을 따름이다.

17일 신인(神人)

사람이 있고 신이 있는 이상은, 사람과 신 사이에 아무런 관계도 없다고는 말할 수 없다.

그리고 옛날에 존재하고 있던 그 관계가, 현재 존재하고 있는 그 관계보다 더욱 중요하고도 타당하다고는 할 수 없다. 현재의 관계는 한층 이해하기 쉬우며, 가까이 하기 쉬운 것이다.

그러므로 옛날의 관계를 기준으로 하여, 현재의 관계를 검토하지 않으면 안된다고는 할 수 없다. 도리어 그 반대인 것이다.

세계가 고귀한 진리에 대한 계시 중에서 오늘날에 있어서는 이미 시대에 뒤떨어진 가장 고대의 것만을 받아들이고 있다는 것은, 참으로 놀라지 않을 수 없는 일이다.

그리고 가장 바르고 적절한 계시, 가장 독특한 사상을 전혀 가치없는 것으로 생각하고, 때로는 그것에 대하여 혐오의 감정만을 보이는 것은, 참으로 놀라운 일이다. 〈토 로〉

우리들의 모든 형이상학적인 이해를 가장 자주 범하고 있는 미신은, 이 세계가 창조된 것이며, 그 무엇에 의하여 만들어진 것이며 그 창조주인 신이 존재해 있다고 하는 그것이다.

실제에 있어서 우리는 창조주라는 신을 생각하여야 할 어떠한 근거도, 또 어떠한 필요도 갖지 않는 것이다. (중국 사람과 인도사람은 이와 같은 것을 생각하지 않았다) 그리고 또 조물주인 신은 기독교적인 아버지로서의 신, 정신으로서의 신과는 아무런 공통점도 갖지 않는 것이다. 〈에머슨〉

「우파니샷드」나 「성서」나 「코란」, 「불타」나 「공자」속에는 좋은 말이 많이 씌여있다.

그러나 무엇보다도 필요하며, 이해하기 쉬우며, 우리에게 가까운 것은 자기 자신의 종교적 사색 그것이다.

18일 총명(聰明)

인생에 있어서 신에 속하는 자유로운 힘이 나타나는 것은, 오직 현재에 있어서 뿐이다. 그리고 그 때문에 현재의 행위도 신에 속하는 성질을 가지는 것이 아니면 안되는 것이다. 즉 총명하고 선량하지 않으면 안되는 것이다.

「빛이 그대들과 함께 있는 순간은 일순간에 지나지 않으리라. 그러므로 어둠이 그대들을 휩싸버리지 않도록, 빛이 있는 동안에 나아가자. 어둠 속을 가는 자는, 어디로 가는지를 모르는 법이다.

〈성 서〉

만약 그대가 누구에게나 착한 일을 하고 사랑을 보일 수 있다면, 그것을 지금 곧 실행하도록 하라. 왜냐하면, 기회는 한번 오고 다시는 오지 않기 때문이다. 〈리프텐벨그〉

모든 순간을 잘 이용할줄 알 때에만 우리 자신의 영원성을 믿을 수 있는 것이다.

우리가 모든 순간에 있어서, 자신의 높은 정신으로서 대할 때에만, 가장 사소한 의무 조차도 값있는 것으로 되는 것이다.

〈말티노〉

이 세상에는 강한 힘이 작용하고 있다. 아무도 그 힘을 막을 수는 없다. 이 힘의 증거는 기독교에 대한 새로운 이해이며, 인간에 대한 새로운 존경이며, 모든 사람들은 오직 하나인 아버지 밑에서 사는 형제라는 점에 대한 새로운 감정이다.

〈톨스토이〉

우리들이 신에 대하여 행함과 같이, 신은 우리들에게 행한다. 인간은 신 없이 선량하게 될 수 없다. 〈시세로〉

후회는 유익한 것이다. 그것은 그 때에 가지고 있던 힘에 알맞도록, 그 때를 살리지 않았음을 슬퍼하는 일이기 때문이다. 후회는 그 때에 있어서 어떻게 했더라면 좋았을까 함을 추억하는 것이다.

19일 철학(哲學)

자기에게 계시된 모든 일에 따르는 준비가 되어 있는 사람에게는, 인생의 의의가 곧 명확하게 이해된다.

그러나 자기에게 유익하고, 습관이 된 생활을 파괴하지 않는 인생의 의의만을 진리라고 인정하는 사람에게는, 언제까지나 이해되지 못하고 마는 것이다.

나는 무엇인가? 나는 무엇을 할 것인가? 나는 무엇을 믿을 수 있으며, 무엇을 희망할 수 있는가? 이 모든 질문에 의하여 우리는 철학으로 들어가는 것이다. 〈리프텐벨그〉

어떻게 하여 의복이 좀 먹는 것을 막으며, 쇠가 녹쓰는 것을 방지하며 감자가 썩는 것을 막을 것인가? 하는데 대한 우리의 관념은 끊임없이 변할 것이다.

그러나 어떻게 하여 영혼의 부패를 막겠는가 하는 것은, 무엇에서도 배울 수가 없다. 다만 자신이 알고 있는 것을 수행함이 필요할 따름이다. 〈토 로〉

어떤 사람이 감옥에 갇혔다고 가정한다면, 어떤 판결이 자기 앞에 내려질는지 그는 모를 것이다. 그러나 그가 결과를 알게 될 시간도 앞으로 한시간 밖에 남지 않았다.

만약 그 사람이 한시간 후에는 사형선고를 받게 되리라는 것을 미리 알았다면? 한 시간은 그로 하여금 판결을 각하 시키는데 있어서 매우 가치있는 시간이 될 것이다.

그가 이 판결을 변경시키기 위하여 이 한 시간을 쓰지 않고 트럼프 놀이를 하기 위하여 소비할 것인가? 물론 상상할 수도 없는 일이다. 그러나 많은 사람들은 신과 영원에 관하여 생각지 않고, 오직 이와 같은 짓을 하고 세월을 보내고 있는 것이다. 〈파스칼〉

인생의 의의를 이해하는 것은 어려운 일은 아니다. 극히 간단한 일이다. 그것은 어리석은 인간에게도, 아이들에게도 가능한 일이다.

20일 재능(才能)

인생은 봉사(奉仕)라고 생각할 때에만, 깊은 지혜를 가지게 된다.

이 세상의 가장 미세한 것 속에도 신의 빛을 보는 사람은 자기 자신과 다른 사람을 존경한다. 그리고 아무리 적은 일일지라도 가벼히 하지 않는다. 또한 모든 것을 신의 의지라고 본다.」 〈페르시아 성전〉

그대의 모든 재능과 지식은, 타인을 돕기 위한 필요한 수단이라고 생각하라.

힘이 센 자, 영리한 자에게는 그 힘과 총명이 약한 자를 지도하고 지지하기 위하여 부여된 것이다. 그 힘과 총명으로 약한 자를 압박하기 위하여 부여된 것은 아니다. 〈죤 · 러스킨〉

사람들과 사귈 때 그가 그대를 위해서 어떤 도움이 될 수 있을까를 생각할 것이 아니라, 그대가 그를 위하여 어떤 봉사를 할 수 있을까를 먼저 생각하라. 〈토 로〉

신에 속하는 이 세계에 있어서는, 우리들의 생활이 그 일개로서의 의의를 갖는 것이 아니라, 봉사적 의의를 갖고 있다는 것이 명백하다. 또한 육체적 이기적 의의에 있어서는, 우리들을 기다리고 있는 것이 패배이며 죽음이라는 것도 명백하다.

이 점에 대해서는 우리들의 눈이 보고, 우리들의 이성(性理 이 말하며, 모든 자연이 증인이 될 수 있다. 이와 같은 것이 신에 의한 이 세상의 계율인 것이다.

이 이해에 도달한 사람은 진리가 밝아오는 정도에 따라서, 자신의 육체적 생활의 행복을 위하여, 사람들과 싸우고 다툴 의사를 점차 상실하게 되는 것이다. 〈부 카〉

오직 자기 자신의 힘으로 좋은 생활을 찾도록 하라. 그것은 그대에게 부과된 봉사를 완전히 수행하는 것이기 때문이다.

21일 폭풍(暴風)

폭풍이 물을 뒤흔들어 흐르게 하는 것과 같이, 정욕·불안·공포는 인간이 자기의 본연성을 인식하는 것을 방해한다.

너그럽고 아름다운 마음을 가지고 있는 사람은, 언제나 평화로우며 만족한다. 마음이 좁은 사람은 언제나 불안하여 슬퍼한다. 〈노 자〉

생활을 이지의 빛 속에 두고 그것에 봉사하는 사람, 무슨 일이나 절망하지 않는 사람, 양심의 괴로움을 모르는 사람, 고독을 겁내지 않고 소란한 사회를 가까이 하지 않는 사람, 이와 같은 사람은 고귀한 생활을 하고 있는 사람이다.

그는 사람들로부터 멀어지지도 않으며, 사람들에게 쫓기지도 않는 사람이다. 그는 그의 영혼이 언제나 육체의 옷을 입고 있다는 점에 대해서 마음을 번거로이 할 필요가 없다.

그의 행위는 죽음을 앞에 두고도 평상시와 조금도 다름이 없다. 그로서의 불안은 자신이 사람들과 평화로이 사귀고, 지혜로운 생활을 하고 있는가 어떤가 하는 그 점 뿐이다.

〈오레리아스〉

이 세상에 있어서 항상 자기의 처지를 확실히 깨닫고 있을 때는 그 사람의 정신상태가 일정하게 된다.

정신상태가 일정하게 되면, 모든 정신의 초조는 없어진다. 정신의 초조가 없어지면, 비로소 완전한 평안이 온다.

이 평안을 갖는 사람은, 사색하기에 알맞는 사람이다. 이와 같은 사람은 모든 진리를 받아들일 수 있는 사람이다.

〈공 자〉

처음부터 끝까지 편안하다는 것은 불가능하다. 또 반드시 필요하지도 않다.

편안한 때가 오면 그것을 귀중하게 생각하고, 오래 계속되도록 노력하지 않으면 안된다.

그것은 생활을 지도하는 좋은 사상을 낳으며, 그 사상이 명백하게 되어 확보될 때이다.

22일 자존(自尊)

자존심은 교만(驕慢)의 시초이다. 교만은 자존심이 억제하지 못할 때 그 형태를 나타내는 것이다.

자존심을 꺼리지 않는 사람, 이 세상에서 누구보다도 자기를 높은 곳에 두고 싶다는 본능을 꺼리지 않는 사람은, 어쩔 수 없는 장님이다. 그만큼 그로하여금 정의와 진리에서 배반시키는 것은 달리 또 없다.

자존심은 그것 자체가 위험하다. 왜냐하면 이 세상에서 자기를 누구 보다도 높은 곳에 둔다는 것은 불가능하기 때문이다.

또한 자존심은 부정의한 것이다, 왜냐하면 자신을 누구 보다도 높은 곳에 두려고 함은, 모든 사람이 원하는 바이기 때문이다.

〈파스칼〉

인간에는 두 가지 형태가 있다. 그 하나는, 자기는 바른 사람이지만 죄가 있다고 생각하는 사람들. 다른 하나는, 자기는 죄가 있는 사람이지만 바르다고 생각하는 사람들이다.

〈파스칼〉

우리는 서로가 공순하게 되기 어려운 성질을 가지고 있다. 우리는 서로가 다만 남에게 멸시를 당하거나 천대를 받지나 않을까 하는데만 조심하고 있다.

우리는 사람들 앞에서 자기의 비열함을 감추려는 부질 없는 짓을 하고 있다. 심지어는 자기 자신에 대해서도 감추려고 애쓰고 있는 것이다.

우리는 자기가 있는 그대로를 보는 것을 주저한다. 비록 우리가 아직도 서로 공순하여질 수는 없다 할지라도, 최소한도 자기의 교만만은 미워하자. 그리하여 무서운 악을 적게 하기에 힘쓰자.

인생에 있어서 가장 중요한 것은 자기완성이다. 그러나 자기 자신을 자랑할 수 있을 만큼, 다른 사람들보다 잘났다고 생각할 때에는, 자기완성을 도저히 기대할 수 없는 것이다.

23일 가책(苛責)

양심이란, 이 세상의 모든 의의에 대한 인식이다.

양심! 그렇다, 양심이야 말로 선과 악에 대한 확실한 판결자이다. 인간을 신께 가깝게 하는 것은 오직 양심 뿐이다. 양심은 인간의 본연성을 형성한다.

인간을 동물보다 우월하게 하는 것은 양심 이외에는 존재하지 않는다. 양심 없이는 옳은 판단을 내릴 수 없으며, 이성은 그 기반을 잃고 만다. 그 때에 인간은 오직 과오에서 과오로 헤매어 다니는 가엾은 상태 밖에는 갖지 못할 것이다.

〈룻 소〉

양심에 가책되는 일은 하지 말라. 진리에 배반되는 말을 하지 말라. 이 점을 가장 중요한 것으로 알고 지켜라. 그때에 그대는 인생문제를 해결할 수 있을 것이다.

누구나 그대의 의지를 폭압할 수는 없다. 그대의 의지를 도둑질할 강도는 존재하지 않는다. 이성이 용서하지 않는 것을 탐내지 말라. 모든 사람의 행복을 원하라. 모든 사람이 그러하듯 개인적인 것을 탐내는 마음을 버려라.

인생 문제는, 대다수 사람들의 편을 드는데 있는 것은 아니다. 그대 자신 속에 의식되는 법칙과 일치되도록 사는 데 있다.

〈오레리아스〉

밖에서 들려오는 몇천 몇 만이란 소리도, 그대를 다만 빗길로 이끌어 들일 따름이다. 그대의 내부에서 들려오는 양심의 나직한 소리만이, 믿을 수 있는 안내인인 것이다.

〈루시 · 말로리〉

모든 사람이 범죄적 성질을 가지고 있다. 그 차이는 다만 죄를 범한 다음에 양심이 얼마나 가책을 받는가 하는 정도에 달려있다.

〈아리페리〉

양심의 명령과 싸울 수는 없다. 그것은 신의 명령이다. 그 명령에 곧 복종하지 않으면 안된다.

24일 만약(萬若)

만약 우리들 모든 인간생활의 근원이 동일하지 않다면, 우리들이 경험하는 동정(同情)의 감정은 어떻게 설명할 수 있을 것인가?

비록 그것이 정당한 노여움이라 할지라도, 그 상대방을 「그도 역시 불행한 인간」이라고 생각한다면, 그 노여움은 곧 사라질 것이다. 이보다 빨리 노여움을 풀게 하는 길은 없다. 노여움에 대하여 동정은 불에 대한 물과 같은 것이기 때문이다.

타인에게 대하여 노여움에 불탄 나머지, 그에게 괴로움을 주려고 한다면, ──가령 그 복수가 끝나고 이제 그는 육체적으로도 정신적으로도 괴로워하며, 혹은 가난과 몰락(沒落) 속에서 고뇌한다고 상상하여 보라. 그 때 그는 그것이 모두 자기의 소행이었다는 것을 깨닫게 될 것이다. 이것이 사람의 노여움을 갈아앉히는 가장 용이한 방법인 것이다.

〈쇼펜하우어〉

사람이 걸어야 할 올바른 길, 지켜야 할 도덕은 먼곳에 있는 것이 아니다.

만약 자기들 보다 멀리 있는 것, 즉 자기들의 본질과 일치하지 않는 것을 도덕이라고 한다면, 그것은 악이다.

그와 같이 성자는 자기 자신에 대해 아끼는 감정 그것으로써 남을 대하므로, 행위에 대한 믿을 만한 도덕을 발견하는 것이다. 그는 자기가 바라지 않는 것은 남에게 대해서도 행하지 않는다.

〈공 자〉

그대보다도 더욱 불행한 인간은 얼마든지 있다. 이같은 생각은, 그 밑에서 편히 쉴 지붕이될 수는 없을지라도, 적어도 소낙비를 피하기에는 충분한 생각일 것이다. 〈리프텐벨그〉

고뇌하고 있는 사람의 위치에 자기를 놓고 생각하며, 그 실제적 고뇌를 경험할 때에만, 참된 고뇌는 시작되는 것이다.

25일 가치(價値)

자기의 사명을 알므로서, 남이 나의 가치를 아는 것이다. 그리고 자기의 사명을 아는 것은 오직 종교적인 사람 뿐이다.

왕이 성자를 향하여 물었다.
「너는 나를 생각하는 일이 있느냐?」
성자는 대답하였다.
「신을 잊어버렸을 때 생각합니다.」 〈사 디〉

사람들이 자신의 가치를 인식할 때가 드디어 왔다. 참으로 인간은 아무 목적도 없이 태어난 것인가? 인간은 숨어서 측면으로부터 볼 성질의 것이었던가?

그렇지는 않다. 나로 하여금 바르게, 그리고 확고하게 머리를 쳐들게 하라. 인생은 나에게, 구경감으로 주어진 것은 아니다. 내가 인생을 살기 위하여 주어진 것이다.

나는 어떠한 십자로에 서더라도 진실을, 깨끗한 진실을 말하는 것이 나의 의무라는 것을 알고 있다. 나는 나에게 향한 타인의 비난에 대하여 마음을 쓸 필요가 없다. 참된 인생의 의의에 대하여 마음을 써야 할 것이다. 〈에머슨〉

어리석은 자에 대한 태도만큼, 그 사람의 특성을 잘 나타내는 것은 없다. 〈아미엘〉

그 사람이 악인이며, 우자(愚者)이며, 부정하다는 이유로써, 그 사람을 존경할 의무를 지키지 않아도 좋다면——우리가 범하는 타인 경시(輕視)의 한계에는 끝이 없을 것이다.
〈쇼펜하우어〉

자기 자신이 정신적인 실재라는 것을 알고 있는 사람이, 자기와 타인의 인간으로서의 가치를 알 수 있는 것이다.

이와 같은 사람만이, 자기 자신과 이웃을 인간으로서 가치없는 것으로 저하시키지 않는 것이다. 어떠한 행위에 있어서나, 또 어떠한 경우에 있어서나 그런 것이다.

26日 문제(問題)

사람이 신을 향하여 「무엇 때문에 당신은 나를 이 세상으로 보냈읍니까?」하고 물을 때, 인생의 의의를 결정하기란, 아주 곤란하고, 해결하기 어려운 문제가 된다.

그러나 자기 자신을 향하여 「무엇을 할 것인가?」하고 물을 때는, 아주 간단하게 된다.

인생은 시시각각으로 갈갈이 찢어지는 고뇌로서 가득한 것이다. 그것이 가장 어리석은 조소의 대상이 되지 않기 위해서는, 다음과 같은 점을 생각지 않으면 안된다.

즉 인생의 의의는 그 시간의 길고 짧음에 의하여 결정되는 것이 아니라는 점이다. 〈톨스토이〉

나그네는 객주집 방을 더럽히고 허물어지게 한다. 그리고는 충분히 설비를 해준 그 여관 주인을 비방한다. 마찬가지로 사람들은 이 세상의 악에 대하여 신을 비방하는 것이다.

〈에머슨〉

생활의 의의를 이해하지 않고 살아 가려면, 단 하나의 방법이 있을 뿐이다.

그것은 끊임없이 육체적인 유혹 속에서 사는 것, 담배와 술과 아편 속에 사는 것, 혹은 모든 종류의 정념이나 쾌락에 빠지고 언제나, 관능적인 유혹 속에서 산다는 그것이다.

〈존·러스킨〉

그대가 인생의 의의를 생각할 때에, 쓸데없이 난처해 하며 이해하기 곤란한 일을 무슨 비극적인 사건으로 생각하여서는 아니 된다.

인생의 의의를 생각함에 있어서 쓸데없이 난처해 하는 사람은 좋은 책을 읽고 있는 사람들 속에서 쩔쩔매는 사람과 같다. 그는 다른 사람이 읽는 것을 들을 수도 이해할 수도 없다.

이런 사람의 처지는 비극적인 아무런 문제도 느끼게 하지 않는다. 도리어 우습고 불쌍하게 여겨질 따름이다.

27 신뢰(信賴)

진정한 종교는 이성의 종교가 아니다. 그러나 진정한 종교는 이성에 배반할 수 없는 것이다.

자기의 이성을 신뢰하지 않으면 안된다는 것은, 숨길 필요도 의심할 수도 없는 진리다.

이성에 대한 신앙은 다른 모든 신앙의 기초이다. 만약 우리들이 이성에 의하여 신을 아는 능력이 없다면, 신을 믿을 수도 없을 것이다.

이성은 계시를 받아들이는 단 하나의 능력이다. 오직 이성에 의하여서만 계시는 받아들일 수 있다.

이 가장 우수한 우리들의 능력에 의하여 정밀하게 공평하게 살핀 다음, 어떤 가르침이 우리들의 의심할 수 없는 중요한 원칙과 일치하지 않으며, 또는 배반되는 것인가를 알고, 우리들은 그 가르침을 믿기를 삼가야 하는 것이다. 〈챤 닝〉

빛이 그대와 함께 있는 한, 빛을 믿으라. 그대는 빛의 아들이 되리라. 〈성 서〉

천상적(天上的)인 실재가 그 언젠가 우리들 인류를 향하여, 모든 세계와 인류의 존재 목적을 설파하였다는 것을, 진정으로 믿는 사람은 어린애와 같이 천진난만한 사람이다.

이 세상에는 현인들의 사상 이외에, 어떠한 계시도 존재하지 않는 것이다. 비록 그 사상이 대다수의 사람들에 의하여 착오를 일으키고, 때로는「종교」라고 불리워지는 놀랄만한 우의 신화라는 형식이 씌워진다 할지라도 역시 마찬가지다.

〈괴 테〉

거짓말 하는 사람들이 무엇이라고 말하든, 이성의 숨을 죽여서는 안된다. 이것은 참된 종교를 인식하는데 필요한 것이다.

이성을 깨끗이 하고, 넓히고, 그리하여 가르침을 받은 모든 것을 이성으로 검토함이 필요하다.

28日 병고(病苦)

병을 자각할 수 있는 것은, 육체를 지키기 위해 필요한 조건이다. 마찬가지로 고뇌라는 것은, 탄생에서 죽음에 이르기까지 우리들의 생활에 있어서 없어서는 안될 조건이다.

공기의 압력을 없애버린다면 우리들의 육체는 부서져 버릴 것이다. 마찬가지로 결핍·노고(勞苦), 기타의 괴로운 운명의 압력이 인간의 생활에서 없어진다면――인간의 자부심(自負心)은 차츰 커지고, 그 자신이 파멸해 버리지는 않더라도, 어쩔 수 없는 우매와 광증을 나타내게 될 것이다.

〈쇼펜하우어〉

모든 존재는, 신이 보내주는 모든 것을 이롭게 사용할 수 있다. 뿐만 아니라 그것을 보내주는 그 때를 잘 이용할 수도 있는 것이다.

〈오레리아스〉

고뇌는, 할 일에 대한 각성이다.

고뇌 속에서만 비로소 우리는 우리의 생활을 느끼는 것이다.

〈칸 트〉

폭풍 속에서만, 항해의 예술미는 충분히 표현된다. 전쟁터에 있어서만, 군대의 용감성은 경험된다.

인간의 용기는, 곤란하고 위험한 경우에 떨어졌을 때에만 알 수 있는 것이다.

〈다니엘〉

신 자신이 보낸 것이라는 확신을 얻을 수 있는 스승이 우리에게 주어진다면, 우리들은 기쁨으로써 그 스승을 따를 것이다.

우리들은 그런 스승을 가지고 있다. 그것은 결핍 그것이다. 그리고 일반적으로 말해서 인생의 모든 불행한 기회도 그 스승이다.

〈파스칼〉

형벌로서 죽음이 없는 영원한 생활을 살아야 하는 「영원의 유태인」이라는 우화가 있다. 마찬가지로 고뇌없는 생활을, 형벌로서 받게된 인간의 이야기도 틀림없는 사실일 것이다.

29日 반성(反省)

그 이전의 착오에 대신하여, 사람들의 의식 속으로 들어오는 모든 진리에 있어서도, 다음과 같은 시기가 존재한다.

즉 이전의 것이 착오인 것이 명백하며, 그것에 대신하는 진리도 잘 알고 있음에도 불구하고, 오히려 착오가 사람들을 지배하는 시기가 그것이다.

이러한 착오에 대해서, 합리적인 이론으로 싸우는 것은, 아무 도움이 없을 뿐만 아니라 도리어 해로운 것이다.

민중들이 자기는 하찮은 존재라고 믿고 있음을 보면, 나는 놀라지 않을 수가 없다. 〈몽테뉴〉

실례(實例)만큼 전염되기 쉬운 것은 없다. 그것을 보지 않았더라면 절대로 하지 않았을 그러한 행위를 우리가 행하도록 실례는 우리를 강요한다. 그러므로 사악(邪惡)하고 관능적(官能的)인 사람들과의 교제는 영혼을 멸망하게 한다.

〈톨스토이〉

자기 스스로 사색하지 않는 사람은 항상 악한 사람들이 주장하는 바에 따라가고 만다.

자기 자신의 사색을 누구에게 공물로 바치는 것은, 자기 자신의 육체를 누구에게 공물로 바치는 것보다도 천한 일이다.

〈카알라일〉

그대의 주위에서 일하는 사람들의 흉내를 내고 싶거든, 언제나 멈추어 서서 생각하라. 이 세상의 실례에 따르는 것은 올바른 일일까? 올바르지 못한 일일까?

개인으로서의 또는 사회로서의 커다란 죄악과 불행은, 다만 조심성 없이 밖으로부터 몰려들어 오는 것에 맹종하는 데서 일어나는 것이다. 〈에머슨〉

남에게서 받는 악은 오직 선을 행함으로서만, 그것을 지워버릴 수 있는 것이다. 선을 행하는 가장 좋은 방법은 선량한 생활을 하는 것이다.

30일 과도(過度)

정도가 지나친 자아는 정신병이다. 그것이 가장 지나친 정도에 달하면, 그때는 과대망상증이라는 병이 되고 만다.

자기부정은 자유를 파괴하는 것이라고 사람들은 생각하고 있다. 이와 같은 사람들은, 자기부정 만이 사욕의 노예가 되는 길에서 우리들을 해방하고, 참된 자유를 얻게 한다는 점을 알지 못한다.

우리들의 정념(情念)은 가장 잔악한 폭군이다. 정념에 패배해 버림은, 그대의 자유로운 호흡을 잃고, 끊임없는 투쟁 속에 떨어져 버림을 의미하는 것이다.

그와 같은 예속에서 자기를 해방하라. 그러나 사람들은 이것은 태연스럽게 자유라고 부르는 것이다. 〈페누론〉

태양의 광선 속에는 언제나 어두운 한 점이 존재한다. 그것은 우리들 자신이 던지는 그림자이다. 〈카알라일〉

자기 자신을 완전히 부정하는 것은, 신에 속하는 생활이다.

그 무엇에 의하여서도 깨뜨려지지 않는 자아는 동물보다도 낮은 상태이다. 우리는 신에 속하는 생활에 가까이 가지 않으면 안된다. 〈톨스토이〉

「자아」에서 해방되는 것은, 참으로 필요한 일이다. 그것이 매우 곤란한 원인은, 자아는 생활상 피치 못할 한 상태라는 그 점에 있다.

즉 「자아」는 유년시절에 있어서는 피치 못할 자연발생적인 것이다. 그러나 그것은 이성이 성장함에 따라서 차츰 약해지며, 나중에는 없어지고 마는 것이다.

아이들은 「자아」에 대한 양심의 가책을 알지 못한다. 그러나 이성이 성장해 감에 따라서 「자아」는 차츰 약해져 간다. 그리하여 죽음에 가까워질수록 아주 없어지고 말아야 하는 것이다.

31일 전통(傳統)

진리가 퍼져나가는데 가장 큰 방해가 되는 것은, 낡은 것과 오랜 전통을 믿는 완고 이 두 가지이다.

진리다운 가치가 없는 진리, 영혼의 침실에 있어서 가장 어리석은 착오와 함께 잠자는 진리, 가장 경멸해야할 진리, 이런 것이 흔히 가장 중요한 진리라고 불리워진다. 〈콜리지〉

신(神)은 자신의 모습을 본따서 인간을 만들었다. 이것은 확실히 인간이 자신의 모습을 본따서 신을 만들었다는 것을 의미한다. 〈에머슨〉

인간의 역사를 살펴봄으로써 우리는 다음과 같은 사실을 안다. 가장 명백히 어리석은 것을 의심할 수 없는 진리라고 생각했다는 것, 전 국민이 터무니없는 미신에 의해 희생이 되고, 시체와 다름없는 우상이나 멋대로 신의 대표자라고 공상하는 사신(邪神)앞에 무릎을 꿇었다는 것, 대다수의 사람들이 예속 속에서 신음하고 굶주림 때문에 죽어갔다는 것, 사치하고 풍족한 생활을 했다는 것 등등.

이와 같은 착오가 지배한 원인은, 언제나 아욕(我慾)의 억센 영향과, 어린이들의 순진한 질문에 대답하는 것을 거절한 그 교활에 있었던 것이다. 〈헨리 · 죠지〉

토지를 분할하여 사유한다는 것은, 결코 사람들 사이에 자연스러운 관계를 갖게 하지는 못한다.

역사상에 있어서 그것은 항상 그 결과로서 약탈이나 파괴를 따르게 하고 있는 것이다. 〈헨리 죠지〉

전통을 존경하지 않음은 큰 죄악이 아니다. 그것은 전통을 존경함으로써 발생하는 죄악, 즉 오늘날에 있어서는 아무런 합리적인 근거조차 갖지 못한 습관 혹은 법률이나 제도를 낳기 때문에 죄악의 백분의 일도 되지 않는 죄악이다.

11월의 장

〈레지에 그림〉

1일 자긍(自矜)

자기의 운명은 행복해야 한다고 생각하는 인간은 겸손하지 못하다. 자기를 신의 종복으로 믿고, 신에 대한 봉사에 운명을 맡기는 사람은 겸손한 사람이다.

자랑하는 자는 보답을 받을 수가 없다. 거만한 자는 그 이상 자기를 향상시킬 수가 없다. 이지의 판단 앞에 나서면 그들은 무용지물(無用之物)에 지나지 않는다. 그리하여 모든 사람들에게 염오(厭惡)를 일으키게 하는 것이다. 그러므로 이지를 가진 사람은, 지나친 자기신뢰를 갖지 않는 법이다.

〈노 자〉

다음과 같은 점을 명심하라. 즉 그대는 여하한 사물에 대해서도 권리를 갖고 있지 않다는 것, 그대는 생명의 본원에 종속되어 있다는 것, 그러므로 그대에게는 오직 의무만이 부과되어 있다는 것을. 〈리프텐벨그〉

자기 자신을 깊이 파고 들수록, 자기 자신이 부질없는 존재라는 생각을 가지게 될수록, 그대는 한층 더 높아지며, 신에게로 가까와진다. 〈바라문교 성전〉

참으로 착한 사람이 겸손한 것은, 사물에 대한 그의 성실성을 보면 알 수가 있다. 그는 현재 자기가 하고 있는 일에 심신을 다 바치는 것이다. 〈공 자〉

정신에 있어서 정신으로부터 생겨나지 않는 모든 것은 동일하다. 왜냐하면 정신 생활은 자립하고 있기 때문이다. 그러나 정신의 생활은 과거와 미래에 있어서는 아무런 의의도 가지고 있지 않다. 그 중요성은 전부 현재에 집중되어 있기 때문이다. 〈에머슨〉

인간 내부에는 이미 신이 존재하므로, 인간은 신과 결합되어 있다. 18세기의 신비시인(神秘詩人) 앙겔스는 이렇게 말했다. 「내가 신을 보는 눈은, 신께서 나를 보시는 눈이다.」

〈아미엘〉

2일 순수(純粹)

인간적 영예만을 노리는 행위는, 그것이 어떠한 결과를 가져오든, 반드시 악이다.

선을 행하고자 하는 의지와, 인간적 영예를 얻고자 하는 의지와 같은 정도로 작용하는 행위도 역시 그러하다.

그 가장 중요한 동기가 신의 의지를 행해야 하겠다는데서 나온 행위만이, 오직 선이 될 수 있는 것이다.

모든 선행은 사람들의 칭찬을 얻고자 하는 희망을 가져도 좋다. 그러나 그것이 인간적 영예만을 위하는 것일 때 그것은 악이다.

선을 행하려는 희망 속에, 사람들의 칭찬을 얻고자 하는 희망이 따를 뿐이라면, 그것은 역시 선행이라 할 수 있다.

〈에피크테타스〉

우리는 항상 자신의 공상적인 존재를 장식하기에 마음을 쓰고, 현실을 멸시한다. 그리하여 만약 편안·신념·관대중 그 어느 것을 얻게 되면, 될 수 있는대로 그것을 속히 공표하고, 그 같은 덕성들이 공상적인 존재가 되게끔 노력한다.

그 공상적인 존재에게 덕성을 주기 위하여 우리는 참다운 자기에게서 그들을 빼앗기도 한다. 우리는 다만 용감하다는 평판을 잊기 위하여 노력하는 비겁한 자이다. 〈파스칼〉

마음 내키는대로 행동하는 「자유적 존재」는, 동시에 악마에게 자신을 바친 존재이다. 도덕의 세계에 있어서 주인 없는 곳이란 있을 수 없다. 끝없는 땅이란 악마에게 속하는 것이다.

〈아미엘〉

타인의 칭찬이 그대 행위의 결과 여하에 따르도록 되어야 한다. 결코 칭찬을 목적으로 삼아서는 안된다. 오직 신을 위한 인생임을 알 것 같으면, 아무도 알아주지 않는 생활을 할지라도, 그대는 행복하리라. 시험해 보라. 말할 수 없는 환희를 맛보게 될 것이니.

3일 일치(一致)

불변의 법칙이란 하나 밖에 존재하지 않는다. 그것은 신의 법칙이다. 인간이 만든 법칙이 법칙으로 되자면, 그것은 신의 법칙과 일치됨으로써만 가능한 것이다.

사회적 문제를 해결하기 위하여 필요한 이해력은 논리적 능력에 의해서만 얻어지는 것이 아니다.

그러자면 개인이나 단체의 단독적인 이해를 초월하여야 한다. 그것은 우선 정의를 찾지 않으면 아니된다.

모든 사회문제의 근본에는, 항상 그 어떤 공통된 부정의를 발견할 수 있기 때문이다. 〈쟌·러스킨〉

선의식(善意識)이 신의 직접적인 영향이 아니라고 믿는 것은, 태양의 광선도 우리의 눈이 낳은 것이며, 또는 사회 일반의 의견이 낳은 것이라고 믿는 이상으로 곤란한 일이다.

촉감이 우리의 육체 밖에 사물의 존재를 가르쳐 주듯이——이성은 우리의 개인적 감정 밖에 사물의 존재를 가르쳐 준다. 즉 정의·선·진실은 우리들 자신의 소산이 아니라, 신에 의하여 우리에게 주어진 것임을 알게 하여 주는 것이다.

〈말티노〉

법칙의 수립은 오직 신 만이 할 수 있는 일이다. 법칙 아래 있는 인간으로서의 소임은, 그 법칙속에 젖어들어 바르게 생활에다 적용한다는 그것이다. 〈에머슨〉

허위를 조장하는 지식을 우리는 우선 배척하여야 한다.

〈에머슨〉

신의 법칙과 인간의 법칙은 상반(相反)된다. 그러면 어떻게 할 것인가? 신의 법칙을 버리고 인간의 법칙을 고집할 것인가?

신의 법칙은 차츰 명백해지고 있다. 이제는 단 하나 타개책이 남아있을 뿐이다. 즉 인간의 법칙 대신에 신의 법칙을 높이 숭상 한다는 그것이다.

4일 논쟁(論爭)

논쟁이란 것은, 반드시 진리를 밝히는 것이 아니라, 흔히 진리를 혼란에 끌어넣고 마는 법이다.

진리는 고독 속에서만 익어간다. 진리가 완전히 익으면, 우리는 논쟁 없이도 얼마든지 받아들일 수가 있다.

충분한 확신이 서지 않은 지식을 완고히 주장해서는 안된다. 타인에게서 들은 말을 경솔히 믿어서는 안된다. 어떤 사람이 단점을 가졌다 하여 곧 멸시해도 안된다. 〈공 자〉

노여움을 쉽사리 진정시킬 수 없을 때엔, 입을 다물고 있으라. 그러면 평온한 상태를 도로찾을 수 있을 것이다,

〈박스테엘〉

논쟁을 피한다는 것은 누구에게나 곤란한 일이다. 그러나 의견이란 것은, 못(釘)과도 같은 것이어서, 대가리를 때리면 때릴수록, 더욱 깊이 안으로 파고드는 것이다. 〈유웨날〉

정당한 경우에 있을 때에도, 침묵을 지킬 줄 아는 사람은 신과 같은 사람이다. 〈칸 트〉

누가 그대를 슬프게 하고 기분을 상하게 하였을 때, 그대 마음이 진정되기 까지는 항의하기를 삼가하라.

아무래도 항의하지 않으면 안될 경우에는, 우선 정신의 흥분을 가라앉힌 다음에 하라. 〈에머슨〉

말은 마음의 열쇠이다. 아무데도 쓰지 못할 말은 모두 부질없는 낭비임을 알라.

혼자 있을 때에는, 자신의 죄를 생각하라. 타인과 함께 있을 때에는, 그들의 죄를 잊으라. 〈노 자〉

많은 것을 말하고자 할수록, 우리는 옳지 않은 말을 하기 쉬운 위험성을 가지고 있다.

5일 심려(深慮)

사상은 진리를 확실하게 한다. 그러므로 옳지 못한 사상은, 충분한 사색과 연구를 거치지 못한 사상이다.

이세상의 번뇌와 가지가지 유혹 속에서, 욕망을 억제하는 길은 찾기가 곤란하다.

우선 유혹 없는 곳에서 계율을 정하라. 다음에 목적을 세워라. 그렇게 할때 우리는 비로소, 여하한 유혹에 부딪칠지라도, 그것과 싸울 수 있는 힘을 가지게 되는 것이다. 〈벤 담〉

촛불을 조용히 타게 하기 위해서는, 바람이 없는 곳에 두어야 한다. 만약 바람 속에 불이 놓인다면, 항상 흔들려서 안정됨이 없으며, 우리 영혼의 맑은 표면에 어둡고 괴이한 그림자를 던질 것이다. 〈바라문교 성전〉

조용한 것은 조용한대로 놓아둘 수가 있다. 아직 나타나지 않은 것은 숨겨 둘 수가 있다. 약한 것은 부수어 버리기가 쉽다.

사물은 그것이 존재되기 전에 조심하여야 한다. 무질서가 되기 전에 질서를 세워야한다. 큰 나무는 가늘고 작은 가지가 성장하여 이루어진 것아다. 높은 탑도 작은 돌이 쌓여서 이루어진 것이다. 천리 길도 한걸음부터 시작되는 것이다.

최후에 이르기까지 최초와 같이 조심성 있게 하라.

그때에 비로소 여하한 일이라도 성취할 수 있을 것이다,

〈노 자〉

심려는 불멸로 가는 길이다. 천려(淺慮)는 죽음으로 가는 길이다. 심려는 결코 죽지 않으나, 천려는 반드시 죽고 만다. 자기 자신을 지킬때, 그대는 불멸이다. 〈석 가〉

정신 속에 싹트는 악한 사상은 막을 길이 없다. 그러나 그것을 끝까지 연구 검토할 수는 있다. 그러므로써 사상의 악은 뿌리를 뽑아버릴 수 있는 것이다.

6일 훼예(毁譽)

타인을 비난함은 어리석은 행위이다. 그것은 어떠한 경우라도 필요치 않은 일이다. 자타를 막론하고 피해를 주는 행위이다.

자기 자신에게 대해서는 엄격하라. 타인에게 대해서는 겸손하라. 그러면 적은 없어질 것이다. 〈공 자〉

다음과 같은 비난은 죄악이다. 남의 단점에 관한 비난이라도 직접 본인의 면전에서 하는 것이라면 그것은 유익하지만, 그 비난이 참으로 필요한 본인은 모르게 행하여지고, 해독을 가져오는 사람들 앞에서만 행하여질 때, 그것은 죄악이 된다. 〈탈무드〉

어느날 밤 야회(夜會)가 있었다. 모임이 거의 끝날 무렵, 손님의 한사람이 인사를 하고 돌아갔다. 그러자 뒤에 남은 사람들은, 그를 비방하기 시작하고, 여러 가지로 악담을 하였다.
두번째 돌아간 사람에게도 같은 악담이 퍼부어졌다. 이렇게 하여 손님들이 모두 돌아가고, 한사람만이 남게 되었다. 혼자 남은 그는 말하기를,
「미안하지만 여기서 재워 주십시오. 먼저 돌아간 사람들과 같은 사람이 될까 두려워서 갈 수가 없군요!」 〈톨스토이〉

우리는 자기 자신을 극복하였을 때, 비로소 타인을 비난하지 않게 된다. 〈칸 트〉

말과 말 사이를 일부러 이, 삼초씩 시간을 두고 하는 어떤 노인을 보았다. 그는 말로 인하여 범하여지는 죄악을 두려워 한다는 것이었다. 〈파스칼〉

말은 사상의 표현이다. 사상은 신의 힘이 나타난 것이다. 그러므로 말은 그 표현과 조화되지 않으면 아니된다. 말은 악의 표현이 되어서는 아니되며, 또 그럴 수도 없는 것이다.

7일 생존(生存)

생존은 꿈, 죽음은 각성이다. 죽음은 새 생활의 출발점이다. 〈몽테뉴〉

인간의 영혼을 불멸의 것으로 믿는 나의 신념이, 하나의 착오에 불과하다 하더라도, 나는 자신의 착오에 만족한다.

그리고 내가 살아있는 동안, 그 누구라도 나로부터 이 신념을 빼앗아갈 수는 없을 것이다. 이 신념은 불변의 평화와 완전한 만족을 나에게 주는 것이기 때문이다. 〈시세로〉

나는 다음과 같은 상념에서 떠날 수가 없다. 즉 우리는 태어나기 이전에는 죽음의 상태에 있었으며, 죽음으로써 다시 그 상태로 돌아간다는 그것이다.

죽는다는 것, 즉 그 이전 자기 존재의 기억을 가지고 산다는 것, 이것을 가상이라고 이름하자. 그리하여 새로이 구체화된 기관을 가지고, 거기에서 잠깨는것, 이것은 탄생을 의미하는 것이다. 〈리프텐벨그〉

내가 동물을——개나 새, 또는 개구리나 벌레를 죽였다고 하자. 엄밀한 의미에서 말하면 나의 그 사악하고 천박한 행위에 의해서, 결코 그들의 존재를 무로 돌아가게 할 수는 없는 것이다.

또 한편으로 말하자면, 온갖 종류의 무수한 동물들이, 그 탄생 이전에는 어느 곳에도 존재치 않은 무(無)였으며, 탄생에 의하여 비로소 존재한다고는 할 수 없는 것이다.

〈쇼펜하우어〉

「사후는 어떻게 될 것인가?」하는 문제에 대해서, 오직 미래는 우리에게서 막혀져 있는 것이라고 밖에 생각하지 않을 수 없다.

미래라는 것은 막혀져 있을 뿐만 아니라, 전혀 존재하지 않는 것이다.

미래란 시간에 관한 말이지만, 우리는 죽음에 의해서 시간을 초월하는 것이기 때문이다.

8일 인지(認知)

신의 법칙과 신 그 자신과의 관계는 우리들의 감각과 세계 및 물질과의 관계와 같다. 감각이 없다면 우리들은 어떠한 물질에 대해서도 무엇 하나 알 수가 없다.

우리들의 마음 속에 법칙이 없다면, 우리들은 신에 대해서도 무엇 하나 알 수가 없을 것이다.

신을 알자면, 단 하나의 방법이 있다. 그것은 자신의 의무를 완수하며 이성에 의하여 규범에 일치된 행위를 한다는 것이다.

신이 존재한다는 것은, 다음과 같은 의미라고 나는 생각한다. 즉 나 자신의 자유 의사를 지켜나가면서, 진실에 의하여 행위할 필연성을 느낀다는 그것이다. 이것이 곧 신이다.

〈리프텐벨그〉

신의 관념이란 아무리 위대하다 할지라도, 우리들 영혼의 본질적 관념이다. 오직 그것이 한없이 깨끗해지고 높여진 것에 불과하다. 신에 대한 이해의 기초는 우리들 속에 존재해 있는 것이다.

〈챤 닝〉

만약 사람이 자기 외부에 있는 것 및 자기 자신이 실제로 존재하고 있는 것이라고 인정한다면, 그 사람이 마음 속에 느끼는 필요도, ──즉 계율과 그 계율을 부여하는 존재도, 실제로 존재하고 있다는 것을 반드시 깨달으리라.

〈톨스토이〉

일면으로 말한다면, 모든 외부세계는 그 자체에 있어서 독립적으로 존재하는 것이 아니라, 인간으로서의 「나」에 의하여 조건 지어지고 사고되는 것이다. 즉 우리들 사고의 과실인 것이다.

〈에머슨〉

신을 이해함은, 모든 사람에게 가능한 일이다. 그것은 모든 사람의 본연성이다. 신의 계율을 다함은, 모든 사람에게 똑같이 지워진 의무이다.

9일 신생(新生)

동물로서의 인간은 죽음에 반발하려고 한다. 그러나 인간은 이성에 의하여 언제나 다음과 같은 점을정할 수 있다.

즉 죽음에 대한 인간의 태도는, 순종적일 뿐만 아니라, 동의해야 할 것이라는 점이다. 죽음의 육체적 고통이 인간으로 하여금 죽음에 대하여 반항 하도록 한다. 〈톨스토이〉

생활은 죽음과 유사한 그 아무 것도 느끼게 하지 않는다. 아마 그러므로써 우리들 속에서 끊임없이 이지를 어둡게 하고 죽음이 불가피적이라는 확신을 움직이려는, 기계적이고 본능적인 희망이 생기는 것이리라.

생활은 동화 속의 앵무새와도 같이, 목을 졸리우는 순간 까지도 「아무것도 아니야, 아무것도 아니야」를 되풀이하는 것이다. 〈아미엘〉

죽음이란 인식 대상의 변화이다. 또는 그 대상의 소멸이기도 하다.

그러나 인식 그것은, 구경의 장면이 바뀌어져도, 구경꾼은 없어지지 않는 것과 같이, 죽음으로 인해서 없어지는 것은 아니다. 〈쇼펜하우어〉

최후의 때가 와서 죽음이 가까와지면 정신적인 본원은 육체에서 떠난다.

그것이 육체를 뒤에 남기고, 초(超) 시간적이며 초 공간적인 모든 것의 본원과 하나가 되는 것인가, 또는 또다시 다른 유기적인 형태 속에 옮아 가는 것인가, 우리는 알지 못한다, 〈에머슨〉

만약 이 세상에서 일어나는 모든 일이 우리들을 행복하게 하기 위하여 일어나는 것이라고 믿으며, 이 생활의 근원에 행복이 있다고 믿는다면, 죽음으로 인하여 수행되는 모든것은, 우리들의 행복을 위하여 수행되는 것이라고 믿지않으면 안된다.

10일 포말(泡沫)

이 세상에서 우리들이 보고 있는 모든 것, 우리들이 생각하고 있는 모든 것은, 그 근원을 우리들의 정신속에 가지고 있다.

우리들은 이 세계에 있어서 질서와 총명한 통어(統御)를 보아야한다. 그것은 우리들의 사색 능력이 세운 것에서 생기는 것이다. 그러나 그 때문에 다음과 같은 것을 생각할 수는 없다.
즉 우리들의 사색에서 제외할 수 없는 것을, 현실에 있어서도 제외할 수 없는 것이라고 생각할 수는 없다. 왜냐하면 그 현실의 외부 세계를 세운 정체를, 우리는 알지 못하기 때문이다.
〈리프텐벨그〉

인간은 자기 자신을, 다만 육체적인 존재로써만 본다. 그러므로 그 사람은, 해명할 수 없는 수수께끼와 모순 속에 빠지고 마는 것이다.
〈카알라일〉

이 약하디 약하며 숫한 희망으로 가득찬 의복을 입은 자의 그림을 보라. 이 속에 힘은 없다. 제 스스로 제 몸을 지킬 수도 없다.
이 약하고 힘없는 육체는 소비되는 것이며 언제 산산히 흩어질지도 알 수 없는 것이며, 또 그 속에 들어 있는 생명은 언제 죽음으로 옮겨 갈는지도 알 수 없는 것이다. 두개골은 마치 가을에 딴 호박과도 같다. ── 그래도 기뻐할 수가 있을까? 아직도 희망을 가질 수가 있을까?
뼈가 살로 덮히고 피로 길러져 육체는 그 모양을 갖추고 있다. 그 속에는 늙음이 자리잡고 있으며, 죽음이 자리잡고 있다. 더욱이 교만과 불손이 동시에 깃들어 있다. 〈석 가〉

모든 것의 참된 의미를 이해하기 위해서는, 눈에 보이는 모든 것을 보이지 않는 세계로, 모든 육체적인 것을 정신적인 세계로 귀일시킴이 절대로 필요하다.

11일 의무(義務)

인생의 법칙이란, 완성에 가까와지는 것을 말한다.

만약 내가 그것을 실행할 수가 없다면, 어떠한 도덕상의 법칙도 있을 수 없다. 그러나 의무라는 것이 존재해 있어서, 우리들을 이끌어간다.

사람들은 말한다. 「우리들은 이기주의자로 태어난 것이다. 사욕적(邪慾的)이며 천한 것으로 태어난 것이다. 우리들은 그 밖의 아무 것도 아니다」라고.

그러나 결코 그렇지는 않다. 무엇 보다도 우리들이 해야할 의무를 뼈저리게 느껴야 할 것이다. 그러면 그것이 우리들에게 힘을 줄 것이다. 〈솔테엘〉

오오 형제들이여, 우리는 될 수 있는데까지 제 자신의 양심을 도로 찾고, 돌과 같이 딱딱한 마음 대신 싱싱한 생기 있는 마음을 갖도록 해야 한다.

그때에만 단 하나의 선이 아니라, 선의 전 체계를 알게 될 것이다. 우선 제일보를 내어디디라. 제이보는 더욱 쉽고 명확하게 그리고 충실하게 될 것이다. 〈카알라일〉

그대들은 모두가 자유로운 행동자이다. 그대들은 그것을 느끼고 있다. 모든 슬퍼해야할 철학을 논의하는 궤변 학자들은 인간의 양심, 인간의 인식이 커다란 소리를 배반하며, 숙명적인 가르침을 세우려고 노력하고 있다. 〈마드지니〉

한 사람이 보석을 바다에 빠뜨리고 그것을 건져내기 위해서 국자로 물을 푸기 시작했다. 바다 신령이 나와서 물었다. 「언제까지 걸리겠는가?」

그는 대답했다. 「이 바닷물을 전부 퍼내면 보석을 찾을 수 있겠지요」

바다 신령은 그 보석을 건져다가 그 사람에게 주었다.

표면적인 결과란 우리들의 의지가 상관할 바 못되는 것이다. 그리고 내면적인 좋은 결과는 항상 착오없이 그 노력에 대응하고 있는 것이다.

12일 유강(柔强)

공순한 사람보다도 힘이 강한 사람은 없다. 공순한 사람은, 자기 자신을 떠나서 신과 함께 있는 것이다.

이 세상에서 물같이 부드럽고 잘 순종하는 것은 없다. 그러나 그 어떤 강하고 단단한 것 위로 떨어질 때는, 그 무엇 보다도 힘센 것이다.

약한 것은 강한 것을 이기고 마는 법이다. 이 세상 모든 사람은 이것을 잘 알고 있다. 그러나 아무도 이대로 하려고는 하지 않는다.

〈노 자〉

사아디는 말했다. 「어떤 나라에서 나는 호랑이를 타고 오는 사람을 보았다. 나는 놀라서 도망치지 못하고, 그 자리를 떠나지 못했다.」

그러나 그 사람은 말했다. 「사아디여, 무슨 일에나 놀라지 말라. 다만 그대가 신의 계율에서 벗어나자면, 아무것도 그대 자신의 계율에서 벗어날 수 있는 힘을 가진 것은 없으리라.」

〈톨스토이〉

지금 있는 곳에 만족하고 있는 사람은 매우 강한 것이나. 그 사람이 인간 이상의 높은 곳으로 올라가려고 할 때는 매우 약해지고 마는 법이다.

〈룻 소〉

가장 약한 것이 가장 강한 것을 이기는 것은 법이다. 그러므로 공순의 덕은 위대하다. 침묵의 이(利)는 위대하다. 그러나 이 세상에서는 다만 소수의 사람들만이 공순할 수 있는 것이다.

〈세네카〉

공순의 덕을 쌓은 사람은 원추형의 꼭대기로부터 바닥 쪽을 향하여 내려 오는 사람과 같다. 그가 내려오면 올수록, 정신생활의 원둘레는 점점 넓어진다.

〈칸 트〉

공순하면 공순할수록 사람은 더욱더 자유롭고 굳세게 된다.

13일 불만(不滿)

자기완성이란 인간의 본연성에 의하는 것이다. 왜냐하면 그 사람이 올바른 사람이라면, 현재의 자기의 덕성에 결코 만족하는 일이 없을 것이기 때문이다.

인간은 선에 대한 자기 자신의 보증을 발전시키지 않으면 안된다.

선은 인간 속에 충분히 완전한 선을 부여한 것은 아니다. 그것은 다만 선에 대한 보증일 따름이다.

자기 자신을 보다 훌륭하게 하고 교화하는 것——모든 사람은 이에 대하여 노력하지 않으면 안된다. 〈칸 트〉

인생에 있어서 다만 자기 자신을 선하게 하려고만 하면 도덕상의 완성 즉 자기 내부에 있어서의 만족과 종교적 공순을 얻기만을 원하는 사람은 그 어떤 사람 보다도 인생의 사명을 다할 수 없다는 위험에 빠지는 일이 가장 적은 사람이다.

〈아미엘〉

나쁜 습관에서와 같이 이기주의에서 가기 자신을 멀리할 필요가 있다. 그것은 가능한 일이다.

다른 사람을 위하여 아무것도 하기를 원하지 않거든, 하지 않아도 좋다. 그러나 자신만을 위하여 제멋대로 행동하는 일은 삼가라. 〈톨스토이〉

또 어떤 사람은 말하기를 「스승이여 나는 당신을 따르리라. 그러나 먼저 집안 식구들에게 이별말을 할 것을 용서해 주소서」라고.

그리스도는 대답하였다. 「손에 낫을 잡은 뒤에도 뒤를 돌아다 보는 자는 신의 나라로 들어갈 수 없는 자이다.」

〈성 서〉

자기 자신에게 불만족을 느끼는 것은, 진실한 생활에 있어서 없어서는 안될 일이다.

오직 이 불만족에 의해서만 사람은 자기 수양에 눈뜨는 것이다.

14日 평가(評價)

모든 지식 중, 인생을 밝게 비치며 인생을 지도할 수 있는 지식만이 중요한 것이다.

인생의 계율을 아는 것은 매우 중요한 일이다. 우리들을 자기완성으로 이끌어 주는 지식은 가장 제일의적(第一義的)인 지식이다.

〈스펜서〉

자기 만족 때문에 여러가지 과학의 위대한 보고(寶庫)를 소유하는 것보다는, 겸허한 마음으로 건전한 사상의 소량을 소유함이 나은 것이다.

학문에 악한 것이 있을리가 없고, 모든 지식은 각각의 입장에서 쓸모있는 것이겠지만, 지식 이전에 먼저 선량한 양심, 도덕적인 생활이 수립되어야 할 것이다. 〈포마·켐비스키〉

생각하는 방향이 올바르게 되지 않는 동안은, 의지도 올바르게 되지 않는다. 왜냐하면 의지는 생각하는 방향의 결과로서 나타나는 것이기 때문이다.

사상의 방향은 모든 인생의 계율 위에 자리잡고, 정의의 관점에서 취급될 때에만 선한 것이 되는 것이다. 〈세네카〉

학문의 발달과 덕성의 정화는 일치하는 것이 아니다. 이전의 모든 민족에 있어서는, 학문의 발달이 그 민족의 발달과 일치했다고 말할 수 있다.

그러나 오늘날에 있어서는 그 반대라고 생각하지 않을 수 없다. 그 이유는 우리들이 공허하고 기만적인 지식을, 참되고 높은 지식과 혼동하고 있는 점에서 그러하다. 〈카알라일〉

지식에 있어서 중요한 것은 양이 아니다. 정당한 평가가 가장 중요하다.

어떤 지식이 가장 중요한가? 그 다음으로는 어떤 지식이? 제 삼으로는? 그리고 최후로는? 이렇게 그 순서를 아는 것이 중요하다.

15日 화사(華奢)

부가 주는 기쁨은 허위이다.

자기를 위하여 재산을 지상에 쌓지 말라. 거기서는 벌레와 녹이 그 재산을 좀먹고 도둑이 그것을 훔쳐갈 것이다.

자신을 위하여 재산을 하늘에 쌓으라. 거기에는 벌레도 녹도 없고 도둑도 없다. 그대의 재산이 있는 곳은, 그대의 영혼이 있는 곳이다. 〈성 서〉

「그대의 재보(財寶)가 있는 곳은, 그대의 영혼이 있는 곳이다.」

재보를 물질적 부라고만 생각하는 사람은, 얼마나 무서운 진흙탕 속에 빠져있는 것일까! 〈톨스토이〉

사람들은 자기의 두뇌나 마음을 살찌게 하기 위해서 보다는 몇 천배나 더 많이, 부를 얻기 위해서 마음을 쓰고 있다.

그러나 우리의 행복은 외부에 있는 것이 아니라 내부에 있는 것임을 알아야 한다. 〈쇼펜하우어〉

왜 사람들에게 부는 필요한 것인가.

사람들에게는 말(馬), 좋은 의복, 아름다운 방, 그리고 여러가지 놀이터에 드나들 필요가 있기 때문이다.

이와 같은 인간에게 내면적인 사색을 주게하라.

그때에 비로서 그는 홀로 뜰로 나가거나 방으로 들어가거나 하며, 생각에 잠길 것이다. 〈에머슨〉

부(富)·권력·생활——사람들이 고생을 해 가며 소유하고 또 모으고자 하는 모든 것이 무슨 소용이 있단 말인가? 다시 그것을 잃으므로 해서 얻는 바 향락에만 소용되는 것이다. 〈리프텐벨그〉

정신적인 생활을 하고 있는 사람에게 부는 필요하지 않을 뿐만 아니라, 도리어 방해가 된다. 부는 참된 생활에 방해가 되는 것이다.

16日 자신(自信)

신앙은 인생에 힘을 준다.

그리스도의 고귀한 정신은 우리에게 항상 다음과 같이 말하고 있는듯 하다.

「두려워하지 말라. 가엾은 동포들아. 나의 안에 있는 신은 그대들에게도 가능하다. 신이 나의 곁에 있었음과 같이 그대들 곁에도 있다. 신을 섬기려는 모든 사람에게, 신은 부를 베풀어 주실 것이다.」 〈발케엘〉

신앙에는 여러가지가 있지만, 참된 신앙은 하나밖에 없다. 〈칸 트〉

다만 신앙이 확고하고 힘찬 자신을 낳는다. 정력을 낳는다. 그리고 사회 일체의 악을 고칠 수 있는 일치를 낳는 것이다. 〈마드지니〉

우리들은 단 한 사람의 신뢰할만한 지도자를 가지고 있다. 모든 인간 속으로 꼭 같이 침투할 수 있고, 그리고 모든 인간에게 할 일을 하도록 노력시키는, 보편적인 정신을 가진 신이 그것이다.

신은 수목에 대해서는 태양을 향하여 자라도록 명하고, 꽃에 대해서는 가을에 씨를 퍼뜨리도록 명하고, 우리들 인간에게는 신을 향하여 전진하도록 명한다. 신을 향하여 전진함으로써, 우리들 서로 서로가 결합하도록 명령한다. 〈톨스토이〉

인간은 살아 있는 동안 신앙을 가진다. 그 신앙이 진리에 가까와지면 가까와질수록, 그 사람의 생활은 행복하게 된다. 그 신앙이 진리에서 떨어지면 떨어질수록, 그 사람은 불행하게 된다.

신앙 없이 사람은 살아갈 수 없다. 신앙 없는 사람은, 죽음이 찾아온 사람과 같은 것이며 또는 자기 자신을 스스로 죽이는 사람과 같은 것이다.

신은 그대 옆에 있다. 신은 그대와 함께 있다. 신은 그대 속에 있다. 신은 항상 우리들 속에 있는 것이다.

17日 번뇌(煩惱)

우리들은 지나간 일을 생각하고 괴로와한다. 그리고 장차 닥쳐올 일을 생각하고 제 자신을 상처 입게 한다.

그것은 다만 우리들이 현재를 경시하는 까닭이다. 그러나 과거도 미래도 다 하나의 꿈이다. 현재만이 실재이다.

현재에 대하여 주의 깊게 하라. 현재의 모든 상태, 모든 시간은 무한한 가치가 있는 것이다. 그것은 그 자체에 있어서 영원성을 가지고 있다. 〈톨스토이〉

가장 일반적인 착오는, 현재는 비평적이며 결정적인 때가 아니라고 생각하는 그것이다.

일평생을 통해서 그날 그날이 가장 좋은 날이므로 마음 속 깊이 새겨 두라. 〈에머슨〉

우리들이 현재 하고 있는 일 이외의 것은, 모두가 중요한 것이 못된다. 〈칸 트〉

자기와 동시대의 사람을 모두 다 존경하라. 그리고 「옛날 조상이 한층 더 위대하였다」란 말을 하지 말라. 〈탈무드〉

오늘 자기의 기물 즉 자기의 육체를 이용하라. 그것은 내일이 오면 없어져 버릴지도 모른다. 〈탈무드〉

그대가 할 일을 하고 있는가 어떤가, 그것이 가장 중요한 의미를 가지고 있다. 왜냐하면 그대 생활의 유일한 의미는 그대가 주어진 이 짧은 생활 속에 있어서 그대를 이 세상에 보내어준 신이 원하는 바를 행하고 있는가 아닌가에 달려있기 때문이다. 〈카알라일〉

과거의 기억 때문에 마음 아파 하며, 또 미래에 일어날 일을 생각하고 괴로와 할 때, 생활이란 오직 현재 속에만 존재한다는 것을 생각하라.

그대가 현재 생활에 전력을 기울일 때, 과거의 괴로움도 미래의 불안도 다 사라져 버릴 것이다. 그리하여 그대는 자유를 맛보며 기쁨을 느끼게 될 것이다.

18일 수혜(受惠)

선이란 어느 사람이 필요한 것을 받으므로써, 또는 어느 사람이 희생을 받음으로써 측량할 수 있는 것이다.

오직 그것에 의하여, 받은 사람과 준 사람 사이에 성립된 선과의 교섭에 의해서만 측량할 수 있는 것이다.

선한 행위 보다는 비방(誹謗)이 더 잘 이해되도록, 자연은 만들어져 있다.

선은 잊혀지기도 하나, 비방은 결코 사람들의 마음 속에서 떠나지 않는다.

〈세네카〉

우리들이 다만 보수를 위해서만 의무를 다하려고 할 때, 그것은 도덕이 아니다. 기만적인 맹목 또는 그것과 흡사한 것에 지나지 못한다.

〈시세로〉

벗에 대하여 선을 행하라. 그 사람이 한층 더 그대를 사랑하게 하기 위하여. 적에 대하여 선을 행하라. 그 사람이 언젠가는 그대의 벗이 될 것이다.

그대가 적의 이야기를 할 때는, 언젠가 반듯이 그 적이 그대의 벗으로 될 날이 있을 것을 명심하라.

〈크레오올〉

모든 사람들은 두개의 상반(相反)하는 상태의 어느 쪽인가를 향하여 차츰 가까와 가고 있는 것이다. 자기 자신을 위한 생활과 신을 위한 생활 중 그 어느 쪽인가를 향하여——

〈톨스토이〉

생활의 하루 하루를 남의 행복을 위해서 바치지 않으면 안된다는 것, 될 수 있는 한 남을 위해서 하지 않으면 안된다는 것을 마음 속 깊이 깨달으라. 깊이 새겨 두라. 불평을 말하지 말고 그것을 실행하라.

〈존·러스킨〉

참된 선은 우리들이 그것을 의식하지 못할 때에만 행해지는 것이다. 우리들이 남의 마음 속에 살려면, 자기 자신으로 부터 벗어날 때에만 그 목적을 달할 수 있는 것이다.

19일 복수(復讐)

인간이 범하는 물질적인 악은, 그 사람 자신에게 다시 돌아오지 않을지도 모른다. 그러나 악행으로 인하여 생기는 모든 악의 감정은, 반듯이 그 사람의 마음 속에 흔적을 남기고, 결국은 그에게 괴로움으로써 앙갚음 할 것이다.

악인은 타인을 해치기 전에 자기 자신을 해친다.

〈성 어거스틴〉

비방을 받은 자는 편히 잠잘 수 있으나, 비방을 한 자는 편히 잘 수가 없다. 〈세네카〉

인간은 운명에 의하여 짊어진 불행에서도 피할 수가 있다. 그러나 자신이 스스로 짊어진 불행에는 구원의 길이 있을 수 없다. 〈공 자〉

우리들은 이 생활로부터 회피해서는 아니된다. 왜냐하면 악이 우리의 생활에 완강하게 따라다니기 때문이다.

악은 우리들 무지의 결과로서 생기는 것이다.

우리들은 그 무지를 자기와 함께 보이지 않는 세계로 이끌어 가고 마는 것이다.

만약에 그 이전에 그 무지에서 해방되는 일이 없다면 그렇다는 것이다.

무지는 우리들을 불행하게 한다. 어디에 있어서나 불행하게 한다. 우선 그 무리를 쫓아 버려라. 그러면 불행도 자연히 사라져 버릴 것이다. 〈석 가〉

선을 행하지 않는 사람은, 다른 사람들의 위에 섰을 때, 커다란 고뇌를 맛볼 것이다. 〈사아이〉

타인에 대하여 좋은 모범이 되도록 노력하라. 자기 자신을 극복하는 자는 타인도 극복할 것이다. 자기 자신을 극복한다 함은가장 어려운 일이다. 〈쟈마파다〉

자기 자신이 행한 악 때문에 입은 정신적 손해는, 어떠한 표면적인 행복으로써도 바꿀 수 없는 것이다.

20일 승리(勝利)

죄악적인 생활을 보내고 있는 사람들에게는, 선에 대한 모든 의향도 사랑을 불러 일으킬 수는 없다. 도리어 추방 당하는 것이다.

사람들을 경계하라. 그들은 그대를 공회당으로 끌어 내어 회당에서 매질할 것이다.

또한 그대들은 나로 인하여 관리나 왕 앞으로 끌려 나갈 것이다. 그것은 그들과 사교도들 앞에서 증거를 세우기 위해서이다.

그런 곳으로 끌려 나간다 할지라도, 어떻게 말하며 무엇을 말할 것인가 하여 마음을 번거롭게 하지는 말라.

말할 것은 그때 그대에게 주어질 것이다. 그대들 안에서 말하는 하느님이신 아버지의 소리이다. 〈성 서〉

전력을 다하여 올바른 것을 위하여 싸우는 사람에게는 언제나 승리가 있다. 그리고 그 승리는 죽음조차도 멸망시킬 수 없는 강한 것이다.

불요불굴의 무서운 정신이여! 싸우라. 전진하라. 불행과 불행에 혼란되지 말고, 자신이 그것을 위하여 싸우고 있는 정의는 반드시 승리를 얻으리라는 것을 믿으라. 멸망하는 것은 모두 부정의 뿐이다. 모든 정의는 자연의 영원한 법칙 속에 있으며, 세계의 목적을 실현시키는 것이다. 결코 다른것에 의하여 패배되는 것은 아니다. 〈카알라일〉

끝까지 참고 견디는 사람은 구원을 얻는다. 얼마나 흔히 사람들은 절망하고 멈추어 버리는 것인가. 다만 조금만 더 필요한 노력을 한다면, 목적이 이루어질 그때에 가서, 돌아서고 마는 것이다. 〈시세로〉

남의 사랑을 바라지 말라. 남의 사랑을 받지 못하더라도 섭섭하게 생각하지 말라.

사람들은 가끔 악인을 사랑하고 선인을 미워하는 법이다. 사람이 아니라 신의 마음을 따르도록 노력하라.

21일 문답(問答)

어떠한 일이든지 우리들이 그것을 이 세상에서 완수한다고는 할 수 없다. 우리들 생활의 모든 것은 항상 그것을 위하여 바처지지 않으면 안된다.

매일 아침 눈을 뜰 때마다 자문하라, 오늘은 어떤 좋은 일을 할까하고. 그리고 생각하라. 「오늘 해가 질 때에, 내생활의 한 조각은 지나가고 만다」고. 〈석 가〉

인간의 덕성이란, 그 사람의 어떤 뛰어난 노력에 의하여 이루어지는 것은 아니다. 그 사람의 날마다의 행위에 의하여 이루어지는 것이다. 〈파스칼〉

신께 봉사하는 것은 사람들에게 봉사하기 보다 한결 손쉬운 일이다. 사람들 앞에 서는 그대는 싫든 좋든 훌륭한 집안의 아들인체 꾸미기를 원하고, 사람들이 그대를 천한 것으로볼 때는 슬퍼할 것이다.

그러나 신의 앞에서는 전혀 그럴 필요가 없다. 신은 그대가 어떤 인간인가를 알고 계시다. 그리고 신 앞에서는 누구나 그대를 악담할 수는 없다. 〈톨스토이〉

매일의 예명(黎明)은 생활의 시작이라고 볼 수 있다. 매일 저녁의 석양은 생활의 끝이라고 생각할 수 있다.

이 짧은 생애의 매일을 남을 위하여 바치는 사랑, 그리고 자기 자신을 향하기 위하여 하는 노력의 자취를 훗날에 남기도록 하라. 〈존·러스킨〉

신의 앞에 있어서는 중요하다고 생각되는 일이건 쓸데없다고 생각되는 일이건, 다같이 의의가 있는 것이며, 또한 다같이 무의의한 것이다.

우리들은 어떤 요구에서 그것이 행해지는 것인지를 알지 못한다. 그러나 그것을 행하지 않으면 안된다는 것 만은 알고 있다.

22일 건설(建設)

사람은 자기의 내면 생활에 대하여 만족함이 적으면 적을수록, 점점 표면적인 사회생활에 대하여 자태를 나타내게 되는 법이다.

만약 늙은이(경험이 많은 사람)가 그대에게 「무너뜨려라」고 명령하고, 젊은이가 「세우라」고 명령할 때에는——무너뜨려 버리는 편이 좋다.
왜냐하면 늙은이의 파괴는 건설이지만, 젊은이의의 건설은 파괴이기 때문이다. 〈탈무드〉

한 사람의 인간이 많은 것을 지배할 권리가 없을 뿐만 아니라, 많은 사람이 한 사람을 지배할 권리도 없는 것이다.
〈웨·첼트코프〉

정의의 척도(尺度)가 되는 것은 소리의 다수가 아니다.
〈시르레르〉

진리란 무엇인가? 대다수의 사람들의 진리란, 진리 비슷한 것에 지나지 않는다.
그것이 자신들의 이득이 되기 때문에 진리라고 믿는 사람들의 수에 의하여 주장된 것에 지나지 않는다. 〈카알라일〉

내가 여기에 앉아서, 기슭에 부딪쳐 빛나는 파도 소리에 귀를 기울이고 있을 때, 나 자신이 모든 환경에서 해방되었다는 것을 느낀다. 이와 같이 세계 어느 만족일지라도, 자신들의 주위 제도를 자유로운 마음으로 새로이 살펴볼 수가 있다.
〈토로오〉

건설하지 말라. 항상 심으라. 왜냐하면, 건설한 것에 대해서는, 자연은 온갖 방법으로 파괴를 가져올 뿐이지만, 심은 것에 대해서는, 성장(成長)을 가져오고 그대의 일을 돕는 것이다.
정신적인 면에서도 마찬가지다. 세계의 생활과 일치한 일을 하라. 그대 자신의 욕망에만 일치시키지 않도록 하라.

23일 신비(神秘)

모든 일을 인간의 두뇌로 해결할 수 있다고 생각하며 그렇게 말하는 사람은 인생의 가장 중요한 본질적인 문제에 대해서, 생각해 본 적이 없는 사람이다.

모든 것의 본원은 신비롭다. 모든 개성적인 것 또는 집단적인 생활의 원인은 신비로운 것이다. 즉 인간의 두뇌에 속하지 않는 것, 설명하기 어려운 것, 정의하기 어려운 그 무엇인 것이다.

한마디로 말하자면, 모든 개성은 풀 수 없는 수수께끼이다. 그리고 어떠한 것의 본원도 설명할 수 없는 것이다.

〈아미엘〉

서적과 그것을 쓴 사람의 가치를 알기 위하여서는, 그것이 도덕성을 가르치고 있는가 아닌가에 주의하지 않으면 안된다.

모든 학문은 도덕성을 가르치기 위하여 존재하는 것이 아니라, 그 목적이 다른 곳에 있는 것이다. 그것은 인간의 두뇌를 직접 도덕으로 안내하는 것은 아니다. 다만 그 길을 청소하여 줄 따름이다. 〈세네카〉

우리가 현미경을 통하여 본다면, 모든 것은 아무것도 아닌 듯이 생각되는 법이다. 〈토로오〉

대(大)도서관이란 독자를 가르친다느니 보다 그들의 머리를 도리어 산만하게 한다. 덮어놓고 같은 것을 읽느니보다 소수의 좋은 저자의 것을 독서하는 편이 훨씬 유익하다.

〈카알라일〉

알 수 없는 것을 알려고 애쓰는 것보다도, 알고 있는 그것을 약간이나마 알고 있는 편이 좋다.

알 수 없는 것이 영역을 찾는 것만큼 지력을 낭비하고 약하게 하는 일은 없으며, 또 회의를 깊게 하는 일은 없다.

이해하지 못하는 것을 이해한 것처럼 가장함은, 가장 옳지 못한 일이다.

24일 자애(慈愛)

자애는 물질적인 조력에 있는 것은 아니다. 그것은 타인에 대한 정신적인 지지 속에 있는 것이다.

정신적인 지지란——무엇보다도 남을 비방하지 않는 것, 그리고 그의 인간으로서의 가치를 존경함을 의미한다.

아무리 참을 수 없고 사악한 사람이라 할지라도, 가난한 사람들에게는 동정을 하라.

두어 걸음 떨어져 있는 곳에는, 배부르고, 사치스런 옷을 입은 사람들이 걷고 있는데, 오막살이에서 불행한 가난과 싸우고 있는 것은, 얼마나 곤란한 일인가를 생각해 보라.

〈톨스토이〉

자기가 쓰고 남은 물건을 남에게 줄때는, 물론 가난한 사람들에게 자기의 생활에 필요한 것을 줄 때에라도 그대 자신을 자비로운 사람이라고는 생각지 말라.

참된 사랑은 그 이상으로 그대가 그대 마음속의 장소를 남에게 주기를 요구하는 것이다. 〈마드지니〉

참으로 자비심이 깊은 사람은 악담과 비방에 귀를 기울이지 않는다. 〈칸 트〉

증거도 없이 이웃 사람의 악을 믿어서는 안된다. 또한 결코 다른 사람에게 친구의 악을 알려서는 안된다. 〈페 엔〉

올바르라. 노여움에 지지 말라. 요구하는 자에게 주라. 그는 조그마한 것 밖에는, 그대에게 구걸하지 않는 것이 아닌가.

이 세가지 길을 걸음으로써, 그대는 성스러운 것에 가까와 지리라. 〈석 가〉

자기가 범한 죄악에 대한 부끄러운 기억을, 어두 컴컴한 그 어떤 구석진 곳에 숨겨 버리려고 애쓰지 말라.

그 반대로 남과 대할 때마다, 언제나 그 기억을 선용할 수 있도록 준비하여 두라.

25일 증오(憎惡)

사람들은 자기를 위해 씌워진 기만을 깨닫기 시작하였다. 그러나 그 기만에 대하여 반항할 만한 힘은 아직 얻지 못하고 있다.

왜냐하면 사람들은 그 수단을 그저 표면적인 것 속에서 찾고, 자기 자신 속에서 찾지 않기 때문이다.

19세기가 새로운 길로 나아가려 한다는 것은 믿지 않을 수가 없다. 19세기의 사람들은 민중을 위하여 계율과 파결이 존재하여야 한다는 것, 그리고 한 민족이 딴 민족에 대하여 행하는 죄악은, 규모가 크든 작든 차이는 있을지라도, 한 사람이 다른 사람에게 대하여 행하는 죄악과 마찬가지로 증오하여야할 것이라는 점을 이해하기 시작하였다. 〈케트레에〉

여러 종류의 사람들이 하고 있는 일들을 기초적으로 조사해보면, 다음과 같은 슬픈 생각을 갖지 않을 수 없게 된다.

즉 이 지상에 있어서, 얼마나 많은 생명들이 헛되이 죽어가고 있는가, 그리고 이 악에 대하여 얼마나 많은 부정이 끊임없이 그것을 돕고 있는가 하는 생각이다. 〈바트리스·라로〉

곰 잡는 법은 다음과 같다. 고기를 담은 통 위에 무거운 돌을 붙들어 매어 둔다. 곰은 고기를 먹기 위하여 그 돌을 밀어젖힌다. 그러면 돌은 되 밀려와서 곰을 친다.

곰이 골이 나서 밀어젖히면 밀어젖힐수록, 돌은 더욱 세게 곰을 때린다. 이렇게 되풀이 하는 동안에 곰은 기진맥진하여 쓰러지고 만다.

인간도 이와 마찬가지다. 〈톨스토이〉

이 기묘한 유성(遊星)의 주민들은, 인종·국경같은 것이 존재하고 있다는 확신 밑에서 살고 있다. 그리고 다만 교묘한 정치적 속박이 존재하고 있으며, 그 결과로서 많은 기생적인 인간의 존재가 용서되고 있는 것이다.

26일 영향(影響)

한자루 촛불이 수천 자루에 촛불을 켜듯, 한 사람의 마음이 다른 사람의 마음에다 불을 지르고 나중에는 천 사람의 마음을 태우게 하는 것이다.

인간의 완성이란「유토피아」의 꿈에 지나지 않는 것이라고 해서, 선을 행하려는 그대의 노력을 중지시키려고 하는 사람들에게 조심하라.
그대 속에 숨어 있는 고귀한 감정을 눈뜨게 하는 모든 것, 그것만을 따를 필요가 있는 것이다. 〈죤·러스킨〉

인간으로서는 보통이라고 말하여지는 작은 악을 믿기 보다는, 가장 먼 곳에 있는, 그리고 인간으로서 불가능한 선 그것을 믿는 편이 낫다. 〈카알라일〉

설교만으로써 사람들을 선으로 인도하는 것은 불가능하다. 그러나 자신이 모범을 보임으로써, 사람들을 선으로 인도하기는 용이한 것이다. 〈세네카〉

얼마만큼 자기 의견에 의해서 생활하느냐, 또는 얼마만큼 다른 사람의 의견에 의해서 생활하느냐에 의해서, 사람들 사이에는 가장 중요한 차이가 생기는 것이다. 〈에머슨〉

인간의 착오는 그 한 사람으로 그치는 것이 아니다. 착오하면서, 그 사람은 그것을 주위 사람에게 퍼지는 것이다.
〈세네카〉

만약 그대가 다른 사람에 대해서, 그가 악한 생활을 하고 있다는 점을 말하려 한다면, 우선 자기 자신이 선한 생활을 하고 있지 않으면 안된다.
그 경우, 말로써는 결코 설명할 수 없는 것이다. 사람들은 눈에 보이는 것만을 믿는 법이다. 〈토로오〉

그대의 정신을 좀먹는 친구들을 경계하라. 그러한 친구들을 피할뿐만 아니라, 착한 친구의 가치를 알며 그것을 찾으라.

27일 정욕(情慾)

정욕이 그대를 지배할 때, 결코 그것이 그대의 정신을 차지하고 있는 것이라고 생각지 말라.

정욕은 다만 일시적으로 그대 정신의 참된 성질을 덮어 감추는 암흑의 습래(襲來)에 지나지 않는다.

그대 자신을 인도하는 빛이 되라. 자기 자신에게 대한 신뢰를 잃지말라. 자기 자신의 빛을 높이 걸고, 결코 그밖에 다른 피난처를 찾지 않도록 하라. 〈석 가〉

만약 그대가 우주아(宇宙我)의 인식에 도달하고자 한다면, 무엇보다도 먼저 자기 자신을 알지 않으면 안된다. 자기 자신을 알기 위하여서는 자아를 우주아의 희생으로 하지 않으면 안된다.

만약 그대가 영혼 속에 살고자 한다면, 자신의 생활을 희생하지 않으면 안된다. 외면적인 물질, 외부세계를 형성하고 있는 모든 것을 생각지 않도록 하지 않으면 안된다.

일체 형상에서 자기 자신을 멀리 하지 않으면 안된다. 그들 형상이 그대 위에 검은 그림자를 던지지 않도록 하기 위하여.

살아 있는 것은 그대의 그림자이다. 사라지고 마는 것은 그대의 그림자이다. 그대 속에 있는 것은 영원한 것이다.

그것은 변천이 많은 일시적인 생활에 속하는 것이 아니다.

이 인간 속에 있는 영원한 것은 미래에 있어서나 또 과거에 있어서나 존재하는 것이며 소멸될 수는 없는 것이다.

〈바라문교 성전〉

정욕이 지배하기 시작했음을 깨달았을 때에는, 곧 자기 자신이 지니고 있는 바 신성을 불러 내도록 하라.

자기, 신성은 그 무엇인가가 어둡게 함을 깨달았을 때에는 곧 그것은 정욕 때문이라고 깨달으라. 그리고 그것과 싸우도록 하라.

28일 불멸(不滅)

생명은 죽음에 의해서 멸망되는 것이 아니라 변화되는 것이다.

회의나 공포 속에서 인생을 보내지 않도록 하라. 다음과 같은 점을 확신하고 일에 대하라. 즉 현재의 의무를 될 수 있는 한 완수하는 것이, 현재에 계속되어 오는 미래를 맞기 위한 가장 좋은 준비라는 점을.

우리들의 현재 상태에 있어서, 미래의 상태는 항상 꿈같이 생각되는 법이다. 중요한 것은 인생의 길이가 아니라 그 깊이다. 인생은 길이에 있는 것이 아니다.

마음은 시간의 테두리 밖에 있다는 것을 알라. 모든 성스러운 사람들은 그것을 알고 있다. 우리들이 참된 생활을 보내고 있을 때, 시간에 관한 문제는 존재하지 않는다. 〈에머슨〉

인간이 살고 있는 집은, 부서지고 헐어질 것이다. 그러나 맑은 사상과 선한 행위에 의하여 영혼 자신이 세운 집은, 자신의 불멸성(不滅性)에 대하여 불안해 하지는 않는다.

〈루시 · 말로리〉

만약 이 세상 저편에도 생활이 있는 것이라면, 거기에는 다만 선한 인간 속에 존재하고 있던 것만이 남을 것이다.

그밖의 것은 모두가 흙이다. 그리고 그것은 지상에만 남을 것이다. 〈아미엘〉

사후에도 생활이 있다는 것은 믿을 수 없을는지도 모른다.

그러나 현재의 생활이 불멸이라고 함은 믿을 수 있을 뿐만 아니라, 알 수도 있는 것이다. 〈세네카〉

불멸을 의식함은, 인간의 본성이다. 우리들이 범한 죄악은 그것을 범한 정도에 따라서만, 우리들에게 불멸에 대한 의식을 빼앗아 간다.

29일 언행(言行)

말은 행위 그것이다.

자기 자신이 실제로 느끼지 않는 것은 결코 입에 내지 말라 그리고 허위로써 그대의 마음을 어둡게 하지 말라.

우리들의 적은 때로는 친구 보다도 유익할 때가 있다. 왜냐하면 친구는 언제나 우리들의 죄를 용서해 준다.

그러나 적은 언제나 우리들의 죄를 들추어 내며 우리들의 주의를 그쪽으로 끌게 하기 때문이다. 적의 심판을 결코 경시하지 말라. 〈톨스토이〉

허영이란 것은, 그것이 아주 작은 것이라 할지라도, 있는 그대로 사람들에게 자기 자신을 보이게 하거나, 또는 있는 그대로 자기가 자신을 믿는 데에도, 아무 도움이 되지 못하는 것이다.

이것은 잘 생각한다면 당연하게 이해될 일이다.

사람들에게 자기를 믿게 하기 위하여서는 자기 자신을 믿기 보다도 훨씬 많은 자기부정과 자기 교양이 필요한 것이다. 그러므로 전자는 후자보다도 그 사람의 명예를 한층 더 진실하게 한다. 〈칸 트〉

성자는 어떤 사람의 말에 의하여 그 사람의 가치를 판단하는 일이 없다. 또한 하잘 것 없는 사람이 했다고 해서 그 말을 가벼히 하는 일도 없다. 〈공 자〉

인간의 말은, 그 사람의 두뇌 속에서 일어나는 사상을 번역하는데 가치 있는 무기이다.

그러나 진정한 깊은 감정의 영역에 있어서의, 그 번역력은 너무나 약하다. 〈코시우트〉

비록 어떠한 목적이라 할지라도 허위의 변명이 되는 것은 결코 존재하지 않는다.

30일 공유(共有)

토지는 모든 사람들에게 대해서 공통되고 평등한 것이다. 그러므로 결코 일개인의 사유의 대상으로는 될 수 없는 것이다.

나는 이 지상에 태어난 자이다. 그런데 내 몫은 어디있는가? 이 세상 주인들이여, 만약 그대들이 친절하다면, 내가 나무를 할 수 있는 숲을 나에게 나누어 달라. 씨를 뿌릴수 있는 밭을 나누어 달라. 내 오막살이를 지을 땅을 나누어 달라.

그러나 이 세상의 주인들은 나를 향해서 소리를 지른다.「너는 숲이나 들이나 마당에 손을 댈 수 있는 그것만으로 충분하다. 그리고 나에게 와서 우리들 땅에서 일할 수가 있다. 너희가 와서 일을 한다면, 약간의 곡식은 나누어주마」고. 〈에머슨〉

모든 신의 아들이 그 위에서 일하고 있는 동안 그는 대지에 대한 권력을 가지고 있는 것이다. 팔 수 있는 것은 들고 다닐 수 있는 물건 그것 뿐이다. 〈브락·하우스〉

엄밀히 말하면, 토지는 두가지에 속하여 있다. 즉 신과 대지위에서 일하며 인간에게 속하여 있는 것이다. 〈카알라일〉

내가 숲속에서 호두를 줍고 있을 때, 감시인이 와서 무엇을 하고 있느냐 물었다. 호두를 줍고 있다고 내가 대답한 즉,

「호두를 줍고 있다고?」

나는 대답하였다.「주워서는 안되오? 원숭이와 다람쥐에게 그 권리를 주어 버리란 말이오?」

감시인은 말하기를「숲은 임자 없는 숲이 아니다. 이것은 공작님의 소유림이다.」 〈톨스토이〉

토지는 결코 매매할 수 없다. 왜냐하면 토지는 신의 것이기 때문이다. 그리고 인간은 누구나 그 위를 여행하여 지나가는 나그네에 지나지 못하기 때문이다.

12월의 장

〈보나르 그림〉

1일 여성(女性)

여성은 어머니로서 뿐만 아니라, 아내로서, 또 사회의 일원으로서 그 존재이유를 갖는다. 그리고 남성이 신의 아들이라면, 여성은 신의 딸인 것이다.

남성의 흉내를 내려는 여성은, 여성의 흉내를 내려는 남성과 똑같이 정신적 불구자이다. 〈괴 테〉

무거운 입, 친절한 말씨는, 여성의 가장 아름다운 장식품이다. 〈카알라일〉

여성은 아름다우면 아름다울수록 더욱 정직하여야 한다. 여성이 자기의 아름다움으로 인하여 끼치는 해독을 막는 길은, 정직한 언행 밖에 없기 때문이다. 〈톨스토이〉

허영에 들뜬 여인들이여, 깨끗하고 건강하며 아름다운 육체마다 소박한 옷을 걸치는 것과, 불구의 병든 몸에다가 번쩍이는 금은 붙이를 장식하는 것과, 어느 쪽을 택하겠느냐고 질문을 받는다면, 그대는 무엇이라고 대답하려는가?

사치스러운 옷보다, 육체의 건강이 훨씬 요구되는 것이 아니겠는가? 육체에 대해서는 그렇게 생각하면서도, 영혼에 대해서는 그렇지 못함은 무엇 때문인가?

사악하고, 무지하고, 천한 정신 밖에 갖지 못하면서도, 황금의 장식을 하고자 함은 무엇 때문인가? 그것은 참으로 어리석은 짓이라 하지 않을 수 없다. 〈에머슨〉

산아(産兒)는 여성으로서의 자기희생이다. 자기 몸 속에 희생의 생명을 기르는 여성은, 다른 환경에 있어서도 용이하게 그 덕성을 발휘한다. 〈카알라인〉

완성의 문제는 여성에게 있어서나 남성에게 있어서나 꼭같은 임무이다. 즉 그것은 사랑을 완성한다는 것이다. 남성이 두뇌력이나 사랑의 확고함에 있어서 우월하다면, 여성은 사랑에 있어서의 자기희생에 의하여 우월하다.

2일 식사(食事)

「죽이지 말라」는 말은 인간에게 대해서만 적용되는 말이 아니다. 이말은 온갖 생물에 대해서 모두 해당되는 것이다. 이 가르침은 성서에 나타나기 이전부터 이미 인간의 마음 속에 싹터 있었던 것이다.

채식에 반대하는 여러가지 논거가 있다. 육식논자들은 그같은 논거를 확고부동한 것으로 믿고 있다. 그러나 그 논거가 아무리 그럴듯한 것일지라도, 우리는 닭이나 양을 죽이는 것을 보면, 연민의 정을 느끼지 않을 수 없게 된다. 이 감정은 양의 고기나 닭고기를 먹는 만족감이나 영양을 가지고서는, 상쇄될 수 없는 것이다. 〈톨스토이〉

인류가 교화(敎化)되고, 인구가 증가됨에 따라서, 인간은 인육식(人肉食)에서부터 동물식으로 옮겨간다.
그리고 다시 동물식에서 식물식으로 옮기고, 나중에는 참으로 자연스러운 과실식으로 옮기게 되는 것이다. 〈에머슨〉

광대한 토지가 사유물이 됨으로써, 식물의 과실은 매우 아쉬운 것이 되고 말았다. 토지가 공평히 분배되면 될수록, 과실은 많이 산포될 수 있을 것이다. 〈세네카〉

사람들이여, 피로 더럽히면서까지 욕된 식사를 할 필요가 어디 있는가? 〈죤·러스킨〉

육식의 어리석음과 부정의와 해독은, 도덕적, 물질적으로 분명한 사실이 되고 있다.
오늘날에 있어서 육식은 이미 올바른 판단에 의하여 지지를 받지 못하고 있다. 오직 옛날부터의 전통과, 타인의 영향과, 권고와 습관 때문에 계속되고 있는 행위이다. 우리는 실천으로써 그 어리석은 습관을 깨뜨려버리도록 노력함이 필요하다.

3일 악담(惡談)

타인을 비난함은 어리석은 일이다. 그것은 추호도 필요성이 없는 일이다. 자기에 대해서나 타인에게 대해서나 해로울 뿐이다.

숨어서 남의 욕을 한다는 것은, 더욱이 옳지 못한 일이다. 남의 흠을 그 면전에서 말한다면, 그것은 이로운 일일지도 모른다.

그러나 그 비난이 필요할지도 모르는 본인은 모르게 말한다는 것은, 불필요하게 그 사람의 불쾌감을 사게 되는 것이다. 이는 용서할 수 없는 죄악이다. 〈톨스토이〉

「죽은 사람의 악담을 말라, 죽은 사람의 말은 무슨 말이나 하지 말라」는 속담이 있다. 허나 나는 그 반대라고 생각한다.

산 사람의 악담을 해서는 아니된다. 그것은 그들을 괴롭히는 동시에, 산 사람들과의 관계를 악화시키기 때문이다.

죽은 사람에 대해서 우리는 흔히 빈 말로나마 칭찬하기가 일수인데, 사실인즉 죽은 사람에게 대해서는 진실을 말하기에 아무런 방해도 없는 것이다. 〈에머슨〉

우리는 누구나 어리석은 인간이다. 그러므로 타인에 대하여 비난하는 것은, 항상 우리 자신 속에서도 찾아볼 수 있는 결점이다.

서로 너그러이 용서하라. 이 세상에서 우리가 평화롭게 살아가는 방법은 하나 밖에 없다. 그것은 관용 뿐이다.

〈카알라일〉

극기의 정신이 투철한 사람만이, 타인을 비난하지 않는다.

〈세네카〉

언어는 사상표현의 수단이다. 사상은 신의 힘의 표현이다. 그러므로 언어는 신을 표현하기에 적합한 것이어야 한다. 언어는 때로는 대수롭지 않은 작용을 할는지도 모른다. 그러나 적어도 악의 표현이어서는 아니된다.

4일 능력(能力)

모든 가르침은 「신과 사람을 사랑하라」는 말로 요약할 수 있다고들 한다.

우리는 사막 속에서나, 감옥 속에서나, 한가지로 신의 가르침을 지킬수가 있다. 신과 신의 창조로서 나타난 만상을 우리는 사랑할 수가 있다. 그러한 의식 밑에서 우리는 신과 더욱 긴밀하게 교감할 수가 있는 것이다.

말(馬)은 그 빠른 주력(走力)에 의하여 적을 피한다. 말의 불행은 닭처럼 울 수 없다는 그것이 아니다. 말의 천부(天賦)적 능력, 즉 주력을 뜻대로 발휘하지 못한다면 그것이 불행이다.

개는 후각을 갖고 있다. 그는 후각을 상실하였을 때에 불행하다. 날지 못함이 그의 불행은 아니다.

같은 말을 인자에게 대해서 할 수 있다. 곰이나 사자나 악인들을 폭력에 의하여 정복하기 못하였을 때, 불행한 것이 아니다. 인간의 천부의 능력, 즉 선과 이성(理性)을 상실하였을 때, 인간은 불행하게 되는 것이다. 이러한 인간이야 말로 연민(憐愍)을 받고도 남음이 있는 것이다. 〈에피크테타스〉

현대에 있어서 사람들은 무엇보다도 자기 내부에 존재하는 신성한 인간성을 존중히할 것을 잊어버리고 있다. 인간의 가장 고귀한 본성은, 다음과 같은 점에 있는 것이다.

즉 모든 인간은 자기 내부에 있어서 높은 지혜의 원천과 교감(交感)하여, 정신생활의 무한한 힘과 합류할 수 있다는 그 점이다.

그럼에도 불구하고, 사람들은 그 원천에서 직접 정신영양(精神營養)을 흡수하려 하지 않고, 썩은 물을 서로거지(乞人)처럼 빼앗아 먹으려하는 것이다. 〈에머슨〉

타인에게 대한 의무 뿐만 아니라, 우리들 모든 인간에게는, 신의 아들로서의 자기 자신에게 대한 의무가 있다.

5일 공정(公正)

인류는 오랜 생명을 얻으면 얻을수록, 점차로 미신으로부터 해방되며, 생활의 계율을 명확하게 알 수 있게 된다.

현대는 실로 비평시대라고 할 수 있다. 모든 사물은 비평을 따르지 않으면 아니된다. 허나 종교와 입법(立法)은 항상 비평을 회피하고자 한다. 전자는 신성이란 이름 밑에서, 후자는 위대라는 이름 밑에서.

그러나 비평을 회피하려 할 때, 종교도 입법도 필연적인 의혹을 갖지 않으면 안되게 된다. 우리의 이성은, 자유롭고 공정한 검토에서 인정되는 것 이외에는 존경을 갖지않기 때문이다.

〈칸 트〉

기독교는 인도인(印度人)에게 무엇을 주었는가? 그들이 과거에 갖고 있었던 것보다 더 나은 운명을 줄 수 있었던가? 인도인이 과거나 현대에 갖고 있는 지력과 정신력을 조금이라도 보태어 주었는가?

기독교에는 파라문교(波羅門教)보다 더 높은 편재(遍在), 와 전능(全能)과, 전지(全知)의 신에 대한 관념이 있는가? 「아담」과 「이브」와 더불어 뜰을 거닐던 신에 대한 관념이란, 무한한 세계를 지배하며, 우주의 어느 곳에나 그 의지를 나타내고 있으며, 눈에 보이지 않는 전지전능(全知全能)한 신으로서의 관념을 말하는 것일까? 그것은 그리스도의 신성(神聖)·승천(昇天)·부활(復活) 또는 그 속죄(贖罪)에 대한 신앙을 말함일까?

그러나 그것은 지고지대(至高至大)의 존재를 죽음의 영역에 혼입(混入)하고 마는 신성모독이 아닐까?

〈루시·말로리〉

사람들 사이에 뿌리박은 전통을, 우리의 이성이 파괴함을 두려워하지 말라. 진리를 찾을 수 없는 곳에서 이성은 아무것도 파괴하지 못하는 법이다.

6일 집착(着執)

그릇된 사상을 가지는 것보다도, 옳지 못한 환경에서 생활함으로써, 우리는 더욱 착오에 빠지게 되는 법이다.

인간을 착오로부터 해방한다 함은, 그에게 부족한 것을 보충해 줌을 말하는 것이지, 그에게서 무엇인가를 제거함을 의미하는 것이 아니다.

그 어떤 허위를 의식한다는 것은 이미 이성을 자각함을 말한다. 착오는 항상 우리에게 해독을 가져온다. 착오를 눌러 덮어 버리는 자에게 착오는 해독을 가져오는 것이다.

〈켐비스키〉

인간의 못된 성질의 하나는, 지나치게 자존심을 갖고 자기 행복만을 추궁하는데에 있다. 이같은 인간은 불행하다. 그는 위대해질 것을 바란다. 그러나 자기의 옹졸 밖에 드러나지 않는다.

그는 행복한 것을 바란다. 허나 불행 밖에 발견 못한다. 그는 완성을 바란다. 허나 그럴수록 전연 불완전한 것임을 알게 된다. 타인의 사랑과 존경을 받을 것을 희망한다. 허나 자기의 결점이 그것을 방해하며, 남들이 자기를 배반하고 멸시함을 알게 된다.

이리하여 자기 욕망이 모두 달성되지 못함을 볼때, 그는 가장 가공할 죄악을 범하게 되는 것이다.

즉 그는 자기 의사에 반대되는 진실을 증오하게 되는 것이다. 그는 그 진실을 파괴하고자 한다. 그렇게 함으로써 자기의 결점을 은폐하려 하는 것이다. 〈파스칼〉

우리는 세계를 자기의 관념에 의해서 보려고 한다. 세계가 존재하는 그대로는 보지 않는다. 관념이 던지는 음영 속에서 보려고 한다. 그러므로 세계에 대하여 염오감을 가질 때는, 검정 안경을 쓴 것처럼 암흑으로 보이는 것이다. 〈루시·말로리〉

굶주린 자에게 양식을 주고, 헐벗은 자에게 옷을 주고, 병든 자에게 잠자리를 마련해 줌은 착한 행위이다. 그러나 무엇보다도 훌륭한 행위는 동포들을 착오에서 해방시키는 그 일이다.

7일 만상(萬象)

세계의 만상은 변화하여 원주(圓周)를 그리며 돌고있다. 인류도 마찬가지로 변화하고 있다.

그러나 우리는 인류가 그리고 있는 전원주(全圓周)를 전망할 수는 없다. 왜냐하면 우리 자신도 움직이면서, 그 원주상의 일점에 머물러 있을 뿐이기 때문이다.

생명체는 끊임없이 그 외관을 변화시킨다. 사물을 볼 때. 그 표면 밖에는 더 깊이 볼줄 모르는 무지한 자들 만이, 생명체가 어떤 형태를 소멸하였을 때, 그것을 아주 멸실(滅失)된 것으로 생각하는 법이다.

그러나 비록 하나의 형태를 소멸했다고 해서, 생명체가 멸망한 것은 아니다. 그것은 다시 다른 형태로서 출현되기 위한 것이다. 번데기는 그 형태가 바뀌어 나비가 되지 않는가? 어린아이는 언제까지나 어린아이가 아니다. 이윽고는 청년으로서 장성하는 것이다. 동물적이던 인간은 정신적인 인간으로서 재생하게 되는 것이다. 〈루시 · 말로리〉

세상 만물은 성장하여 꽃을 피우고 그 뿌리로 돌아간다. 뿌리로 돌아감은 평화를 의미한다. 자연과의 조화를 의미한다. 자연과의 조화는 영원을 의미한다. 그러므로 육체의 소멸은 그 자체로서 아무런 위험도 내포하지 않는 것이다. 〈노 자〉

우리는 이미 한번은 그 어떤 상태에서 부활한 것이 아닐까? 그 상태란 우리가 미래에 대해서 알기보다도, 더욱 조금 밖에 현재에 대해서 알지 못하던 상태를 말한다.

그러나 그 상태가 현재에 연결되어 있듯이, 현재의 상태가 미래에 연결되어있다는 것만은 의심할 수 없는 사실이다.

〈리프텐벨그〉

우리의 영혼이 담겨져 있던 형식의 변화, 그것을 「죽음」이라고 한다.

형식과 그 형식에 담겨져 있는 것과를 혼동해서는 아니된다.

8일 율법(律法)

신의 율법을 지켜나가는 것이 인생의 본질이다.

죽음이나 고통이 불행인줄 생각되는 것은, 사람이 육체적 동물적인 법칙을 인생의 법칙이라고 생각하기 때문이다.

사람이 동물의 단계로서 저하될 때에만, 죽음과 고통으로 마음을 괴롭히게 된다. 따라서 죽음과 고통은 사방으로 부터 그 사람을 위협한다.

이와 같이 죽음과 고통에 쫓기우고 있는 사람이, 그것을 피할 수 있는 오직 하나의 길은, 자기 자신 이성의 계율에 따르며, 사랑 속에 표현 되는 생활을 하는 그것 뿐이다.

죽음과 고통은 인간 자신이 범하는 자기 생명에 대한 죄악에 지나지 않는다. 참된 법칙에 의해서 살고 있는 인간에게는 죽음도 고통도 존재하지 않는 것이다. 〈톨스토이〉

의무의 의식은 생활의 향락과는 공통되는 그 아무것도 갖지 않는다. 의무의 의식에는 그 자체의 법률이 있으며, 그 자체의 재결(裁決)이 있다.

비록 우리들이 의무와 향락을 서로 혼합하여 버림으로써 고통을 속이려 할지라도, 그것은 곧 그 혼합에서 분리되어 버릴 것이다. 가령 그렇게 되지 않는다 하더라도, 그 때에는 의무의 의식은 아무런 작용도 하지 못할 것이다.

또한 만약 생리적인 생활이 의무와 일치되는 듯이 생각되는 향락을 지향함으써 어떤 힘을 얻을 때, 도덕적인 생활은 자취도 없이 사라지고 말 것이다. 〈칸 트〉

신의 율법은 우리들의 전통(모든 종교)을 보아 알 수 있다. 정욕과 허위의 사랑으로 눈이 어두워지지 않았을 때에는, 자기 자신의 인식으로서 알 수 있다. 또 그 가르침을 실생활에 적용 하려는 태도에 의해서도 할 수 있다. 모든 육체적인 불행으로서는 파괴되지 않는 바 정신적 행복의 의식 그것을 적용함으로써 얻을 수 있는 율법, 그것이 모든 신의 율법인 것이다.

9일 국가(國家)

인간의 사명은 모든 사람에게 봉사하는 그것이다. 일부의 사람들에게만 봉사하고, 다른사람에는 악을 행하는 그러한 것은 결코 아니다.」

현재의 기독교도에게는 국가에 대한 사랑이 이웃 사람에게 대한 사랑의 방해로 되어 있다.

만약 사람이 참된 천성을 잃는다면, 그저 편리한 것만이 그 천성으로 되고 말 것이다.

그와 같이 인간이 참된 행복을 잊어버린다면, 오직 자기에게 편리한 것만이 행복으로 되고 말 것이다. 〈파스칼〉

자기 생명의 의의를 알고자 노력하는 사람들의 맹목적 태도가 부자연한 것이라면, 신을 믿으면서 악한 생활을 하고 있는 사람들의 맹목적 태도는 한층 더 무서울 것이다. 대부분의 사람들은 이 둘중 어느 한쪽에 속한다. 〈파스칼〉

가장 무서운 악의 서식처(棲息處)는 군주국가이다.

〈죤 슨〉

국가에 대한 사랑은 가정에 대한 사랑과 마찬가지로, 인간의 자연스러운 천성이다. 그러나 그것이 한계를 넘어설 때는 죄악이 된다. 이러한 사랑은 결코 도덕이라 할 수 없다.

현대에 있어서 전쟁의 어리석음을 변호하기 위하여, 국가의 이해나 국제관계의 평등과 명예를 이유로서 내세우는데, 전쟁을 명예의 이름에 의하여 변호하는 것은 가장 우수운 일이다.

〈아나톨·프랑스〉

자기 자신의 생활과 모든 이웃의 생활을 깊이 느낄 때, 우리들은 비로소 신을 알게 된다. 〈마드지니〉

모든 민족이 친화하여야 할 현대에 있어서, 자기 민족에 대한 사랑만을 주장하고, 타민족에 대한 공적 혹은 방비를 주장함은 죄악이다.

10일 유혹(誘惑)

가장 보편적이며, 가장 큰 불행으로 이끄는 유혹은, 「남들도 다 그렇게 하니까」라는 말로 표현되는 유혹이다.

이 세상은 유혹이 있음으로해서 불행한 것이다. 유혹은 반드시 오는 것이다. 그러나 유혹을 오게 하는 사람에게는 슬픔이 있을 것이다. 만약 그대의 손이나 또는 발이 그대를 실족케 하거든, 끊어 버리라. 불구나 절름발이로서 살아 있는 것이 사지가 멀쩡하여 영원히 불 속에 던져지는 것보다는 나을 것이다.

만약 그대의 눈이 그대로 하여금 범죄케 하거든, 빼 버려라. 한 눈으로 생명을 이어나가는 것이, 두 눈이 다 있으면서 불의 「게헤나」 속에 던져지는 것보다는 나을 것이다.

〈성 서〉

상처 입지 않은 손이라면 독사도 만질 수 있는 것이다. 강한 손에는 독도 해를 끼치지 못한다.

자기 자신이 악을 만들어 내지 않는 사람에게만, 악은 무해한 것이다.

〈석 가〉

어떤 죄악에 대하여 의무를 지고, 그것에서 해방되기 위하여 고통을 느끼지 않으면 안될 때, 그 사람은 대단한 위험 속에 있다고 하지 않으면 안된다.

자신으로서는 그 죄를 부끄러워 하면서도, 그것에서 해방 된다는 것은 속세의 의견으로서는 몸의 파멸을 의미하는 것이다.

〈박스텐〉

그대에게 특별히 존경을 나타내는 행위를 보았을 때에, 그대는 그것을 샅샅이 검토하고, 그대를 칭찬하는 모든 말을 물리쳐버리지 않으면 안된다. 왜냐하면 표면적인 영광은 이성을 빼뚤어뜨리는 힘을 가지고 있기 때문이다.

〈오레리아스〉

이 세상에 악이란 존재하지 않는다. 악이란 우리들 자신의 마음 속에 깃들어 있는 것이다. 그래서 그것은 아주 없애 버릴 수가 없다.

11일 농경(農耕)

모든 노역 중 가장 기쁨이 많은 노역(勞役)은 농업(農業)이다.

모든 민중이 진리를 이해할 때는 드디어 올 것이다. 인류의 총명한 지도자였던 사람들에게는 이미 오래 전에 알려진 것이었으나, 이제 모든 민중이 이해할 때는 올 것이다.

즉 인류의 제일보의 도덕은 자기의 불완전을 인식하는 것인 동시에 최고의 존재 계율을 쫓는 그것이다.

「그대는 티끌이다. 그리고 티끌로 돌아 가는 존재이다. 이것이 자기 자신에 관하여 우리가 아는 제일의 진리다. 그러나 제이의 진리는, 토지를 경작하는 그것이 우리들의 가장 중요한 의무라는 데 포함되어 있다. 〈존·러스킨〉

시장에서 곡식을 사는 사람은 어버이없는 어린것에 비교할 수 있다. 아무리 많은 사람이 그대에게 젖을 주더라도, 그는 굶주리지 않으면 안되는 것이다.

자기 자신이 경작한 곡식(穀食)을 먹고 사는 사람은, 어머니의 젖으로써 양육되는 젖먹이와 같다. 〈탈무드〉

참으로 가장 좋은 양식은 그대 자신이 또는 그대의 자손들이 만들어내는 양식이다. 〈마호메트〉

그저 함부로 신께 제사 드리는 것만을 자랑삼고 있는 자 보다, 자신이 손수 일하여 살아가는 사람이 더욱 존경의 가치가 있는 것이다.

개미를 본받아 노동을 자랑하라는 충고를 받는 것은 수치가 아닐 수 없다. 그러나 그 충고를 지키지 않음은 그 이상의 수치라 하겠다. 〈탈무드〉

농경이란 사람들에게 적합한 일일 뿐만 아니라, 모든 사람들에게 가장 적당하고 자연적인 일이다. 그리고 가장 큰 행복과 독립을 낳는 일이다.

12일 극복(克服)

선은 모든 것을 극복한다. 무엇에나 패배 당하는 일은 없다.

악을 비난하지 않고 선을 키우는 것이, 개인생활과 모든 사람의 생활에 대하여 조화를 줄 수 있다.

신경질적인 사람이 악을 비난한다. 그것은 악이다. 악중에서도 최고의 악이다.

왜냐하면 악을 비난하는 것은, 다만 그 악을 더욱 크게 성장 시킬 뿐이기 때문이다. 악을 생각지 않고 선에만 마음을 쓰는 것은, 악을 소멸 시키는 가장 좋은 방법이다.

〈루시 • 말로리〉

자기의 의무를 완수하려고 힘을 다 하는 자는, 인류애 즉 모든 사람들의 행복에 대한 희망을 눈앞에 볼 것이오. 자기의 의무를 완수함에 있어서 힘의 부족을 부끄러워하는 자는, 그것을 완수함에 필요한 정신력을 눈 앞에 볼 것이다.

〈공 자〉

도덕은 종교로부터 떠나 독립할 수는 없다. 왜냐하면 도덕은 종교 즉 인간의 인식 속에 있어서의 인간과 세계와의 관계의 그 결과일 뿐만 아니라, 도덕 자체가 이미 그 관계 속에 포함 되어 있는 까닭이다.

〈리프텐벨그〉

한없는 친절은 가장 위대한 선물이다. 그리고 진정한 의미에 있어서 위대한 모든 사람이 할 수 있는 일이다.

〈죤 • 러스킨〉

가장 착한 선물은 아무리 거친 토지나 굳은 암석층 일지라도, 헤치고 뚫고, 자신의 길을 열어 나아간다.

선에 대해서도 같은 말을 할 수 있다. 선량하고 진실한 인간의 힘에는, 어떠한 쇠망치나 어떠한 철판이나, 어떠한 도끼나 그에 비교될 수는 없을 것이다.

〈토 로〉

욕설에 대하여 좋은 말로 대답하고, 비방하는 자에게는 봉사로써 갚는 것이 이 세상의 악을 소멸시키는 오직 하나밖에 없는 방법이다.

13일 모독(冒瀆)

참된 진리보다도 기독교 자체를 한층 더 사랑하는 사람은, 이윽고 기독교보다도 교회와 종파를 더 사랑하게 될 것이다. 그리고 드디어는 다만 자기 자신만을 사랑하게 되고 말 것이다. 〈콜리지〉

낮에는 밤의 꿈자리가 평화롭도록 행위하라. 〈석 가〉

신앙이 얕은 자는, 타인을 신앙에 눈뜨도록 할 수는 없다. 〈노 자〉

인생이란 그 사람 자신을 위하여서 아무런 의의도 갖지 않으며, 또 가질 수도 없는 것이다. 그것은 마치 공장에서 일하는 노동자가, 공장의 모든 조직을 알지 못하면, 그 자신에게는 그 일이 아무런 의의도 없는 것과 같다.

그러나 인간은 그 무엇이 존재하며 그것을 위하여 자신의 생활이 의의를 갖는다는 것을 인정하지 않을 수 없다. 그 속에 신앙이 있는 것이다.

만약 그것을 믿는다면, 그대의 생활을 의의있게 하는 바, 그것이 그대가 원(願)하는 것을 행하게 될 것이다.

〈존 슨〉

실제에 있어서 신을 숭상하는 방법은 단 하나밖에 없다. 그것은 자기 의무를 완수하는 것이다. 이성이 지시하는대로 행동하는 것이다. 〈리프텐벨그〉

종교를 제이의적(第二義的)으로 생각하는 사람은, 전혀 종교를 가지지 않는 사람이다. 신은 많은 것을 사람의 마음 속에다 넣어 주었다.

그렇다고 해서 신이 제이의적인 자리를 피해도 좋다는 이유는 없다. 신에게 제이의적인 자리를 주는 자는 전혀 아무것도 주지 않는자와 같다. 〈존·러스킨〉

자기 및 타인의 말을 믿지 말라. 오직 자기 및 타인의 행위를 믿으라.

14일 자애(自愛)

인간의 마음은 신과 동체(同體)이다.
인간의 마음은 신의 빛이다. 〈탈무드〉

그대가 어떤 불만을 느끼며 그 무엇을 두려워 한다는 것은 그대 자신 속에 존재하는 신의 사랑 같으면, 어떤 희망도 불만족으로 끝나지는 않는다.

왜냐하면 그대 자신 속에 존재하는 신의 희망은, 언제나 성취되는 것이기 때문이다. 아무것도 두려워할 필요가 없다. 신에게서 두려운 것은 아무 것도 없는 것이다.

우리들의 힘과 자연의 힘과 비교한다면, 우리들은 운명의 장난감에 지나지 않는다. 그러나 그대신 우리들이 자기 자신을 창조물이라 생각하고, 창조주의 마음이 우리 속에 침투되어 있음을 느낄때, 우리들의 평화의 기쁨을 얻는 동시에 마음 속에 안정을 얻을 것이다. 〈에머슨〉

신(神)의 마음은 우리들의 마음 속에 침투하고 있다. 우리들은 신을 볼 수가 없다. 그것은 신이 너무나 우리들과 가까이 존재하며, 너무나 깊이 우리들 속에 숨어 있기 때문에 우리들의 불완전한 인식 위에는 떠오를 수 없기 때문이다.

그리고 선이 그와 같이 우리와 가깝게 존재하는 것은 우리들의 신을 인식하기 때문에만 그런 것이 아니라, 신이 우리를 위해 작용하여 영향을 주며, 우리가 신에 속한다는 것을 우리들에게 가르치기 위함이다.

이 속에 자부(慈父)와도 같은 신의 선물이 들어 있는 것이다. 〈찬 닝〉

어떠한 일이 그대 앞에 닥쳐 올지라도, 자기와 신과의 결합을 의식하고 있을 때에, 그대는 결코 불행하게 되지는 않을 것이다.

15일 탈피(脫皮)

인류는 쉴 새 없이 완성되어가고 있다. 그러나 아무것도 하지 않고 완성되어 가는 것은 아니다.

사람들이 자기 자신의 완성을 얻고자 노력하므로써 완성되어 가는 것이다. 신의 왕국은 노력에 의하여 비로소 수립되는 것이다.

이 세상에 있어서는 언제나 편안히 있을 것이 아니다. 인생은 하나의 목적이다. 사람들은 그 목적에 가까와 지지 않으면 안되는 것이나, 그것이 쉽사리 이루어지는 것은 아니다.

그러므로 이세상에 있어서는 편안히 하고 있을 것이 못된다. 안한(安閑)하게 지내는 것은 부도덕이다.

목적없는 인생은 의의가 없다. 인생의 목적이 없다는 말은 무신론(無神論)이다. 그것은 인생을 모순과 기만이라고 생각하는 것이다 다름 없다. 〈마드지니〉

다만 우리만이 정의를 이 세계에 이끌어 들일 수 있다. 우리의 외부에 존재하는 자연력은, 우리의 이상을 실현시킬 수 있는 것이 아니다.

만약 자의식적(自意識的) 존재의 결합체로서의 인류가 그것을 하지 않는다면, 그 밖에 그것을 할 수 있는 것은 아무 것도 없다. 〈기지츠키〉

만약 우리들이 모든 것은 지금 있는 이외의 것이 될 수 없다고 생각 한다면, 그것은 이 세계를 어디까지나 구태(舊態) 그대로 있게 하고, 죽음과 같이 생기없는 것으로 만들어 버릴 것이다. 〈카알라일〉

아무리 눈에 띄이지 않는 작은 일이라 할지라도, 그대는 사회개량의 운동에 참가 하지 않으면 안된다. 왜냐하면, 작고 눈에 띄지 않는 일이 많이 모임으로써 목적하는 행동으로 인도할 수가 있는 것이기 때문이다.

그러므로 보고 있는 자나 경쟁자가 없다하더라도 그대는 쉭임없이 똑바로 그대의 길을 걸어가지 않으면 안된다.

16일 자립(自立)

진리란 신 자체는 아니다. 오직 진리에 의하여 신을 아는데 지나지 않는다.

착오만이 기교적인 지지(支持)물을 필요로 한다. 진리는 언제나 자립하는 것이다. 〈카알라일〉

다른 모든 행복도 진리를 아는 행복과 비교하면 가치가 없다. 모든 기쁨도 진리를 아는 기쁨과 비교한다면 가치가 없다. 진리를 아는 행복은 무한하며 모든 행복을 초월한다.

〈석 가〉

진실은 모든 존재의 근원이며 종말이다. 진실이 존재하지 않는 곳에는 아무것도 존재하지 않는다. 그러므로 성자는 진리를 볼 때 재보(財寶)를 보는 것 같이 본다.

진실은 그 자체에 있어서 존재할 뿐만 아니라, 모든 것을 만들어 내는 것이다. 왜냐하면 진실은 사랑이며 예지(叡智)이기 때문이다. 또한 그것은 참된 도덕이며. 외부세계와 내면세계를 결합시키는 토대이기 때문이다.

가령 사람들이 진실 그것에 주의를 기울이지 않는다 하더라도, 진실 그 자체는 결코 그 의의를 상실(喪失)하는 법은 없다.

만약 지식이 외면적인 이득——면허장을 목적으로 하는 것이라면, 그 지식은 언제나 허위이다. 〈아미엘〉

착오는 다만 잠깐 동안 밖에 지지를 받지 못한다. 그러나 진리는 모든 과거로 부터 미래 영겁에 걸치어 존재한다. 곤난과 의혹과 기피(忌避)와 간계와 모든 허위를 꿰뚫고 존재한다.

〈톨스토이〉

끊임없이 진리를 행하며, 진리를 말하며, 진리를 생각하기를 배울 필요가 있다. 이것을 배우기 시작만 한다면, 곧 사람들은 얼마나 우리들이 진리에서 멀리 떨어져 있었는가를 깨달을 것이다.

17일 전체(全體)

우리들은 자기 자신을 다른 사람들과 떨어져 있는 것이라 생각하며, 또 다른 사람들은 우리에게서 떨어져 있는 것이라 생각한다.

그것은 이 생활을 시간과 공간과의 중간에 있는 조건적인 존재라고 생각하는데서 생기는 것이다.

그런 생각에서 해방되면 될수록, 우리는 더욱 서로의 결합을 의식하게 되며, 동시에 우리들의 생활은 더욱 즐거운 것이 될 것이다.

비록 그대가 그렇게 원한다 하더라도 자신의 생활을 인류에게서 멀리 할 수는 없을 것이다. 그대는 전 인류 속에서 살며 전 인류를 위하여 살며, 전 인류에 의하여 살고 있는 것이다.

그대의 영혼은 그것이 작용하고 있는 상태에서 해방되어질 수는 없다. 왜냐하면 우리들은 누구나 발과 손이나 허리와 같이 공동 작용을 위하여 만들어진 것이기 때문이다.

서로 배반·반목 한다는 것은, 자연에 대한 반역이다. 서로 욕설하고 이반(離反)한다는 것은, 자연에 배반하는 행위를 의미한다. 〈오레리아스〉

줄기에서 잘리어 떨어진 가지는, 그 나무 전체에서 떨어져 버린 것이다. 남과 사이가 벌어진 인간은, 전 인류에게서 떨어져 나간 자이다.

그러나 가지는 알지도 못하는 사람의 손에 잘리워진 것이지만, 인간은 그 증오나 사악에 의하여 자기 자신이 스스로 남에게서 떨어져 나가는 것이다. 그렇게 함으로써 전 인류에게서 떨어져 나가는 것임을 우리는 깨닫지 못한다.

〈톨스토이〉

해결짓기 곤란한 문제가 그대를 괴롭힐 때, 그대는 자기를 건강한 전신(全身)속의 병든 일부분이라 생각하라.

그리고 전신에게 그 부분을 구원해 달라고 요청하라. 자신이란 신이다. 그리고 그 일부분이란 자아이다.

18일 개량(改良)

오직 사람들 사이에 사랑이 두터워짐으로 인해서만, 현재의 사회제도는 개량할 수가 있다.

생물은 서로 멸망시키는 것이지만, 동시에 서로 사랑하며, 서로 돕는 것이다. 생활은 서로 파괴하는 경열에 의해서 지지(支持)되어 가는 것은 아니다.

그것은 상호부조(相互扶助)의 감정에 의해서 지지되어 가는 것이다. 상호부조의 감정이란, 우리들의 마음 속의 표현으로서 사랑이라고 불리워진다.

나는 이 세상의 생활의 발전을 보면 볼수록, 그 속에 상호부조 원칙의 나타남만이 눈에 뜨인다.

역사의 전부는 모든 생물의 상호부조라는 유일한 원칙이 차차로 명백해져온 그 과정에 지나지 않는다. 〈톨스토이〉

사랑은 인류 사회에 커다란 힘을 가져 오는 것이 차츰 잊혀지고 돌봄을 받지 않게 되었다. 한두번은 역사상에 있어서 사랑의 힘에 의하여 커다란 성공을 얻은 예를 볼 수 있다.

그러나 이윽고는 사랑이 인생의 공통계율이 되고, 모든 불행이 골고루 퍼진 태양빛을 받아 소멸하여 버리는 때가 올 것이다.

〈에머슨〉

옛 시대와 바꾸어질 조화·관용·사랑의 시대는, 곧반드시 오게 될 것이다. 왜냐하면 벌써 사람들은 그것을 알고있기 때문이다. 즉 증오는, 인간의 정신과 육체에 대해서나 개인과 사회에 대해서나, 다 같이 파괴적인 감정이다.

사랑은 각 개인에 대해서나 또 모든 인류에 대해서나, 내면적 및 외부적인 행복을 주는 것이라는 점을 사람들은 알고 있다.

그 시대는 가까이 다가오고 있다. 그시대를 가까이 오게 하느냐 멀리 떨어져 가게 하느냐 하는 것은, 우리들의 행위 여하에 달려 있는 것이다.

19일 선량(善良)

참된 행복은 언제나 우리들의 수중에 있다. 그것은 그림자처럼 선량(善良)한 모든 생활의 뒤를 따르는 것이다.

우리들을 보다 선한 것, 보다 행복한 것으로 만들 수 있는 것은, 모두가 신에 의하여 우리들 앞에 또는 옆에 놓여져 있는 것이다. 〈세네카〉

생활의 목적을 정신의 완성에 두고 있는 인간에게는, 불만족이란 있을 수 없다. 그가 바라고 있는 것은 전부(全部) 그의 힘 속에 존재하고 있는 것이기 때문이다. 〈파스칼〉

행복, 진정한 행복은 도덕 그 자체(自體)이다.
〈스피노자〉

외면세계의 장애는 인간의 굳센 정신에 아무런 해도 미치게 할 수 없는 것이다. 그것은 인간을 불구로도, 나약하게도 할 수 없는 것이다.

짐승들은 장애에 부딪치면 한층 더 사나워 진다. 굳센 정신을 가지고 모든일을 겪어나가는 사람에게, 일체의 장애는 다만 도덕적 미와 힘을 더해줄 뿐인 것이다. 〈오레리아스〉

모든것은 신께서 주신 것이다. 그러므로 모든 것은 다 행복하다.

불행은, 우리들이 근시이기 때문에 볼 수 없는 행복에 지나지 않는다. 〈파스칼〉

행복한 정신상태에는 두 가지가 있다. 그 하나는 정신의 평화, 또는 만족이다. 다른 하나는 언제나 즐거웁게 산다는 그것이다.

첫째 상태는 인간에게 아무런 꺼리낌이 없고, 현재적 행복은 부질없는 것을 명백히 느끼는 조건 밑에서 가능하다.

둘째 상태는 자연의 선물이다. 〈칸 트〉

선량한 일을 행하면서도 자기 자신을 불행하다고 생각하는 자는 그 선을 믿지 않는 자이다. 또한 신도 믿지 않는 자이다.

20일 청탁(淸濁)

교회의 사악이 참된 「신의 왕국」을 실현하려는 우리의 노력은 멀리 해 버리고 말았던 것이다.

그러나 기독교의 진리는 마른 나무에 불 붙듯이 그 덮혀져 있던 것을 불살라 버리고, 표면으로 나타난 것이다.

기독교의 참된 의의는 모든 사람들에게 명료해졌으며, 그 영향은 그것을 덮고 있던 기만보다도 훨씬 힘센 것으로 되어 온 것이다.

우리들에게나 사람들에게나 다같이 필요한 것은, 우리들이 오랫동안 지녀온 이기주의·의혹·부정의 진흙 구렁이 속에서 빠져나오는 그 길을 찾는 것——그것은 신앙이다.

황폐한 인도(人道)의 폐허 속에서, 모든 힘찬 신앙은 현존하는 사회의 질서를 변화시킬 수 있을 것이다.

인류는 여러 단계에 있어서, 신께 기도의 말을 되풀이하지 않으면 안된다. 「그대의 왕국이 천상에 있음과 같이 지상에도 이루어지기를」 〈마드지니〉

나는 새로운 종교를 본다. 그것은 인간에게 대한 신뢰 위에 기초를 가지고 있다. 그것은 우리들 속에 존재하는, 손을 대어볼 수 없는 깊은 속에서 생긴 것이다.

그것은 인간이 그 보수를 생각하는 일 없이, 선을 사랑 할 수 있다는 점을 믿고, 그리고 신의 본원이 인간 속에 존재하고 있다는 점을 믿게 한다.

교회적인 기독교는, 불충분하고 측면적이며 공식적인 기독교이기는 하지만, 하여간 그것도 기독교라고 생각해서는 안된다.

교회적인 기독교는 참된 기독교의 적이며, 오늘날 참된 기독교에 대해서, 그것은 현장에서 붙잡힌 죄인과도 같은 것이다. 교회적인 기독교는 소멸되지 않으면 안된다. 그렇지 않으면, 더욱 더 새로운 죄악을 거듭할 것이다.

21일 정점(頂點)

자의식의 가장 높은 정점에 있어서는, 인간은 고독하다. 이 고독감에는 고뇌가 따른다.

어리석은 사람들은 이 고독감의 고뇌에서 황급히 벗어나려고 하여, 높은 정점에서 곧 낮은 곳으로 내려오고 만다. 성자는 기도하므로써 이 정점에 멈추고 있는 것이다.

구원을 받을 수 없는 함정에 빠지고, 얼음 위에서 떨고, 해상(海上)에서 아사(餓死)하고, 혹은 고독속에 유폐(幽閉)되어 빈사(瀕死)상태에 빠질지도 모르는 인간이라는 생각이 들 때가 있다.

우리들이 이와 같은 인간이라는 생각이 들 때, 기도함이 없이 어떻게 우리는 살아갈 수 있을까? 〈시세로〉

현재의 생활 속에서 행복을 찾아 일평생을 헛되이 보내다가, 지쳐서 넘어진 인간이, 그 늙은 손을 신께 내밀 때 그는 얼마나 큰 기쁨을 맛볼 것인가? 〈파스칼〉

구체(具體)는 제한이다. 그러므로 비록 어떠한 해석을 내릴지라도, 신은 구체일 수가 없다. 기도는 신에 대한 호소이다. 어떻게 구제 아닌 것에 호소할 수가 있을 것인가?

천문학자는 그 관측의 시야 속에, 천체인 별이 움직이고 있지 않다는 것을 알고 있다. 움직이고 있는 것은 그들이 그 천문대와 함께 서 있는 지구 그것이다.

그러나 그들은 지구의 운동이 아니라, 별의 운동을 조사 하려고 하는 것이다. 〈톨스토이〉

기도하지 않고 지낼 수 있는 것은, 다음 두가지 경우에만 한정된다. 즉 정욕이 그 사람 전체를 점령하고 있을 때, 또는 그 사람의 생활 전체가 신께 봉사하는데 바쳐져 있을 때.

그러나 자기의 의무를 아직 완수하지 못하고 있는 인간에게 기도는 생활을 위하여 피치 못할 한 조건이다.

22일 개선(改善)

사회제도의 개량은 외면적 형식을 바꿈으로서 이루어질 수 있다고 생각하는것 만큼 그 목적을 위해서 방해되는 것은 없다. 이 그릇된 생각은 사람들이 하는 일을 그 목적에 따르지 못하게 하며, 도리어 사회제도의 개량을 위해서 필요한 노력에서 멀리 떨어지게 하는 것이다.

사회제도는 인간의 의식여하에 달린 것이지, 과학에 의거하는 것은 아니다. 문화란 무엇보다도 먼저 도덕의 문제이다.

정직, 권리와 의무에 대한 존경, 인인(隣人)에 대한 사랑—요컨대 도덕이 없다면 모든 것은 위험하며, 멸망하고 마는 것이다.

과학도 예술도 공업도 정치도, 도덕이 없다면 공중 누각과 같다. 단순히 이해 계산과 무장의 공포 위에 기초를 실현하는 사람이다.

〈아미엘〉

사랑의 진정한 방향은 지상적인, 혹은 정신적인 권력을 위하여, 새로운 법칙을 세우는 그것이 아니다.

인간의 개성을 인정하고, 그 속에 숨어 있는 힘을 발견하는 그것이다. 이와 달려가는 국가는, 믿음성 없는 무너지기 쉬운 것이다.

대중의 착한 덕성의 초석이 되는것은 의무의 관념 그것이다.

자기의 의무를 조용히 완수하고, 사람들에게 좋은 모범을 보이는 사람, 빛나는 사회에 대한 조력과 지지를 받는 방향을 취하는 사람이라야 인류의 진화에 공헌할 수 있다.

사회는 장님에게 이끌리는 장님과 같이 슬퍼할 여러가지 시도가 행하여지고 있다. 그러나 그들은 모두 독단(獨斷)과 권위와 도덕적 공식(公式)의 무덤 속에 떨어지고 마는 것이다

〈이아로스〉

허위라 인정되는 일에 복종할 때는, 진리를 수립할 수 없을뿐더러 부정을 덜게 할 수 조차 없는 것이다.

23일 예지(叡智)

예지(叡智)란 인생에 부여(賦與)된 영원한 진리를 아는 그것이다.

자기 자신의 정신을 아는 사람은, 무엇보다도 먼저 자기 자신 속에 신의 본원을 느낀다.

그리고 자신의 이성을 신에 속하는 신성한 것이라고 생각하여, 언제나 신의 선물을 받은 자에 알맞는 행위와 사상으로서 살아가려고 하는 것이다.

사람이 자기 자신을 믿고, 자의식을 가지고 검토할때, 얼마나 자신이 인생에 있어서 풍부한 선물을 얻고 있는 것이며, 성지를 받아 그것을 지키기 위하여 얼마나 고귀한 수단을 가지고 있는가 하는 것을 알 것이다. 〈시세로〉

박식과 예지가 일치되는 일은 아주 드물다. 성자는 많이는 알지 못한다. 그러나 성자가 알고 있는 것은, 전부 그 자신과 다른 사람들에게 필요한 것이다. 그리고 또 그가 알고 있는 것은, 전부 그 자신과 다른 사람들에게 필요한 것이다. 그리고 또 그가 알고 있는 것은 전부 그에게 있어서 의심할 수 없는 것 뿐이다. 〈세네카〉

성자는 박식(博識)이 아니다. 박식은 예지(叡智)가 아니다.
〈카알라일〉

성서 속에 있는 근본적인 가르침을 영혼으로서 분별할 수 없는 인간은, 아무리 비판적 연구가 있다 하더라도 그것을 알 수는 없을 것이다.

영혼을 가지고 분별할 수 있는 인간에게 그와 같은 연구는 일체 불필요한 것이다. 그리고 그것을 분별할 수 있는 인간은 성서의 인도가 생활에 필요한 것이지 박식을 위하여 필요한 것은 아님을 알 것이다.

사막에 있어서 한사발의 물이 황금만한 가치가 있는 것처럼 예지에 의한 행복은, 다른 모든 지식보다 중요하다.

24일 성숙(成熟)

유년시대로부터 정신의 발달은 시작된다. 그리고 육체의 힘이 쇠약해짐에 정비례해서 완성 되어 가는 것이다. 육체력의 감소와 정신력의 성장은 바로 선 원뿔과 거꾸로 선 원뿔과 같이 정비례하는 것이다.

정신이 성숙해 간다는 것은, 힘이 풍부하고 넘친다는 것보다도 가치 있는 것이다.

우리들 속에 존재하고 있는 영원한 것은 시간이 우리들 속에 낳아 놓은 것을 파괴 함으로써, 좋은 이익을 얻는다.

〈톨스토이〉

조화되 성장은 자연에 있어서와 같이, 인간에게 있어서도 침묵과 조용함 속에 이루어질 수 있는 것이다. 시끄러움 속에서는 언제나 파괴적이고 죄악적이며, 거친 것 밖에는 있을 수가 없다.

그러나 참된 정신의 성장과 발달을 위해서는 조용함과 침묵의 생활이 필요하다는 것을 알고 있는 사람은 극히 소수이다. 대다수의 인간은 홀로 남아 있을 때, 권태를 느끼며 초조하여 진다.

〈아미엘〉

정신적인 생활을 하고 있는 사람들은 나이를 먹으면 먹을수록, 그 지혜의 세계가 넓어진다. 그리고 더욱더 그 자의식이 명료해진다.

현세적인 생활을 보내고 있는 사람들은 나아가 들면 들수록 점점 더 약해질 따름이다.

〈탈무드〉

착한 인간이 되자면, 나이를 먹을 필요가 없다. 나는 과오를 범할 때마다, 그것이 이전에도 범한 과오란 것을 자각하지 않는 때가 없다.

〈괴 테〉

자기 자신 속에 있는 정신적인 생활의 존재와 그 성장을 의식 못한다는 것은 무서운 일이다. 단지 육체적인 생활만을 의식하고 있을 때는——나중에 그것은 불가항력적으로 쇠퇴해져서, 결국은 소멸되고 말 것이다.

25일 일등(一燈)

자선(慈善)이 진실된 것이기 위해서는, 그것이 희생이 아니어서는 안된다.

결합은 필요 속에 생긴다. 해방은 의혹 속에 일어난다. 자비는 모든 것 속에 생긴다. 〈괴 테〉

부자의 가난한 사람에 대한 노골적인 조력은, 그것이 가장 훌륭한 경우에 있어서도 일종의 예외에 지나지 못한다. 그것은 결코 자비는 아니다.

남이 길을 물을 때, 걸음을 멈추고 그 길을 일러주는 것은 예외이다.

이런 일은 자비 그것과 아무런 공통점도 가지고 있지 않는 것이다. 〈톨스토이〉

부자의 만등(萬燈) 보다도 빈자의 일등(一燈)이 참된 자신인 것이다. 〈세네카〉

될 수 있는대로 안락한 생활을 보내고자 하는 생각은, 인간으로서의 어떠한 불행보다도 나쁜 결과를 가져온다.

그러므로 어릴 때부터 아이들에게 일한다는 것을 가르침은 가장 필요한 것이다. 〈카알라일〉

현대에 있어서는 대다수의 사람들이 그리스도교를 말하며 그리스도적 도덕을 지키고 있는 것이라 생각하고 있다. 그러나 그것은 그들의 공상에 지나지 않는다.

실제에 있어서 그들은 다만 사교적(邪教的) 도덕에 복종하고 있음에 지나지 않으며, 그리고 그 도덕이 새 시대를 교육하기 위한 이상이 되고 있는 것이다.

일하는 빈자만이, 자선의 행복을 알 수 있는 것이다. 게으름뱅이나 부자에게는 이 행복은 도저히 알 수 없는 것이다.

물질적인 자선, 그것이 희생일 때에만 선이다. 만약 그렇지 않고, 폐물로 버릴 것을 자선한 것이라면, 받는 자의 마음을 거칠게 할 따름이다.

26일 감화(感化)

아이들은 외부로부터 가르치는 대로 움직이는 법이다. 그러므로 교육상(教育上) 가장 필요한 것은 그 아이들에게 영향(影響)을 미치는 가르침의 선택(選擇)을 잘 해야 하는 것이다.

인간은 누구나 유년시대에 받은 인상이 제일 강렬하다. 그리고 아이들 자신의 판단은 그들에게 보여지는 실례의 천분의 일만도 영향력을 가지고 있지 않다.

그러므로 눈으로는 전연 반대의 실례를 보고 있는 아이들에게 아무리 책을 읽혀도 그것은 전연 소용이 없는 것이다.

〈톨스토이〉

아이들에게 공순, 단순한 생활, 노역 그리고 자비를 가르침은 무엇보다도, 그 부모들이 호사스런 생활을 하여, 나태하게 날을 보낼뿐만 아니라, 가축을 잡아먹는 것을 아이들이 본다면 아무 소용도 없게 되고마는 것이다. 〈카알라일〉

어른들은 어린이들을 향하여 다음과 같이 말한다. 즉 다른 동물에 대하여 잔학한 짓을 하여서는 못쓴다. 약한자를 괴롭히지 말라고. 그러나 어린이들은 부엌으로 들어가면, 목이 잘리우고 털이 뽑힌 닭과 오리를 보는 것이다.

이같은 어른의 야만적인 부도덕한 행위를 보이면서도, 어린이들에게 훌륭한 도덕을 가르친다면, 이 무슨 이익이 있을 것인가? 〈스토루에〉

아이들에게 대해서 행하여지는 모든 도덕적인 교육은 좋은 실례에 의하지 않으면 안된다.

그대 자신이 선한 생활을 하라. 적어도 그렇게 하려고 노력을 하라.

그러면 그 정도에 따라서 아이들의 교육도 좋은 결과를 나타낼 것이다.

27일 교회(教會)

교회의 지도자들이 「신은 우리에게 맡기어졌다」고 선고한 때부터, 즉 인간의 내면적인 권위를 만들어낸 때부터 허위는 시작되었다. 인간 자신 속에 존재하는 가장 신성한 단 하나밖에 없는 것, 이성(理性)과 양심보다도 교회의 그 슬퍼해야할 결의를 신성하고 중요하다고 인정한 때부터——그 때부터 사람들의 신체와 마음을 잠들게 해버린 허위가 시작된 것이다. 그 때부터, 수없이 많은 사람들을 멸망시키고, 오늘날까지도 그 무서운 결과를 나타내고 있는 허위가 시작된 것이다.

1415년, 요한·구스는 그들의 배신 행위를 폭로하였기 때문에, 교회의 승려들로부터 사교도라하여 유혈을 보지않는 사형, 즉 화형에 처하여졌다.

사형집행인이 장작 있는데로 가라고 명하자, 그는 펄쩍 뛰며 소리질러 말하였다. 「그리스도여, 나는 주의 가르침에 의하여 이 무섭고 수치스러운 죽음을 견디겠읍니다. 공손히 순종하겠읍니다.」

사형집행인이 구스의 옷을 벗기고 두 손을 기둥에 잡아 매었다. 구스의 발은 의자 위에 서 있었다. 그 주위에는 기름과 장작이 놓여져 있었다. 장작은 그의 턱밑까지 쌓아졌다.

구스는 찬송가를 불렀다. 「내 주의 옆으로 가오리다」.

불길은 바람에 불리어 높이 타올랐다. 그리고 구스의 소리는 이윽고 사라지고 말았다. 〈톨스토이〉

모든 국가적 기독교의 근저는 권력이다. 참된 기독교의 사랑 그것이다.

국가는 강제이다. 기독교는 진심으로 부터의 복종이다. 검과 양의 채찍은 전연 반대의 일을 하는 것이다. 결코 일치 되지는 못한다. 〈구닝감·게케〉

교회란 그 안에 있는 사람으로서는 그 정체를 알 수는 없는 것이다.

28일 오류(誤謬)

과학이란, 그 목적이 인생의 법칙을 발견할 수 있을 때에는 가장 중요한 인간의 사업이라고 생각된다.

그러나 그 결과가 오로지 태만한 사람들의 호기심을 일으킬 정도의 것이라면 가장 가치없는 어리석은 일인 것이다.

학문이란 일의 중요성은, 그것이 어떤 이익을 가져오는 것인가를 증명할 수 있을 때에만, 인정할 수 있다고 생각한다.

〈에머슨〉

이제야말로 순수이성의 비판을 낳도록 시도할 필요가 있는 것이다. 그리고 만약 그와 같은 비판이 이미 존재하고 있다면, 그것을 검토하고 일반사람들의 경험에 맡길 필요가 있는 것이다.

왜냐하면 단순한 호학(好學)으로 그칠 것이 아닌 현재의 이 긴급한 필요를 채우기 위하여서, 우리들은 그밖에 아무런 수단도 가지지 못하기 때문이다. 〈칸 트〉

지식——추상계(抽象界)의 지식의 가장 큰 가치는 다른 사람에게 그것을 전할 수 있는 동시에, 그 사람이 그것을 확인하고 지킬 수 있다는 점에 존재 하는 것이다.

오직 그렇게 할 수 있을 때에만, 그것은 무한한 중요성을 가지게 되는 것이다. 〈쇼펜하우어〉

천문학이나 수학이나 생리학이나, 기타 유해하지 않은 학문을 연구하는 것은, 여러가지 유희나 자동차 운전이나 소풍을 하는 것과 같이 그것이 우리들의 의무를 행하는데 방해가 되지않는 한 용서되는 것이다.

그러나 인간의 참된 정신상의 행복과 일치하지 않는 학문에 골몰하는 것은, 자기들의 할 일을 하지않고, 유희에 정신을 파는 것과 같이 부도덕한 행위이다.

학문이란 인간의 행복을 위해서 가장 고귀하고 필요한 것을 알려고 하는 그것이 아니면 안된다.

29일 관용(寬容)

폭력에는 폭력으로써 대항할 수 없다. 폭력에는 대항하지 않을 것 그리고 폭력에 참가하지 않음으로써, 폭력은 극복할 수 있는 것이다.

살생의 사나운 본능이, 몇천년이란 세월을 걸어온 까닭에, 인류의 머리 속에 깊이 뿌리를 박고 말았다. 그러나 우리는 우리들 진화한 인류가 언젠가는 이 가공할 죄악에서 해방되는 날이 있다는 그 희망을 잃어서는 안된다.

그때 그 진화한 인류는, 우리가 자랑하고 있는 오늘날의 이 문명이란 것에 대하여, 어떠한 생각을 갖게 될 것인가?

아마도 우리가 고대 멕시코 인종과 그 호전벽(好戰癖)과 경신성(敬神性)과 동물욕이 동시에 존재해 있는 바 『카니바리즘』에 대해서 생각함과 같은 생각을 가지게 될 것이 아닐까!

〈톨스토이〉

압제(壓制)는 다음과 같은 때에만 그 자취를 감춘다. 즉 사람들이 어떠한 폭력에도 참가하는 일이 없고, 그 때문에 입는 일체의 박해(迫害)에 견딜 수 있게 되는 동시에 있어서만 그런 것이다. 압제를 소멸시키기 위해서는, 이 방법 밖에 없는 것이다.

어떤 일 개인이 남에 대한 육체적이거나 도덕적면에 있어서 폭력을 사용함은 좋은 일일까? 설사 그것이 악(惡), 그리고 개인이거나 사회의 행복에 대한 방해(妨害)를 극복한다는 목적을 가지고 있을 때라도, 혹은 더욱 그 이상(以上)으로 정신적인 결합이라는 높은 목적을 가지고 있을 때라 할지라도 말이다.

성경에 있는 바 악에 대한 무저항주의의 가르침은 이 문제를 부정적인 의의에서 해결하고 있다.

기독교도로서는 폭력을 사용함이 불가능일 뿐더러, 「남들이 그대의 오른 뺨을 치거든 왼뺨도 내밀라」고 한다.

〈부 카〉

30일 통합(統合)

모든 인간이 결합하려는 의식은, 점차로 전 연류의 사이에 퍼져나가고 있다.

그대는 두려워하고 있는 사람을 사랑할 수는 없다. 또한 그대를 두려워하고 있는 사람을 사랑할 수도 없다.

〈카알라일〉

도덕을 이야기하면서도 그대의 의무를 가정이나 국가에만 한정시키는 사람은, 정도의 차이는 있을지언정, 이기주의를 주장하는 사람이다. 〈마드지니〉

이 지상에 있어서의 그리스도의 사명은 다음과 같은 것이었다.

모든 사람들이 신성한 법칙 즉 사랑의 무한한 진화 밑에서는 동일체(同一體)라는 그 점을 확신시키는 것, 그리고 그것이 바로 인간의 영원한 생활이란 것을 확신시키는 그 일이었다.

〈라무네〉

우리는 동포적 정신(同胞的精神)을 과연 똑똑히 이해하고 있는가? 그것은 우리의 본원성을 보존하며, 그 완전성을 향하여 끊임없이 전진하는 정신임을 이해하고 있는가?

모든 사람의 마음 속에 우리의 내부에 있어서와 같이, 신에게 속하는 생활이 존재하고 있음을 우리는 이해하고 있는가? 이 이해가 있어야 비로소 인류는 참다운 결합을 자유로히 할 수 있는 것이다.

그러자면 우리는 서로가 새로운 존경심을 가져야 한다. 오늘날과 같이 서로가 가축이나 다루듯 대하고 있는 동안 자기 목적을 위하여 폭력과 교활로서 밖에 타인을 대할 수 없을 것이다. 〈찬 닝〉

모든 사람들 속에 있는 신(神)의 본원을 알므로써, 가장 자연스러운 내면적이며 외면적인 행복을 사람들에게 가져다 준다

이 의식을 방해하는 것은 미신과 사람들 사이의 이간질 그것이다. 이 의식을 초래하는 것은 진실과 사랑 그것 뿐이다.

31일 인생(人生)

과거는 이미 존재하지 않는다. 미래는 아직 오지 않는다. 현재는 이미 존재하지 않는 과거와 아직 존재하지 않는 미래와를 서로 연결시키는 무한히 작은 한계의 점인 것이다.

나는 정신과 육체로서 성립되어 있다. 육체에 있어서는 모든것이 동일하다. 왜냐하면 물질적인 것은 모든 것을 구별하는 능력을 가지고 있지 않기 때문이다. 〈톨스토이〉

우리들의 마음은 육체 속에 담겨져 있다. 그러나 그 속에서 수(數)·시간·크기라는 것을 아는 것이다.

또한 그것에 대해서 무엇인가 판단하고는, 그것을 자연이라 이름짓고, 필연이라 이름짓는다. 그밖에는 생각할 방법을 모르는 것이다. 〈에머슨〉

과거를 기억하기 보다는, 미래를 예견하는 것이 쉬운 그러한 총명한 존재를 생각할 수는 있으리라.

벌레같은 미물들의 본능 속에, 그것이 과거에 의해서보다도 미래에 의해서 더 많이 지도되고 있다는 것을, 우리들로 하여금 생각하게 하는 그 무엇이 있다.

가령 다른 동물이 과거의 기억과 같이 미래에 대하여 예견까지를 갖고 있다면, 벌레조차도 우리들 인간보다 나은 존재라 하지 않을 수 없을 것이다.

사실에 있어서 미래에 대한 예견력은, 항상 과거에 관한 기억력과는 반대 입장 속에 있는 것이다. 〈괴 테〉

시간이란 존재하지 않는다. 존재하고 있는 것은 오직 무한하게 작은 현재 그것 뿐이다.

그리고 그 속에서 생활은 영위되는 것이다. 그러므로 인간은 오로지 현재에만, 그 모든 정신력을 경주하지 않으면 안된다.

톨스토이 인생독본

1989년 7월 15일 / 1판 1쇄 인쇄
1989년 7월 20일 / 1판 1쇄 발행
1991년 9월 25일 / 2판 1쇄 발행
1993년 7월 31일 / 3판 1쇄 발행
1999년 6월 25일 / 4판 1쇄 발행
2003년 2월 5일 / 5판 1쇄 발행
2009년 5월 15일 / 6판 1쇄 발행
2012년 12월 25일 / 7판 1쇄 발행
2015년 9월 30일 / 8판 1쇄 발행
2017년 7월 10일 / 9판 1쇄 발행

지은이 | 톨스토이
옮긴이 | 이 상 길
펴낸이 | 김 용 성
펴낸곳 | **지성문화사**
등 록 | 제5-14호(1976.10.21)
주 소 | 서울 동대문구 신설동 117-8 예일빌딩
전 화 | 02)2236-0654 , 2233-5554
팩 스 | 02)2236-2953 , 2236-0655